La casa del dolor ajeno

La casa del dolor ajeno

Crónica
de un pequeño genocidio
en La Laguna

JULIÁN HERBERT

LITERATURA RANDOM HOUSE

El papel utilizado para la impresión de este libro ha sido fabricado a partir de madera
procedente de bosques y plantaciones gestionadas con los más altos estándares ambientales,
garantizando una explotación de los recursos sostenible con el medio ambiente y beneficiosa para las personas.

Parte de este libro se escribió con el apoyo del Sistema Nacional de Creadores de Arte.

La casa del dolor ajeno

Crónica de un pequeño genocidio en La Laguna

Primera edición: septiembre, 2015
Primera reimpresión: octubre, 2015
Segunda reimpresión: noviembre, 2015
Tercera reimpresión: julio, 2022

D. R. © 2015, Julián Herbert

D. R. © 2022, derechos de edición mundiales en lengua castellana:
Penguin Random House Grupo Editorial, S. A. de C. V.
Blvd. Miguel de Cervantes Saavedra núm. 301, 1er piso,
colonia Granada, alcaldía Miguel Hidalgo, C. P. 11520,
Ciudad de México

penguinlibros.com

ISBN: 978-607-313-414-9

Impreso en México – *Printed in Mexico*

Para Mónica, que me enseñó a escuchar a los otros,
y para Carlos Manuel Valdés, que me enseñó
a escuchar a los muertos.

Forget it, Jake. It's Chinatown.

Chinatown (1974) de ROMAN POLANSKI

[ESTO ES UN *WESTERN*:]

LA CASA DE LIM

La antigua casa de campo del doctor Walter J. Lim es un *chalet* de tejados color verde y muros de ladrillo rojo intenso. Los ladrillos adquieren una tonalidad profunda porque las juntas fueron delineadas con empaste blanco. El techo es curvo y parece derramarse como una ola esmeralda sobre un jardín en el que habitan, al lado de naranjos y toronjos más jóvenes, dos moreras centenarias. Estos árboles, tal vez emparentados con otros de la misma especie que hay en el bosque Venustiano Carranza, al oriente, donde hace muchos años prosperaron huertas chinas, dan testimonio de un anhelo empresarial: la intención de convertir en productora de seda a una comarca famosa por sus cultivos de algodón. No hubo tiempo de hacerlo. Seis meses después de iniciada la Revolución Mexicana, los maderistas entraron en esta finca y violaron a la mujer encargada de cuidarla. Luego una turba intentó linchar a Lim frente a la plaza del 2 de Abril pese a que el médico portaba en el antebrazo izquierdo un distintivo de la Cruz Roja. Walter J. logró salvarse para narrar, meses después, su versión del pequeño genocidio perpetrado en Torreón entre el 13 y el 15 de mayo de 1911. No todos sus compatriotas corrieron con la misma suerte: alrededor de 300 inmigrantes chinos fueron asesinados, mutilados, desvestidos y saqueados. Sus cadáveres terminaron en una fosa común, cavada bajo las órdenes de un inglés, junto al muro exterior de la Ciudad de los Muertos. Otros acabarían al fondo de las norias del rumbo de El Pajonal.

—El doctor nunca fue cónsul ni encargado de negocios del imperio —aclara Silvia Castro: una mujer delgada, entrecana y aguileña—. Era líder de la comunidad china local, que es muy distinto. Para la época en la que ocurrió la matanza, ya había tomado incluso la nacionalidad mexicana.

Estamos a las puertas del Museo de la Revolución, del que la maestra es directora. Es decir, a las puertas del *chalet* que fuera propiedad de Lim a principios del siglo XX. Hace décadas que el edificio se halla en plena ciudad, a 10 minutos en taxi del centro histórico de Torreón, en medio de un distrito comercial y habitacional de clase media.

—Ésta no era su casa —añade Silvia—. Él sí era el dueño pero no vivía aquí. La quinta la cuidaba Ten Yen Tea, su cuñado. La hermana de Lim, que es la única mujer china de la que hablan los archivos, estaba acá en compañía de sus hijos cuando llegaron los rebeldes. Cuenta el doctor que apuntaron con rifles a la niña mayor para obligarla a decir que se casaría con ellos. Luego echaron a todos a la calle y saquearon la propiedad. Los Ten se refugiaron en casa de un señor apellidado Hampton.

Entramos en el vestíbulo, un pasillo muy corto y oscuro. Un óvalo de cerámica empotrado a la pared aclara que:

Esta casa fue construida por el doctor J. Wong Lim. Posteriormente fue adquirida por la Compañía Explotadora de Bienes Raíces, S. A. Luego, y según algunos testimonios, funcionó como prostíbulo. Más adelante perteneció a Ignacio Berlanga García, y después a Carlos Valdés Berlanga y a su familia. Finalmente pasó a manos de don Ramón Iriarte Maisterrena, quien la donó durante los festejos por el Centenario de Torreón para que albergara el Museo de la Revolución.

Me divierte la parodia de las genealogías bíblicas que el cartel consagra a la propiedad privada, y es curioso que el texto llame al dueño original J. Wong Lim: todos los documentos que conozco, incluso un anuncio de periódico donde el facultativo promueve su consulta, lo presentan como Walter J. Lim, Sam Lim o JW: adaptaciones anglosajonas de su nombre. Es un detalle sin importancia y un guiño del tiempo que permite atisbar cuán teñido de tradición oral llegó a nosotros el relato de la masacre.

También encuentro irónico que Ramón Iriarte Maisterrena —ex CEO del emporio de lácteos Grupo Lala, figura tutelar del conservadurismo norteño e ícono de la burguesía en Hispanoamérica: un prototipo del capitalista salvaje— aparezca como mecenas del museo. Apuesto a que, si estuviéramos en 1914, ninguno de los héroes que el recinto ensalza consideraría la prosperidad de su benefactor ya no digamos deseable, sino siquiera lícita. Ésta es una de las paradojas que le dan a Torreón su aura sublime: es una ciudad profundamente porfirista que ama la revolución con ardor de quinceañera.

Es lunes. Las salas de exhibición están cerradas al público. Recorro en penumbra la duela recién pulida, me aposto en ventanas que semejan troneras, descifro haciendo bizcos cicloramas que, con párrafos pulcros y fotografías borrosas, intentan resumir una guerra civil que se cobró un millón de muertos (buena parte de ellos víctimas del hambre y las enfermedades) en 10 años. Subo la escalera de pino que conduce a la segunda planta. En un rincón de la sala, desplegada en gran formato, descubro una imagen traviesa: una primera plana de *El Imparcial* que magnifica los triunfos del ejército huertista en 1914. No es eso lo que llama mi atención sino una nota marginal sobre el arribo de una nueva y muy nutrida misión diplomática china. La integraban los señores Chen Loh, Hu Chen Ping, T. Chen y George H. Hu. Infiero que entre sus encargos albergaban el reclamo a Victoriano Huerta de los tres millones cien mil pesos en oro que el presidente Madero prometió pagar tras la desgracia lagunera. Pero a Madero lo mandó asesinar el propio Huerta una noche de febrero de 1913, sin permiso de la civilización occidental y con la venia del Muy Respetable Señor

Embajador de los Estados Unidos. Dudo que estuviera entre los planes del gobierno golpista amortizar las deudas de un demócrata muerto.

—¿Quiere un té? —pregunta Silvia.

Acepto.

Nos dirigimos a su oficina, un edificio independiente ubicado en el traspatio del precioso *chalet*. Conversamos. La maestra me hace un resumen del libro *Tulitas of Torreon*, me muestra imágenes de la época revolucionaria captadas por H. H. Miller, me permite digitalizar un ejemplar de *The Torreon Enterprise* que conserva enmarcado sobre su escritorio, me concierta una cita con Ilhuicamina Rico, historiador local que ha escrito sobre el movimiento magonista en La Laguna…

—Mire —dice girando hacia mí la pantalla de su computadora—: así es como se veían las turbas de menesterosos captadas por la lente de Miller la víspera del asalto.

La fotografía muestra un conjunto de carretas en formación dizque militar. No hay armas a la vista. Los vehículos parecen cuerpos de gigantes acuclillados y desnudos. La madera está podrida. Los personajes —hombres y mujeres— lucen paupérrimos.

—Fueron ellos quienes atacaron a los chinos —asevera Silvia—. Eran una *troupe* de pícaros que seguía a todas partes a los ejércitos revolucionarios con la abierta intención de consagrarse al saqueo. La mayoría ni era de aquí. Como apunta Juan Puig al final de *Entre el río Perla y el Nazas*, la del 15 de mayo fue una tragedia espontánea: la reacción de una masa popular que desahogó su frustración sobre un grupo particular de inmigrantes por considerarlos *demasiado diferentes*. Poco o nada tiene que ver lo que pasó con un acto de xenofobia de los laguneros.

Palabras más o menos, y a excepción de unos cuantos, ésa es la opinión de los historiadores mexicanos. Es una tesis plausible y, a la vez, una muy conveniente para la idiosincrasia lagunera, la burguesía y los anales de la patria. Es una tesis con la que no estoy de acuerdo y cuyos argumentos me propongo rebatir.

***

La matanza de chinos de Torreón es un episodio revelador y soterrado de la Revolución Mexicana, y no podría decirse que el nulo (re)conocimiento histórico que hay de ella se deba a falta de testimonios. Entre 1911 y 1934 circularon distintas versiones orales e impresas. Son varios —no diré que muchos— los académicos que se ocuparon del tema entre 1979 y 2012. Si leyera en términos borgesianos, diría que es algo que *quiere ser contado*: cada pocos años se defiende de morir. Este libro es apenas una versión de ese gesto.

Al mismo tiempo, distintas pulsiones sociales —incluyendo, curiosamente, a los actuales chinos de Torreón— han hecho todo lo que estaba en su poder por desleír el relato. De ahí que sea difícil acceder a sus claves más sutiles.

Me enteré cuando era niño. Me lo refirió Julián Jiménez Macías, un chico proveniente de La Laguna que cierta noche de *Halloween*, mientras pedíamos "dulce o truco" por las calles oscuras del Barrio del Alacrán, me descalabró a causa de un precoz lío de faldas. A manera de castigo y por orden de sus padres, mi tocayo ocurrió dos o tres tardes junto a mi lecho de convaleciente. Procuraba resarcirme del madrazo con la crónica de partidos de futbol llanero, páginas de la nota roja y antiguas historias de cadáveres. En la versión que él contaba, el homicida de los chinos habría sido un fantasma legendario: Pancho Villa.

Al paso de los años descubrí otras encarnaciones del suceso y no pocas veces imaginé que le dedicaría una noche de prosa. Tuve el pretexto en 2012, cuando se reeditó *Entre el río Perla y el Nazas*. Mi intención era hacer una reseña; tres cuartillas máximo. Pronto descubrí que tenía demasiada información y, sobre todo, demasiadas opiniones encontradas. Me tentó la idea de emprender algo más largo a partir de

Entre el río Perla... y de otras fuentes. "Será —pensé— un ensayo de entre 15 y 20 páginas."

En el verano de 2014 había indagado suficiente como para plantearme la aventura de una novela histórica, pero en cuanto empecé a inventar noté que traicionaba los materiales: la ficción ya la había escrito el Espíritu Nacional. Lo que no había, o existía a medias, era la crónica. Decidí hacer un relato ambiguo, un corte estilístico transversal donde los eventos del pasado y sus muescas en el presente (y en mí) se engarzaran en un solo territorio. Una lectura *gonzo* aplicada a la historia. No una épica o una tragedia ni mucho menos una tesis universitaria: un reportaje ubicuo.

A contramano de lo anterior, y conforme avanzaban mi indagación y su escritura, noté que la pulsión de la novela total me arrastraba a la fiebre. Para narrar la masacre, me pareció indispensable trazar anécdotas en torno al modo en que llegué a las fuentes y registrar la peculiaridad de que el pequeño genocidio siga siendo tabú para muchos torreonenses (especialmente para los empresarios). Para explicar por qué Torreón tuvo una colonia china tan próspera a principios del siglo XX, fue necesario contar la meteórica fundación de la urbe, describir la condición mitad aristocrática y mitad picaresca de La Laguna, consignar el multiculturalismo y el racismo presentes en la tradición de la comarca. Para explicar por qué la sinofobia nacional tuvo su expresión apoteósica en un ferropuerto, tuve que volver a los orígenes y las consecuencias de la diáspora china y a su peculiar carácter trasnacional, cuya unidad cultural y financiera se extendió durante 100 años por Canadá, Estados Unidos, México y el Caribe.

También debí recurrir a la prensa satírica del porfiriato y a los primeros documentos sobre la migración ilegal entre México y Estados Unidos, cuyos protagonistas no fueron *mojados* mexicanos sino cantoneses.

No me atreví a desaprovechar la historia del primer filósofo confuciano que pisó las calles de un pueblo del oeste: Kang Youwei, el hombre que encabezó la primera revolución moderna en China y cuyo pensamiento tendría a la postre alguna influencia en el de Mao Zedong y cuya tendencia a la especulación inmobiliaria fundaría en el desierto mexicano la compañía bancaria y de tranvías Wah Yick: un edificio que fue el corazón urbano de la mayor matanza de orientales en América.

A ratos dudé si a cualquier no lagunero podría interesarle la historia de La Laguna. La conservo porque me importa el teatro de la masacre. También porque se trata de una comarca míticamente rancia e inusitadamente joven; tanto, pongo por caso, como el humilde pueblo de pescadores japoneses que habría de convertirse a finales del siglo XIX en el soberbio puerto de Yokohama. Ambos territorios geográficos y simbólicos son la puesta en escena de la utopía industrial y comercial del liberalismo, una religión laica que extrajo de la nada mundos que, en ciertos husos horarios, envejecieron prematuramente: casi a la misma velocidad que un ser humano.

(Miento; decidí conservar mi retrato de Torreón por una mera pulsión textual: el deseo de narrar una ciudad a la que amo en clave de parodia —en el sentido etimológico que da Gerard Genette a esa palabra: una *oda paralela*— de la novela latinoamericana del siglo XX.)

Me gusta la idea de que estas páginas podrían contener un relato pero también un ensayo: una reflexión oblicua sobre la violencia en México. Conversé con historiadores para dar a mi criterio un punto de partida sólido, entrevisté a cuantos taxistas se cruzaron a mi paso, procuré ver el reflejo de la historia patria en la vida cotidiana del Torreón contemporáneo, recopilé anécdotas sabrosas cada vez que pude y sin importar que ello me condujese a barrabases digresiones… El resultado es un libro medieval: una denuncia barnizada de crónica militar y financiera salpicada de pequeñas semblanzas biográficas que imita con igual (mala) fortuna a Stefan Zweig que a Marcel Schwob. Una antología de textos ajenos glosados y/o plagiados en un lenguaje que rehúye la escritura creativa. Una antinovela histórica: sobrescritura:

un caldo de prefijos como huesos para dar sabor a un graso campo literario donde la carne se acabó.

¿Por qué alguien querría leer un libro así?

Esa pregunta me hice en octubre de 2014. Había redactado 180 cuartillas de *La casa del dolor ajeno* cuando me invitaron a hablar de él en la Pontificia Universidad Católica de Chile. Dudé: si mi retablo regional corría el riesgo de no ser interesante para los mexicanos, ¿qué caso tendría comentarlo con gente que vive al otro lado del mundo?

Viajé a Santiago de Chile en compañía de Cristina Rivera Garza. El tema de nuestro encuentro fue uno que todavía hoy mantiene en vilo mi lenguaje: la desaparición forzada (establecida en febrero de 2015 como homicidio múltiple por el sistema judicial mexicano) de 43 estudiantes de la Normal Rural de Ayotzinapa, en el estado de Guerrero. En aquel momento —mientras bajábamos desvelados del avión y nos encontrábamos con los profesores Macarena y Fernando, nuestros anfitriones, y Cristina era detenida durante una hora por la policía de aduanas debido a que olvidó declarar una inocente bolsita de almendras— no sabíamos que el caso iba a convertirse en lo que fue: el fenómeno social y mediático que más profundamente afectaría la presidencia de Enrique Peña Nieto. Si bien los 43 no son la desaparición forzada más grave acontecida en México, sí representan una fractura medular entre la sociedad y el Estado. Suave Patria parapléjica y diamantina.

Mientras yo hablaba en el Centro Cultural Gabriela Mistral, GAM, de cualquier cosa, en decenas de ciudades mexicanas nació un fenómeno de indignación que recorrería brevemente el planeta. Esa noche, leyendo las noticias en un hotel de Providencia, decidí que la masacre torreonense podía no importarle a nadie pero funcionaba para mí como el escudo de Perseo: un círculo pulimentado por el tiempo en cuya superficie logro atisbar, sin verme petrificado, la cabeza de Medusa en la que se ha convertido mi país.

Esta no es la historia que buscabas: es la que tengo.

***

La primera referencia data del 16 de mayo de 1911. Uno de los sobrevivientes se las ingenió para huir de Torreón, donde la línea telegráfica había sido cortada, y se trasladó a Monterrey o a Saltillo, desde donde envió a Ciudad Porfirio Díaz un cable dirigido al empresario Wong Chan Kin narrando el pequeño genocidio. Kin participó la información a Shung Ai Süne, encargado *ad interim* de negocios chinos en la ciudad de México. Éste alertó por último al agonizante régimen porfirista. Tanto la prensa nacional como la extranjera ignoraron la noticia hasta el 22 de mayo. Semejante dislate no tendría explicación si no fuera por el balde de pólvora que se derramaba entonces a través de los pulmones de la Suave Patria.

A mediados de mayo de 1911 se fraguó, al margen de las efemérides, la defenestración de Porfirio Díaz, ese extraordinario estadista que tuvo la ilusión de que la modernidad podía introducirse en un país mediante estructuras metálicas, inmigración de gente rubia y cargas de caballería sobre la población civil. El 8 de mayo, un ejército de cerca de 2 500 hombres comandado por Francisco Villa, Pascual Orozco y Francisco I. Madero sitió Ciudad Juárez. El 13, las tropas irregulares de Durango y Coahuila asediaron Torreón comandadas por Emilio Madero y Jesús Agustín Castro, un ex tranviario de 23 años. Ese mismo día, Emiliano Zapata cercó Cuautla y puso en jaque a las tropas de Victoriano Huerta, quien no se atrevió a combatir a campo abierto por miedo a dejar desamparada la capital de la nación. Ciudad Juárez cayó el día 10. Torreón, el 15. Cuautla —luego de una semana de tremendos combates—, el 19. Aunque se trató más de una coincidencia que de un evento coordinado por los insurrectos, perder simultáneamente esas tres batallas les costó el régimen a los Científicos. Para el 22 ya no existía el antiguo gabinete y la renuncia de Díaz —efectiva a partir del 25— era cosa de trámite.

Fue ese 22 de mayo cuando se publicó la noticia: en Torreón, las tropas maderistas habían asesinado —se computaba entonces— a 224 chinos y siete japoneses. Una buena cantidad de notas aparecieron en la prensa estadounidense, mexicana y china. La cobertura extranjera —muchas veces errónea: *The New York Times* afirmó que el doctor Lim había muerto linchado— condenó los sucesos. La prensa mexicana se debatía entre una indignación histérica y evidentemente porfirista; una defensa a rajatabla del maderismo, cuya estrategia fue desde el principio culpabilizar a las víctimas acusándolas de combatir en forma armada al ejército revolucionario; y un humorismo cínico y racista que minimizaba la barbarie arguyendo que, después de todo, tampoco es que la vida de un chino valiera tanto como la de un mexicano.

Se ordenaron cuatro investigaciones.

La primera, promovida a finales de mayo por Emilio Madero, recayó en la persona de Macrino J. Martínez, un revolucionario torreonense que, sin mayor trámite o currículum, recibió el nombramiento de juez militar. La segunda, la dirigió Jesús Flores Magón y fue superficial y lenta; apenas si vale la pena hablar de ella. La tercera, comisionada en agosto por la Secretaría de Relaciones Exteriores, fue dirigida por Antonio Ramos Pedrueza, prestigiado jurista y diputado de la XXV Legislatura (la última de don Porfirio). La cuarta investigación, también de agosto, se llevó a cabo a nombre del gobierno chino con asesoría de funcionarios estadounidenses. Los comisionados fueron Chang Yin Tang (quien no viajó a Torreón sino que envió a su secretario particular, Owyang King) y los abogados Lewens Redman y Arthur W. Bassett. También contó con el apoyo extraoficial del juez Lebbeus R. Wilfley, quien fungió como redactor de diversos documentos e informante personal del presidente Taft.

La investigación —si es que puede llamársele así— de Macrino J. Martínez fue un amasijo de retórica infumable, testimonios falseados y trapacerías diversas cuyo objetivo era exculpar a los soldados maderistas y convencer a la opinión pública de que la colonia china había atacado primero al Ejército Libertador de la República.

El documento de Flores Magón sería el más tardío de todos: se concluyó en diciembre de 1911. Da cuenta de 10 órdenes de aprehensión contra presuntos culpables.

El informe de Ramos Pedrueza no sólo es una importantísima fuente histórica; es también la principal fuente ideológica de las tesis que los historiadores mexicanos sostienen sobre la masacre, una lectura jurídicamente concienzuda que se atiene a los hechos, ignora el contexto y recurre al expediente antropológico y al enigma de la violencia perpetrada por una masa anónima para dar una explicación que no involucre a la gente decente.

La indagación del gobierno oriental desembocó en un pequeño informe que fue publicado en forma de folleto bilingüe inglés/español y se imprimió en un papel mucho más bonito que el de cualquiera de los reportes nacionales. No es un documento tan prolijo como el de Ramos Pedrueza (cita 15 testimonios, ninguno de los cuales es incluido en forma directa), pero reúne las anécdotas más vívidas y crueles de la matanza.

Con los años, el gobierno federal integró un expediente de cuatro legajos (miles de páginas) que incluye artículos periodísticos nacionales y extranjeros; los oficios y telegramas entre distintas instancias oficiales, algunos escritos en un hilarante lenguaje cifrado; la correspondencia diplomática entre México y la legación china; los informes emanados de las comisiones investigadoras; y los engorrosísimos trámites para establecer el monto y las fechas de pago de una indemnización a favor del imperio celeste. Los papeles se acumularon hasta 1934, año en que la sinofobia personal de Plutarco Elías Calles, Jefe Máximo, adquirió dimensiones de política exterior y sepultó cualquier esperanza de arreglo. Los documentos se encuentran en el Archivo Histórico Genaro Estrada de la Secretaría de Relaciones Exteriores, en la ciudad de México.

★★★

En los albores del mundial de futbol Brasil 2014 me reuní con Laurent Portejoie en el D. F.. Ambos acudíamos a una cita a ciegas convocada por la embajada de Francia: el proyecto *(D)escribir la ciudad*, un ejercicio de la imaginación en el que un escritor y un arquitecto debían recorrer la ciudad de México para generar un dispositivo estético/político (un texto, una imagen, una estrategia) que sirviera como re/formulación de los múltiples fragmentos de urbe (de orbe) que conforman la capital. Acepté la cita por oportunismo: el gobierno francés cubría los viáticos que me permitirían explorar el Archivo Estrada en busca de información sobre la masacre de chinos de 1911. El evento ulterior me habría tenido sin cuidado si no fuera porque, antes pronto que tarde, se convirtió en una realidad sentimental: Laurent y yo nos hicimos amigos; el imperativo retórico de compartimentar desembocó en una mutua voluntad de compartir. Primero, a nuestras familias: la mía nos acompañó durante el viaje, la suya fue referencia obligada en cada charla. También nos unió ese territorio de la infancia al que es relativamente fácil volver en compañía, aunque lo hayamos adquirido en lugares e idiomas distintos: la pulsión estética: la noción de que la angustia (en mi caso la memoria de un pequeño genocidio sucedido a principios del siglo XX) puede ser burlada dondequiera que exista complicidad entre procrastinadores.

El matrimonio formado por Hélene Meunier y Martí Torrens fue un catalizador del encuentro: Laurent no habla español ni inglés y mi francés se reduce a un par de canciones de kínder. Gracias a estos nuevos amigos y a su dominio del entorno y de los idiomas que nos separaban, nuestra percepción del D. F. se aproximó a uno de esos descubrimientos tan caros a la Generación Perdida, para cuyos personajes es inconcebible la experiencia cosmopolita si no va acompañada de erotismo, multiculturalismo, nostalgia política, la fundación de una nueva amistad, el consumo cómplice de sustancias intoxicantes, el emprendimiento de aventuras absurdas...

Otra adquisición de nuestra improvisada pandilla fugazmente chilanga fue Massimo, a quien rebautizamos como Dottor Fetuso: un fotógrafo italiano cuyo departamento, situado en un lujoso condominio sobre Paseo de la Reforma, se volvió domicilio de algunas de las actividades *indoors* que practicamos durante la semana. También estuvo con nosotros Arturo, el taxista que Laurent conoció un año antes de nuestro encuentro, cuando vino de vacaciones en compañía de su mujer y de sus hijas. Sin Arturo jamás nos habríamos adentrado en el *backstage* de Tepito, la Merced o Santa Fe. Él nos llevó a los rincones menos uniformes de estos territorios: una iglesia católica recién asaltada; el despacho de una narcomenudista con aspecto de princesa de Disney y léxico de puta sexagenaria cuyo poder descansaba en tener embrujados los corazones de media docena de robustos vendedores de electrodomésticos; el hirsuto barranco santafesino lleno de picos de acero y botes de basura y tremendos riesgos para la seguridad de los albañiles que ahí trabajaban: un pozo de miseria en el corazón de un exclusivo fraccionamiento, un agujero de inhumanidad que una constructora multimillonaria ocultó ingenuamente detrás de un espectacular que publicitaba al mismo tiempo la revista *Forbes* y el *single malt Macallan*. Arturo nos mostró en su celular fotografías aéreas que volvieron discernible una colmena gigantesca: Ciudad Satélite, el barrio diseñado por Luis Barragán como una suerte de distopía soviética VIP.

Laurent es un cincuentón de provincia; nació y vive en Bordeaux. Yo tenía esa vez 43 años y poseo el resentimiento chauvinista que nos une a la mayoría de los norteños. Fueron muchas las circunstancias que hicieron afortunado nuestro viaje, y quizá la principal era la incomunicación. Al principio no podíamos conversar sin alguien que nos tradujera, pero muy pronto (y habida cuenta de que pasábamos todo el día juntos y sin otra compañía que la mutua, como chicos de pueblo aislados en un colegio suburbano que era al mismo tiempo una de las ciudades más pobladas del mundo) debimos inventar un lenguaje común —una suerte de *frañol* orquestado con mímica, onomatopeyas, dibujos, música pop y litros de cerveza— para hablar no solamente de nuestra experiencia al recorrer, a pie y en automóvil, varias de las fronteras que unen/separan la ciudad de México, sino también para explicarnos mutuamente cualquier otra experiencia humana. La amistad entre dos personas que tienen que inventar un idioma común para sobrevivir al caos es indestructible. Por eso afirmo que nuestro enfoque al recorrer y (d)escribir juntos la zona metropolitana fue, más que una aventura intelectual o política, una praxis filosófica: la fundación de una utopía basada en la complicidad y la invención de un lenguaje privado. La exploración de las posibilidades poshistóricas de la fraternidad.

Laurent me informó que, justo antes de salir de Francia, había comprado una cámara Polaroid. Quería que su registro visual tuviera un componente específico, algo que no había utilizado antes en su carrera de arquitecto y que, amén de resultar vagamente vetusto, corporeizaba nuestra desventaja ante la urbe: era —contemplado a contraluz de la fotografía digital— un dispositivo demasiado físico, humano y torpe. Recordé a H. H. Miller, el fotógrafo estadounidense que nos legó uno de los pocos reportajes gráficos que existen de la masacre de chinos.

Laurent es un artista excéntrico que entiende su oficio como algo puramente sensorial. Rara vez lo vi dibujar durante los días que pasamos juntos. En cambio, grabó un montón de audios: la distribución del sonido en el espacio es uno de los aspectos que determinan su enfoque arquitectónico. Muchas veces —por ejemplo en la Merced o Tepito— su participación de la experiencia sonora fue todo, menos placentera: tiene problemas de audición en uno de sus flancos.

Desde la primera charla elegimos como tema la noción de *frontera* en tanto que *constructio* interno de la ciudad. Puesto que nos habían hospedado en un hotel *boutique* de la San Rafael, se nos ocurrió que la primera frontera que debíamos cruzar era San Cosme: la avenida que separaba nuestro barrio de la Santa María la Ribera. Muy cerca de la plaza con el quiosco morisco, a la altura de Díaz Mirón, hicimos un descubrimiento que cuadró con el espíritu de nuestro deambular: la mayor parte del cuerpo arquitectónico de una solterona fachada porfirista había desaparecido; lo que podía atisbarse al otro lado a través de una rendija en la puerta principal era un campo de futbol rápido sobre cuyo césped sintético corrían niños de nueve o 10 años. La estampa venía muy a cuento, porque la tarde anterior la selección francesa había goleado a la de Suiza en la fase de grupos. La ciudad bien podría ser el cociente de dividir una fachada vieja entre lo que se alcanza a ver por una rendija.

Frente a un lote baldío, al lado del Museo de Mineralogía de la UNAM, intenté explicar a Laurent en mi mocho lenguaje lo que el terremoto de 1985 significó para mi generación: no sólo una experiencia traumática sino también un despertar a la vida política; la sensación visceral de pertenecer a la sociedad. No sé si por nostalgia o por falta de recursos verbales, terminé lloriqueando al pensar en el fracaso político en el que desembocó nuestro proceso: la elección de Vicente Fox en el 2000 y el consiguiente auge de la narcoeconomía; la insensatez del régimen de Felipe Calderón, que dejó más de 80 000 cadáveres sobre el asfalto; el regreso del PRI a Los Pinos acompañado de nuevos y más hondos desastres: corrupción, impunidad, depresión económica, alzamiento de grupos paramilitares, miles de desapariciones forzadas... Laurent extrajo la Polaroid de su mariconera y tomó la primera imagen de nuestro proyecto: un chillón retrato mío con un lote baldío de fondo.

A partir de entonces, los disparos se sucedieron en forma precisa e irracional. Nunca se trató de registrar momentos visualmente definitivos sino emotivamente relevantes. Algo en el proceso me recordó a artistas conceptuales como Mario García Torres y Sol Lewitt. Una frase de este último describe la manera en que trabaja Laurent: *Conceptual artists are mystics rather than rationalists. They leap to conclusions that logic cannot reach*. Uno de los momentos más plenos de ese enfoque fue una instantánea que mi amigo hizo desde el piso 14 del condominio donde vive Dottor Fetuso la tarde en que la selección mexicana derrotó a la de Croacia. Es una toma de las huestes panboleras caminando hacia el Ángel de la Independencia. La euforia de la muchedumbre no se trasmite visualmente —la distancia y la calidad de la Polaroid lo impiden— pero lo que Laurent intentaba era otra cosa: registrar lo que después bautizaríamos como "frontera vertical": los límites físicos-sociales-políticos entre quienes recorren el país a ras de suelo y quienes lo viven desde los rascacielos; una manifiesta invisibilidad mutua.

Fueron muchas fronteras las que visitamos: la que separa la Condesa de la San Miguel Chapultepec, con su interesante pero fallido proyecto de espacios residuales; la frontera cada vez menos existente entre Condesa y Roma; la que divide la Roma de la Doctores, cuya marca obvia es que la Roma tiene al menos tres veces más lámparas encendidas; la que separa al Santa Fe de los automovilistas del Santa Fe de los peatones... También trazamos analogías territoriales haciendo en automóvil recorridos indiscretos: ir por ejemplo desde un multifamiliar hasta el Mercado Sonora, donde aves y reptiles y mamíferos viven hacinados en jaulas diminutas. Vimos Tlatelolco en tanto que sitio histórico y como espacio pragmático y notamos que no hay manera de visitarlo sin sentir el impacto emocional de la masacre estudiantil de 1968, pero tampoco es posible encontrar entre las unidades habitacionales una pinche cantina donde lavarse de la boca el sabor a mierda histórica: fiel a la mojigatería del constructivismo, Pani equipó su utopía de la vivienda con urbanística reticencia a una cuestión tan perentoria como el consumo público de alcohol. Hay que cruzar la avenida Flores Magón e internarse en la rasposa colonia Guerrero para pedir un trago. Eso hicimos: terminamos bebiendo pulque y bailando salsa con los decrépitos parroquianos del barrio de junto, quienes nunca asistieron ni al Poli ni a la UNAM y poseen un lamentable bagaje político, mas son el único proletariado sin maquillaje que sobrevivirá cuando este país de forajidos hipócritas termine de irse por el caño.

Al día siguiente, Laurent se marchó a Francia y yo me dediqué a buscar el Archivo Genaro Estrada. Me sentía tan infatuado por las jornadas que pasé con mi amigo recorriendo la ciudad sin un destino preciso que, en lugar de informarme en internet, salí del hotel, caminé hasta el monumento a la Revolución y pregunté en la calle, al azar, dónde podía encontrar la dependencia. Mis pesquisas me condujeron a las oficinas centrales de la Secretaría de Relaciones Exteriores, frente a la alameda. Luego de hacer un par de filas ante los mostradores y de que ninguno de los burócratas a los que consulté tuviera la menor idea de dónde se resguarda el acervo histórico de la institución en la que labora, desistí: tomé un taxi. El conductor era un hombre viejo. Le pedí que me llevara a mi hotel y, por no dejar, me quejé de la ignorancia de los funcionarios públicos.

—¿Pos qué anda buscando? —preguntó el taxista.

—El Archivo Estrada. Es parte de la Secretaría de…

—Yo lo llevo.

El vehículo me condujo a la esquina de Lázaro Cárdenas y Flores Magón, de vuelta a la unidad habitacional diseñada por Mario Pani. Se detuvo en el centro cultural (antigua sede de la SRE) que resguarda el memorial del 68.

—Es ahí —dijo el chofer señalando el edificio de enfrente.

Veinticuatro horas antes, yo me había detenido en esa misma esquina del brazo de Laurent Portejoie; intentaba explicar una masacre distinta a la de los chinos: la de la noche de Tlatelolco. Qué difícil es caminar por una calle sin que te salgan al paso varias generaciones de esqueletos.

★★★

En 1932, Eduardo Guerra consignó la matanza de chinos de 1911 en un tacaño parrafito de su *Historia de Torreón*. Su relato da crédito al infundio de que los súbditos celestes habrían disparado primero contra las tropas revolucionarias. Esta referencia marca el inicio de una tercera fase del evento: la interpretación de los historiadores.

Luego, durante 40 años, el cuento cayó en un *impasse*: rara vez se habló o se escribió acerca de él. Si acaso, dicen algunos viejos laguneros —niños en aquella época—, subsistió una anécdota para ser relatada en las sobremesas nocturnas: la viñeta de un soldado maderista que, ya sin balas, tomaba por las piernas a un niño de 12 años, lo alzaba y, haciéndolo girar en el aire, le estrellaba la cabeza contra un poste.

En 1979, Leo M. Dambourges Jacques publicó un artículo de 18 páginas: "The Chinese Massacre in Torreon (Coahuila) in 1911". Narra a grandes rasgos, además de los sucesos de mayo, el peculiar modo en que se estableció y prosperó la colonia china. Casi todas sus fuentes están en inglés.

En 1989 se imprimió *La matanza de chinos en Torreón*, folleto escrito y autopublicado por el médico general Manuel Terán Lira. Este cronista aficionado (varias personas a las que entrevisté lo apodan jocosamente *Mentirán Lira*) es una de las voces menos autorizadas pero más influyentes en la cultura popular de La Laguna. Ni la investigación rigurosa ni el aliño gramatical son su fuerte. Sin embargo, su libelo tiene un párrafo que me emocionó:

> Todavía por los años de 1946, quien escribe recuerda que en las afueras del Panteón Municipal existían unos muy grandes llanos donde, para el Día de los Muertos, se estacionaban algunos automóviles lujosos, con familias de chinos, vistiendo riguroso luto, quienes llegaban y colocaban en el piso algún cuadro con cristal y fotografía, prendían una veladora o velas y luego acercaban un plato de arroz blanco, se arrodillaban,

silenciosamente oraban y de rato levantaban el retrato, dejaban lo demás y se retiraban, ante la curiosa y muy indiscreta [mirada] de los ahí presentes [...]

En 1992 apareció el relato canónico de los hechos: *Entre el río Perla y el Nazas* de Juan Puig. Su prosa es impagable. Nadie, por otra parte, ha estudiado los legajos del Archivo Estrada tan escrupulosamente como este autor. Ésa es su fuerza y también su debilidad. Puig no está familiarizado ni con el temperamento ni con la historia cultural de La Laguna. Su metodología es ajena a los discursos interdisciplinarios. Su interpretación es quirúrgica pero carece de amplitud. Conoce el origen de Torreón a través de dos autores: Eduardo Guerra y Pablo C. Moreno. Su información no siempre es errónea pero sí anticuada y, sobre todo, demasiado complaciente con el narcisismo de la comarca. Puig declara que el pequeño genocidio fue "el primer —bien que el más tenebroso— ademán" del antichinismo mexicano, lo cual me parece inexacto porque para 1911 ya eran varias las muestras de racismo que habían padecido los chinos en todos los niveles sociales, jurídicos, territoriales y hasta de la imaginación; el tufo a linchamiento estaba en el aire. Independientemente de estos y otros desacuerdos, *Entre el río Perla y el Nazas* es una obra extraordinaria. Me habría sido imposible redactar estas cuartillas sin tenerla a la vista y plagiarla todo el tiempo.

A mediados de los 90, el historiador Carlos Manuel Valdés fue convocado por la Secretaría de Educación Pública federal para escribir el libro de texto gratuito de Historia Regional de tercer grado de primaria destinado a Coahuila. Carlos incorporó a su discurso pedagógico algunos de los hitos historiográficos que más nos incomodan a los coahuilenses: el genocidio de los grupos nómadas en el siglo XIX, cuya pieza maestra de ingeniería social fue un decreto del gobernador Santiago Vidaurri que ordenaba envenenar todos los pozos de agua potable del desierto que no pertenecieran a comunidades sedentarias; la posesión y el comercio de esclavos negros en Saltillo durante la Colonia; la Caravana del Hambre: esa conmovedora marcha hasta la ciudad de México que organizaron los mineros de Nueva Rosita y sus familias en 1951; y la matanza de chinos de Torreón. La SEP federal ordenó excluir del libro estos cuatro relatos. Valdés respondió que, en tal caso, prefería retirar su libro de la circulación. Al final el volumen se imprimió sin censura. Una de cal.

En 2005, Marco Antonio Pérez Jiménez dedicó su tesis de licenciatura al pequeño genocidio. Su prosa es insufrible pero su intelecto no: contextualiza las relaciones de poder en el seno del maderismo y la posible inclinación xenófoba de un sector del movimiento. Analiza la influencia de Ricardo Flores Magón como fuente de antichinismo, y no solamente entre los pobres: resulta que alguna gente acomodada de La Laguna simpatizaba con el anarquismo. Por ejemplo Manuel *el Chino* Banda, "quien maneja un capital de más de 100 000 pesos y es propietario de muchas fincas urbanas en Torreón", le escribe Antonio de Pío Araujo a Ricardo en una carta fechada el 18 de mayo de 1907. Pérez Jiménez desmitifica el aura lumpen con la que Puig reviste a quienes participaron de los hechos: aduce que no siempre tenemos certeza de su origen social o su poder real y, cuando la tenemos, en varias ocasiones se trata de comerciantes, capataces, líderes políticos, propietarios de fincas o herederos.

Otras suscitaciones del relato son obra del doctor Sergio Corona Páez, cronista oficial de Torreón.

—Todo mundo ama su historia de bronce —me dijo el día que lo visité en su despacho de la Universidad Iberoamericana—. No se dan cuenta de que una versión sin censura es más interesante. Son muchos los mitos. Por ejemplo ese de que nuestra ciudad fue fundada por migrantes alemanes, ingleses, norteamericanos y libaneses. Por favor, si en 1910 el censo de extranjeros ocupaba apenas el cinco por ciento de la población total. La mayoría de los fundadores de Torreón fueron mexicanos pobres que venían del centro y el sur del país.

Corona es uno de los pocos activistas interesados en reconstruir las circunstancias reales del crimen. En 2011 impulsó a través del ayuntamiento un acto de desagravio: redactó una disculpa histórica que entregó públicamente a una misión diplomática china invitada a la ciudad. En el mismo acto, una placa luctuosa fue colocada en un muro del edificio conocido como Banco Chino y la efigie en bronce de un hortelano cantonés fue instalada en el bosque Venustiano Carranza.

En el otoño de ese mismo año, Sergio Corona fue duramente impugnado en su carácter de cronista oficial por un pequeño grupo de torreonenses. La placa conmemorativa desapareció del Banco Chino. Más tarde, la policía municipal encontró el busto del hortelano derrumbado sobre el césped y rodeado de moscas, orín y basura. Me confió Silvia Castro que el alcalde en turno tuvo la cortesía de regalar esta pieza a don Manuel Lee Soriano, representante de la comunidad china local. Dicen —no he podido constatarlo— que don Manuel conserva la escultura en su casa: lejos de la vista de una sociedad liberal, abierta y migrante que todavía hoy se niega a reconocer ante sí misma lo que le sucedió a la colonia china entre el 13 y el 15 de mayo de 1911.

***

Me despido de Silvia Castro y salgo del Museo de la Revolución por el portón trasero, una verja pintada de color verde bandera que da a una calle diagonal cuya desembocadura es el bulevar Independencia. Antes de cerrar la puerta ("Jálele fuerte —me ha dicho la maestra—, porque si no se nos meten y ni nos damos cuenta"), echo una última mirada al *chalet* del doctor J. Wong Lim. Visto de espaldas, el edificio tiene un aura sombría. No sé si esto se deba a que a su lado aparece el moderno y modesto reducto de las oficinas, o quizás a que el esplendor que antes percibí en su fachada sólo se logra en presencia de una naturaleza civil: césped bien cuidado, enredaderas de colores, árboles centenarios que han sido abastecidos con suficiente agua... Así ha de verse, pienso, la parte trasera de cualquier construcción histórica: será una zona de obscenidad elemental, la imagen de una estructura que ha sido despojada de los adornos que le impuso la jardinería; es decir, la retórica. Esta idea del despojo me trae a la memoria otra anécdota de la masacre.

Dicen que, mientras los mataban, algunos maderistas descubrieron que los chinos guardaban sus ahorros en los zapatos. La voz se corrió. Por eso los improvisados sepultureros que arrojaron los restos a la fosa común notaron que los muertos iban descalzos.

Cruzo corriendo el bulevar Independencia. No hay semáforo ni puente peatonal entre la tienda Soriana y el hotel donde me hospedo, así que sorteo el tráfico del mediodía al puro valor mexicano, toreando automóviles bajo el tremendo sol del desierto de Mayrán. Imagino una cohorte fantasmal: los espectros de 303 chinos que recorren —con los pies desnudos, quemados por el asfalto— las calles de una ciudad que no los conoce.

TAXI (1)

Tomo un taxi en la puerta del hotel y le pido que me lleve al Archivo Municipal Eduardo Guerra sobre la calle Manuel Acuña, a unas cuadras de la plaza de armas. Muy cerca de ahí se encuentra el negocio de placas conmemorativas propiedad de Manuel Lee Soriano, presidente de la Unión Fraternal China.

—¿Usted qué sabe de los chinos que mataron aquí? —le suelto al taxista.

—Sí me la sé, cómo no. Hasta un cañonazo quedó en el casino, donde esos weyes se juntaban para fregar a mi general Villa. Es que eran dueños de todo, oiga. Eran los ricos, pues. Y mi general no se andaba con mamadas. Se los chingó por culeros.

Cualquiera que escriba sobre la matanza de chinos tendrá que recalcar en algún momento (no sin impaciencia) que Francisco Villa no pudo participar en los hechos; estaba muy ocupado tomando Ciudad Juárez, a más de mil kilómetros de aquí. Pero, por más que uno lo repita, la vox pópuli se impone: todo mundo en las calles de Torreón te dirá que fue Villa quien ordenó la masacre. Esto tiene cuando menos dos lecturas. La primera corresponde al proceso de economía narrativa que incorpora la historia a la tradición oral: Villa tomó Torreón dos años después de los linchamientos, y esa segunda batalla marcó el debut de *su* División del Norte: tal vez el cuerpo militar más famoso de la Revolución. Esto es lo que permaneció, entremezclado con el trauma social

35

del genocidio, en la memoria colectiva. La segunda lectura es más aventurada y compleja. Se busca un chivo expiatorio traído de otra región porque a los habitantes de la comarca les cuesta trabajo admitir lo obvio: los chinos fueron asesinados por un sector de la población local. La Laguna posee un fulgor virtuoso e intoxicante pero también tiene defectos, y uno de ellos es el *negacionismo*. Por alguna razón, los torreonenses han elegido culpar tradicionalmente de sus desgracias a la *gente de fuera*. Como sociedad, su habilidad crítica hacia el resto del país es excelsa: no sólo inteligente sino ingeniosa, virulenta, cábula y hasta poética: una veta anarquista insufla sus discursos. Su capacidad autocrítica, en cambio, es prácticamente nula.

El archivo municipal está cerrado. Puedo acceder al *lobby*, donde encuentro al director de la institución, el doctor Rodolfo Esparza Cárdenas. Pero él no tiene llaves de las áreas de consulta y los archivistas —que sí las tienen— decidieron extender sus vacaciones.

—Es que son sindicalizados —me explica el director.

Me adelanta que, de todos modos, encontraré muy poco sobre el periodo: el archivo fue incendiado por tropas insurrectas en 1911, 1914 y 1916. Los escasos documentos públicos que hay sobre el Torreón de esa época están en el Instituto Estatal de Documentación, en Saltillo.

—Tenemos un padrón de extranjeros, pero comienza en 1922. Y existe un ejemplar del directorio comercial que hizo Jacobo M. Aguirre en 1902, pero quién sabe dónde estará. El otro día lo buscamos y parece que se perdió.

Le pido indicaciones para llegar al despacho de don Manuel Lee Soriano. El doctor me complace. Advierte:

—A los chinos nunca les ha gustado hablar de la matanza. Mejor pregúntele de otra cosa.

Manuel Lee Soriano no asiste ya a su oficina. Me explica su secretaria que es un hombre mayor y está enfermo (tuvo un derrame cerebral hace poco más de un año), que casi nunca viene. Me dice que ella intentará agendarme una cita en el club (no sé a qué club se refiere), porque es ahí donde él pasa últimamente las mañanas conversando con amigos para paliar sus achaques. Me aclara que no es nada seguro porque a don Manuel no le gusta hacer compromisos, hay que entenderlo, es muy grande de edad, trabajó la vida entera: no es que no quiera sino que el tiempo ya pasó. Le ruego que le pregunte si acaso puede recibirme algún día de la semana. Quedamos en que telefonearé por la tarde.

Salgo a la calle, paro un taxi y le pido al chofer que me lleve al archivo histórico de la Universidad Iberoamericana, donde tengo cita con el doctor Sergio Corona Páez.

—¿Usted qué sabe de los chinos que mataron? —pregunto al taxista.

—¿Sabe qué? Nomás por eso que vino a hacerles a los pobres chinitos de aquí de nosotros, Villa es un cabrón que no valía pa' pura verga.

EN EL PAÍS DE LA LAGUNA

En 1848, Leonardo Zuloaga compró a la familia Sánchez Navarro una hacienda: San Lorenzo de la Laguna. Ahí erigió una presa a la que bautizó como El Carrizal. También mandó construir una pequeña torre de defensa. La fama del edificio se comió el nombre original y, ya para 1855, la propiedad era conocida como Rancho del Torreón. Zuloaga murió una década después. Las tierras pasaron a manos de Juan Fierro, quien las devolvió a doña Luisa Ibarra viuda de Zuloaga por 40 000 pesos. Tal vez doña Luisa no fuera la mejor administradora del mundo, y es probable que su condición de mujer la haya puesto en desventaja frente a las costumbres empresariales de la época: durante años intentó sin éxito desarrollar El Torreón mediante arrendamientos, ventas parciales y concesiones. Bajo alegato de que la viuda había socorrido al enemigo durante la segunda intervención francesa, el rancho fue embargado en 1867. Ibarra lo recuperó meses después. En 1868, El Torreón era una ranchería de 225 habitantes. Es probable que su población se haya reducido en los años siguientes, porque el administrador Ignacio Banda declaró en 1878 que "solamente existía la casa grande y unos tres o cuatro jacales en los que vivían unas gentes humildes". En 1880, el magnate Guillermo Purcell escribió en una carta: "Doña Luisa, y esto es una opinión general, se va a quedar en la pobreza". Fue por esas fechas cuando aparecieron una ideología y un artefacto que cambiaron el rostro de la comarca: el positivismo a la mexicana y la máquina de vapor.

Durante el último tercio del siglo XIX, un grupo de intelectuales autoproclamados las mejores mentes de la nación, y familiarmente conocidos como los Científicos, se reunió en torno al dictador Porfirio Díaz y desarrolló —al amparo de las ideas del filósofo Auguste Comte— un proyecto modernizador para la patria. A pesar de que su mayor preocupación era el diseño de estrategias pragmáticas (la apertura a capitales extranjeros, el establecimiento de incentivos fiscales, la construcción masiva de infraestructura para el transporte y la comunicación), se las ingeniaron para colar en su discurso el más peregrino atavismo: la idea de que el fracaso social del país no tenía por causas la injusta distribución de la riqueza, el autoritarismo, la corrupción y la ignorancia, sino una preternatural incapacidad de los indios para convertirse en buenos ciudadanos. Decidieron "mejorar la especie" (expresión inmoral que aún se emplea entre nosotros) por la vía de fomentar el arribo de europeos a tierras mexicanas. El fenómeno ha sido estudiado por muchos historiadores, así que no me demoraré en él. Me conformo con advertir que el nacimiento de Torreón como villa y su posterior elevación al estatuto de ciudad son ideológicamente inseparables de una utopía eugenésica.

El proyecto de europeizar masivamente a México fracasó. En tanto las huestes de migrantes blancos pobres desembarcaban por miles en Estados Unidos y Argentina, su anhelado arribo a nuestro país fue —por decir lo menos— discreto. En La Laguna, que podría considerarse el más sonoro éxito de la ingeniería social porfiriana, había muchos más migrantes mexicanos, chinos y estadounidenses blancos y negros que europeos.

Uno de estos últimos se llamaba Andrés Eppen Ashenborn.

Andrés Eppen provenía de una antigua familia prusiana originaria de Rehinland Pfalz. Sus padres, Federico y Carlota, arribaron a México en 1831. Ambos eran menores de 30 años y las razones por las que abandonaron Alemania son románticamente confusas; hay en ello una mezcla de rechazo de las condiciones políticas renanas y una visión idílica de las nuevas repúblicas en América. Andrés nació en 1840 en la ciudad de México, pero es posible que nunca haya tenido recuerdos infantiles de ésta: a los dos años fue enviado de vuelta a Europa junto con su madre y sus hermanos. Quizá desengañado de la realidad americana, o quién sabe si desengañado del matrimonio, Federico Eppen mantuvo a su mujer y a su prole alejadas de México durante el tiempo que pudo. Andrés pasó 19 años entre Alemania y Francia, donde cursó estudios de artillería y se graduó como teniente. Era un veinteañero macizo y bigotudo que medía más de dos metros de altura cuando volvió a su desconocido país natal para dar de manos a boca con la guerra de intervención. Contra toda lógica, abrazó la causa juarista. Ingresó al ejército mexicano como soldado raso del cuerpo de artilleros y fue elevándose poco a poco hasta reconquistar su antiguo rango de teniente mientras combatía a sus profesores del ejército francés. Me pregunto si en el fondo de esta decisión no yacerá un sedimento freudiano: sublimar la figura de la patria desconocida como metonimia del padre ausente; una mezcla de venganza íntima y declaración de amor a un fantasma.

Un día, cuando su destacamento pasaba por Mapimí, Andrés enfermó de tifoidea. Se desplomó a media calle y fue dejado atrás por el resto de la tropa. Era un momento difícil para el ejército nacional: la mortandad era grande, no había comida ni parque y las inclemencias del desierto acribillaban más duro que las balas invasoras. Si el febril Andrés no terminó desnudo, abandonado a una muerte segura, fue quizá porque sus ropas eran demasiado grandes para venirle bien a cualquier otro soldado. Se arrastró debajo de un tejado para protegerse de la lluvia y bebió el agua que escurría entre las rendijas. Eso le permitió sobrevivir hasta que unos vecinos del pueblo lo descubrieron, lo rescataron y cuidaron de él durante la convalecencia.

El evento lo marcó. Cuando se licenció de las armas con el grado de capitán en la ciudad de Durango, decidió regresar a Mapimí y establecerse como agricultor codo con codo junto a la gente que lo había salvado. En ese municipio compró tierras y prosperó durante algunos años. Más tarde, en una visita a San Fernando (un hosco pueblo que eventualmente se transformaría en la contemporánea Ciudad Lerdo, Durango, situada unos tres kilómetros de lomas y cañadas al poniente de lo que llamamos Torreón), conoció a Gualterio Hermann, apoderado de la empresa alemana Rapp, Sommer y Compañía. Hermann lo invitó a trabajar en la firma, de la que Eppen terminaría siendo accionista. Eso lo puso en contacto con Luisa Ibarra viuda de Zuloaga, una de las clientas del consorcio.

Desde tiempo atrás existía el proyecto de establecer un ramal del Ferrocarril Central Mexicano (cuyo capital económico, a pesar del nombre, era estadounidense) que conectara Ciudad Juárez con la ciudad de México. El gobernador Francisco Gómez Palacio tenía una vela encendida para que el tramo ferroviario pasara por Durango, e intentó persuadir a su amigo el presidente de la República de que apoyara esta pretensión. Pero los inversores extranjeros consideraron que tender rieles cruzando la sierra durangués no iba a aportarles los beneficios que deseaban. Juan Puig consigna el cálculo de que, a través de las montañas, un convoy podría incorporar hasta 15 vagones. Pero si el tendido se hacía sobre un suelo llano como el del Rancho del Torreón, una sola máquina sería capaz de transportar 50 vagones. Esto, aunado al apogeo de los cultivos de algodón, selló el destino de la cuenca del Nazas.

Andrés Eppen fue el encargado de convencer a Luisa Ibarra de que vendiera el vasto latifundio, suma de ocho haciendas contiguas, que le había heredado Zuloaga. La negociación incluía tanto los terrenos donde se establecerían nuevos colonos como los campos agrícolas que la empresa Rapp, Sommer y Compañía habría de cultivar en las décadas siguientes hasta convertirlos —junto al Perímetro Lavín y la hacienda Tlahualilo, latifundios del lado durangués de la comarca— en la principal fuente de algodón de México. El lugar elegido para construir la estación ferroviaria y establecer la villa fue el que ocupaba el Rancho del Torreón. El precio global de la transacción alcanzó los 220 000 pesos; casi 1 000 años de salario mínimo local. Quién sabe qué habrá hecho doña Luisa con tan obscena suma: murió de pulmonía seis años después. Nunca procreó. El apellido Zuloaga Ibarra se extinguió en La Laguna.

El primer tren arribó al rancho el 23 de septiembre de 1883. Cinco años más tarde, otra empresa transportista con fama de impuntual y segundona, el Ferrocarril Internacional, tendió sus durmientes desde Ciudad Porfirio Díaz, en la frontera con Eagle Pass, Texas, hasta el empalme de la nueva estación. A partir de ese momento, la expansión fue imparable. Las zonas aledañas a los rieles fueron lotificadas escrupulosamente por Federico Wulff, un ingeniero texano de origen alemán contratado ex profeso por Eppen.

En 1888 se estableció el Gran Hotel Michou, que pronto pasaría a llamarse Hotel de Francia. Desde 1889, y hasta el inicio de la Revolución, empezaron a publicarse leyes que eximían de impuestos estatales y federales a los empresarios y latifundistas por periodos de hasta 10 y 20 años; esto contribuyó al vertiginoso crecimiento del nuevo pueblo del oeste. El 16 de septiembre de ese año, Díaz informó al Congreso de una línea telegráfica de 616 kilómetros que conectaba Torreón con la frontera norte. El censo de 1890 arrojó la cifra de 1 000 habitantes para la nueva congregación.

Las cosas no fueron fáciles en 1891: hubo sequía y un motín popular por falta de alimentos. Pero en 1894 ya había 2 736 torreonenses y una población flotante de 500. El 12 de noviembre, bajó del tren el primer cónsul gringo: Thomas R. Acres. Torreón fue elevada a la categoría de villa y su primer alcalde, Antonio Santos Coy, fundó la Sociedad Casino: un centro recreativo que celebraba tertulias de naipes en el local de la estación.

Las fiestas no eran de guardar. Una nota publicada ese año en el *Diario del Hogar* dice:

> Tenemos juegos de azar siempre, tanto de día como de noche, y con especialidad los sábados y domingos, que es cuando la gente cobra lo que gana con su trabajo durante la semana. Tenemos bailes públicos con mujeres Ydem, al aire libre y en plena calle, Ud[.] va a creer que no es cierto, porque así lo debe hacer toda persona honrada. El juego por mayor y menor, los lupanares y las cantinas abundan.

Existe una anécdota que más tarde recrearía Daniel Sada en uno de sus cuentos y que funciona como metáfora del cruce de vías entre la riqueza, la diversión y lo siniestro que Torreón representó para México. Siempre hay algo monstruoso en los milagros.

En 1894 —Santos Coy había dejado el cargo de alcalde en manos del coronel Carlos González Montes de Oca, futuro líder de los cuerpos paramilitares y guardias blancas que existieron en la región— se habilitó como cárcel un vagón de tren. Fue colocado en una vía muerta. Un día, por error y para escándalo del regidor Epitacio Morales, el convoy de Jimulco enganchó este vagón-cárcel y por poco se lo lleva, dejando en libertad a los presos del fuero común. La pifia fue enmendada y el alborozo de los reos contenido, pero la anécdota permaneció.

La versión de Sada, cuyo título es "La cárcel posma", es más poética y extraña que el suceso real y contiene una verdad sensible que rebasa el fetiche de cualquier supuesta "verdad histórica". El Torreón que Daniel imagina es una ciudad formada no sólo por casas sino también por máquinas y rieles: la vida cotidiana transcurre sobre ruedas de ferrocarril. Tanto la presidencia municipal como otros recintos públicos son vagones, no edificios. El alcalde en turno funda un casino con la abierta intención de esquilmar a los ricos pero enseguida advierte que el violento carácter de éstos amenaza su inversión: los hacendados tienen la nefasta costumbre de agarrarse a tiros a la menor desavenencia, cual tahúres. Por mantener tranquila a la clientela, el alcalde coloca junto al vagón-casino un vagón-cárcel y amenaza con encerrar ahí a quien fracture el orden. Pero las balaceras siguen y, puesto que el funcionario no se atreve a consignar a los dueños del dinero (sería mal negocio), manda inventar unas leyes de invasión de terrenos que nadie entiende y que emplea como pretexto para enchironar a la gente pobre de la villa. Se exhibe a los reclusos como ejemplo de la malignidad que hay en la cárcel de Torreón: apenas les alimenta una naranja o medio kilo de nueces al día, deben cagar en donde duermen, el único aire fresco que respiran es el que pasa al interior del vagón a través de una ristra de balazos… El truco funciona: los hombres ricos del pueblo dejan de asesinarse entre sí en el vagón-casino por miedo a agonizar de inanición junto a los desposeídos del calabozo de junto. Así pasa el tiempo. Los reos ven por una rendija cómo la villa va poblándose, va convirtiéndose en una ciudad mientras ellos continúan perpetuamente confinados al tren, que debería significar movimiento y es mazmorra. Hasta que una mano anónima decide liberarlos. No lo hace enganchando simplemente el vagón-presidio a la máquina, como estuvo a punto de suceder en la anécdota histórica, sino que roba un tramo entero de ciudad. El casino, la presidencia municipal, las demás oficinas: medio Torreón es expulsado sobre ruedas de Torreón y sólo de este modo la urbe y los presidiarios mutuamente se redimen. Al fin, los prófugos corren entre los matorrales (menos agrestes que la ciudad) y el sueño concluye así: "… si alguno de aquellos presos ahora cómodo en su casa leyera estas cuantas líneas, debe saber de una vez lo que bien se les desea: ¡Ojalá que desde entonces se salieran con la suya!"

Lo que se infiere de estas líneas es que la mano anónima que podría haber liberado a los reos, que podría haber encendido las máquinas y enganchado los vagones y sacado al Torreón nómada del Torreón porfirista, es la mano de la

Como si fuera un campo de matanza.
Y la sombra que avanza, avanza, avanza,
Parece, con su trágica envoltura,
El alma ingente, plena de amargura,
De los que han de morir sin esperanza.
Y allí estamos nosotros, oprimidos
Por la angustia de todas las pasiones,
Bajo el peso de todos los olvidos.
En un cielo de plomo el sol ya muerto
Y en nuestros desgarrados corazones
¡El desierto, el desierto... y el desierto!

En 1899 llegó la imprenta. La trajo el tipógrafo Alberto Swain. Él mismo tallaba sus caracteres en madera. Sólo hacía letras minúsculas. De sus cajas salió el temprano periodismo conservador que producirían conjuntamente Delfino Ríos y Jacobo M. Aguirre, bisabuelos culturales de la casta intelectual de La Laguna.

Amén de la opulencia encarnada en vastos campos de algodón para siempre, en 1900 existían 12 industrias importantes entre las que se contaban una fábrica de jabón, otra de hilados y tejidos, una fundidora, una cervecería, una ladrillera, una fábrica de muebles y otra de refrescos y dulces. Estaba también la que en ese momento era la principal metalúrgica del país y de la cual don Evaristo, abuelo del futuro revolucionario Francisco I. Madero, era socio. Pronto se establecería por el rumbo de El Pajonal una empresa guayulera que fue durante años la factoría más grande y rica de la región: la Continental Rubber Co.

La población local alcanzó la cifra de 13 845 habitantes: casi 10 000 personas vinieron a vivir a una utopía llamada Torreón —hay que decir que Torreón es ante todo un oxímoron: una Utopía Pragmática— en el transcurso de un lustro. En 1901, y gracias en parte a los oficios del poeta Othón, quien supo compaginar con habilidad envidiable los negocios, la guarapeta y los endecasílabos, se puso en marcha el tranvía eléctrico que, por el extremo poniente, conectaba con la muy cercana Ciudad Lerdo. Para celebrar tan pomposo y magno acontecimiento, el profesor Pioquinto González, músico durangués de 31 años de edad, compuso *De Lerdo a Torreón*, una polca que muy pronto levantaría polvaredas por todo el norte del país y entraría a formar parte de la memoria popular. Significativamente, la pieza mudó de nombre: hoy se le conoce como *De Torreón a Lerdo*.

El tranvía eléctrico instaló cinco rutas urbanas. Se construyó una nueva plaza de toros, se inauguró la plaza del 2 de Abril en su calidad de corazón cívico y se establecieron nueve instituciones bancarias, una de ellas propiedad de la colonia china. En 1904 se creó la primera Cámara de Comercio. En 1905 hubo un auge en la especulación de bienes raíces. En 1906 se erigió el parián. En 1907 la villa adquirió el estatuto de ciudad. En 1909 fue sepultado con honores el extraordinario capitán de artilleros Andrés Eppen: fundador. Para 1910, Torreón tenía 40 000 habitantes y era el tercer ferropuerto nacional, la principal ciudad de Coahuila y una de las mejores de México.

Si hubo un suceso que quintaesenciara la política económica del porfiriato, éste fue la fundación de Torreón. Y si ese periodo histórico dependiera exclusivamente de lo hecho en La Laguna, la Revolución habría estallado de todos modos. Los relatos sobre el milagro en la comarca omiten que la distribución de la riqueza era atrozmente injusta. Sí: la cuenca se desarrolló de manera fulgurante. Pero sus hordas de pobres vivían al borde del colapso. Los salarios oscilaban entre 75 centavos y un peso al día. Desde 1880 y hasta 1936, La Laguna se convirtió en un foco de rebelión armada.

Hay una anécdota que ilustra el sentir de los grandes propietarios locales a propósito del empleo y la ganancia y la pérdida y la raza. Un día de 1895, la presencia del alcalde Francisco Villanueva fue demandada con escándalo por los vecinos de Torreón. Lo pusieron al tanto de que, a las afueras del pueblo y al otro lado de las vías, 700 jornaleros negros habían sido abandonados a la intemperie por los administradores de la hacienda Tlahualilo. Los campesinos provenían de Tuscaloosa, Alabama, y habían sido traídos a México mediante contratación directa. Al descubrir que algunos de ellos enfermaban de viruela, y temiendo una epidemia, la compañía algodonera los desempleó masivamente, sin aviso o indemnización, y los arrojó fuera de su propiedad (aunque no lo suficientemente lejos como para repatriarlos) con una brutalidad digna del sur esclavista.

El vasto campamento se mantuvo a las afueras durante varios días como estampa medieval que negaba la imagen del progreso porfiriano hasta que el cónsul Poston, acuciado por Villanueva, consiguió los permisos necesarios para repatriar a los 700. Fueron echados a un tren de carga sin importar si estaban contagiados o no y se les envió en calidad de reses de vuelta a Estados Unidos. Se trata de una de las deportaciones racistas más importantes en la historia de México, y el hecho de que se haya producido en la misma ciudad donde 16 años después sucedería la peor matanza de chinos en América me parece motivo suficiente para encender focos rojos en la mente de cualquiera.

***

Desde la segunda mitad del siglo XVI, cuando los exploradores se adentraron en el Septentrión en busca de zonas agrícolas que abastecieran a las comunidades mineras del sur, comenzó a dibujarse *el pays de la laguna*: un sistema hídrico que abarca 10 municipios de Durango y cinco de Coahuila. Los primeros mapas identificaban dos ríos —el Aguanaval y el Nazas— y múltiples cuerpos de agua que limitaban al norte con San Pedro y al sur con Santa María de las Parras. Pronto se esparcieron misiones jesuitas por todo el territorio. El primer cultivo de importancia fue la vid pero, desde el segundo tercio del siglo XIX, los campos se volcaron al algodón.

La Laguna prosperó durante el virreinato. Un rasgo que contribuyó a configurar su idiosincrasia, y que a la postre tendría una influencia ideológica perversa, fue el carácter monumental de la propiedad: a finales del siglo XVIII, el matrimonio entre el conde de San Pedro del Álamo y la marquesa de Aguayo unificó casi todo el patrimonio regional —tanto del lado durangués como del coahuilense— en un extenso latifundio. Esta comarca privatizada hubo de confrontar, más temprano que tarde, enojosas decisiones: en 1787, bajo la reforma de Carlos III, fue jurídicamente dividida entre las provincias coloniales de Coahuila y Durango. Esto, aunado a la pérdida del pivote intelectual que significó la expulsión de la Compañía de Jesús, se tradujo en un intenso drama cultural; un *shock* que 227 años después permanece como una herida abierta. Por chabacano que parezca, y aunque esto suene menos a un problema del deficiente federalismo mexicano que a un conflicto territorial del Cercano Oriente o a una negociación de fronteras entre ex repúblicas soviéticas, todavía existen laguneros que idealizan su antiguo estatus dieciochesco y abogan por la reintegración de ese edén trascendental: separarse jurídicamente de Durango y Coahuila.

A primera vista, el *lagunerismo* muestra una virtuosa y extraña solidez. Esa impresión cambia cuando se le observa de cerca. Carlos Castañón Cuadros da cuenta de los múltiples conflictos entre los agricultores de Durango (los de "río arriba") y los de Coahuila (los de "río abajo"): dos grupos de capitalistas que históricamente se confrontaron —muchas veces con las armas— por el usufructo del agua. Esto le da una apariencia menos irracional a la separación administrativa que los gobiernos coloniales y mexicanos impusieron al territorio. El regionalismo lagunero es, entre muchas otras cosas, un conflicto del Lejano Oeste: la pugna entre el Estado mediador y el capitalismo puro, que rechazó cualquier autoridad externa y prefirió resolver sus problemas al estilo John Wayne: con una Colt.

En el siglo XVIII, el párroco Dionisio Gutiérrez denunció la posesión "absoluta y despótica" de las aguas por parte de los administradores de las grandes haciendas, lo que generó pobreza extrema y despoblamiento en distintas zonas de la comarca. La situación no había variado mucho a mediados del siglo XIX, y es por eso que las reformas agrarias del juarismo indignaron a los latifundistas locales, como se infiere de las quejosas cartas que Zuloaga dirigió al gobernador Vidaurri o de este párrafo de Carlos Castañón:

A su llegada a Viesca, el presidente Benito Juárez, quien ya tenía antecedentes del conflicto agrario entre Zuloaga y los pobladores de la Vega de Marrufo (ahora Matamoros), emitió un decreto que ampliaba a 18 sitios de ganado mayor (31 600 hectáreas) los terrenos expropiados. Tal decreto daba actuación a otro emitido el 28 de febrero de 1863, y que había sido desatendido por Santiago Vidaurri.

¿Por qué considero relevante consignar estos datos en una crónica sobre un pequeño genocidio?... Porque el chauvinismo es la metonimia cultural por excelencia en la comarca, y ningún regionalismo separatista es ideológicamente neutro; entre sus metáforas se cuenta la xenofobia. No hay que ser sociólogo para reconocer dos rasgos habituales en este tipo de discurso: el rechazo al monopolio de la violencia por parte del Estado y la voluntad de defender los usos y costumbres locales (entre ellos el modo en que se perciben la propiedad privada y la raza) a costa de la ley.

El *élan* lagunero, sus procesos de poblamiento y su economía tradicional, se parecen un poquito a los de las entidades que perdieron la Guerra de Secesión en Estados Unidos. Pretender que la matanza de los chinos es completamente ajena al chauvinismo local sería tanto como afirmar que es imposible conseguir papas fritas en un establecimiento donde venden hamburguesas.

Un dato contemporáneo muestra que estas metonimias culturales trascienden la imaginación popular y la indignación clasemediera e influyen en la política y las finanzas.

En julio de 2014, Pedro Luis Martin Bringas (accionista de la cadena de supermercados Soriana y uno de los 35 hombres más ricos de México de acuerdo con lo publicado en 2013 por la revista *Forbes*) fundó el movimiento ELLA ("El Estado de La Laguna") e invirtió recursos de su peculio para promover el voto a favor de la causa separatista en las elecciones de diputados locales en Coahuila. ELLA es una organización que carece de registro electoral, lo que implicó que sus votos no fueran contabilizados. Martin Bringas afirmó ante la prensa que 25 por ciento del total de los sufragios fue para su organización. No proporcionó ninguna fuente externa que lo confirmara. Remató vapuleando a los candidatos del PAN, quienes en principio apoyaron moralmente el movimiento pero se deslindaron de él en términos políticos. Martin Bringas los acusó de traición y de confundir al electorado. Esta información proviene de declaraciones hechas por el empresario al periódico *El Siglo de Torreón*, un medio informativo que mostró durante la campaña una clara simpatía por ELLA, y que, dicho sea de paso, en su momento hizo también encomiástica divulgación de las actividades de los clubes antichinos de los años veinte y pronazis de los años treinta.

***

En 1969, la Texas Western Press de UTEP publicó un volumen singular dentro del género de la microhistoria: *Tulitas of Torreon. Reminiscences of a Life in Mexico*. Es un relato en primera persona complementado a manera de *collage* por cartas y fotografías. Fue escrito por Evelyn Payne a partir de largas horas de conversación magnetofónica con su madre, una anciana de 80 años: Gertrudis Jamieson, también llamada *Tulitas*.

Tulitas Wulff nació en Nueva York, a donde su familia había emigrado desde San Antonio. Su padre, Fred, consiguió empleo como dibujante en una constructora tras una época penosa en la que tuvo que doblar las bastillas raídas de sus pantalones y colocar plantillas de cartón dentro de sus zapatos. A los pocos años, Fred fue invitado a México a realizar los planos de una presa en el desierto. No dudó en aceptar: su hija tenía dos años y vivía enferma de bronquitis y él supuso que el clima seco le vendría bien. Llegaron en 1881. Montaron su primer árbol de Navidad. Fred y Linda procrearon, al paso del tiempo, otros cuatro niños. Hablaban inglés y comían *sauerkraut* (descendían de alemanes) pero se juzgaban a sí mismos como mexicanos.

Dice *Tulitas*:

A veces pienso en qué habría pasado si hubiéramos permanecido en Nueva York. Tal vez habríamos crecido con el ritmo de *Take Me Out to the Ball Game* y no con el ritmo de *La paloma*; hubiéramos asistido a partidos de beisbol y no a corridas de toros; tendríamos en el escenario de nuestra memoria rascacielos, casa de bolsa, Vanderbilts y Tammany, en lugar de tener a Porfirio Díaz, enchiladas y revolución.

En tanto Fred prosperaba y Torreón comenzaba a existir, Linda y los niños se trasladaron durante una temporada a San Antonio. Volvieron cuando el pueblo había entrado en su apogeo. Gertrudis recuerda lo difícil que era conservar una niñera, sin importar cuán poco agraciada fuera ésta (al parecer don Federico ponía estratégico empeño en contratar nanas feas): eran tantos los hombres que vivían en Torreón, y tan pocas las mujeres, que más tardaba una en arribar que en tener varios pretendientes, a veces más jóvenes que ella y alguno tal vez guapo. Hasta la solterona más ríspida encontraba marido en pocos meses.

Tulitas retrata con humor el autorracismo de la sociedad mexicana:

En una ocasión fuimos invitados —cuando tenía 13 años— a San Pedro a una gran ceremonia organizada por Francisco I. Madero en honor de su prometida. Uno de los actos principales era un desfile de niñas, acto en el que yo iba a participar. Marcharíamos de dos en dos. Mi compañera fue Rosita. Tenía como 16 años; era una señorita. Rosita tenía tanto maquillaje que parecía un payaso, y yo empecé a dudar de salir junto a ella.

Su mamá llegó justo cuando la procesión iba a empezar. Yo pensé que las cosas se iban a arreglar, que ella se había dado cuenta del exceso. Pero no. Tomó un polvero y le dijo: "Rosita, ponte más polvito".

Tulitas registra el carácter babélico del idioma que hablaban los locales: transcribe el regaño de un capataz de mina a un trabajador incapacitado por la cruda.

—If you sauuy in the noche that you ain't goin to trabajar in the mañana, why the jel don't yo dígame!

Un aspecto indisoluble del paisaje era el ferrocarril, que marcaba —junto con las nacientes industrias— el ritmo de la villa.

El tren tenía la característica de la irregularidad. Los ingenieros se consideraban a sí mismos hombres muy importantes: si alguno de ellos tenía que ver a una muchacha, el tren tenía que esperar hasta que acabara su cita. El mozo [de la casa de los Wulff] daba vueltas a la estación con la consigna de averiguar si […] el ferrocarril estaba a la hora. Cuando había signos premonitorios de una salida inminente, el mozo corría a la casa para avisarnos y ayudarnos a subir las maletas al coche y andar a la estación […]

Las vías del tren cruzaban el pueblo. Había trenes estacionados por horas, así que en ocasiones teníamos que hacer largas desviaciones para rodearlos. Si uno era muy atrevido podía pasar gateando por entre los vagones. Otro mozo, Epiteño, fue a comprar una barra de hielo como de 25 kilos. De regreso a casa descubrió que una larguísima cola de carros, que amenazaba ser perpetua, le obstruía el camino. Epiteño decidió pasar por entre los vagones y, antes de cruzar por completo, el tren empezó a andar y se lo llevó hasta Gómez Palacio, a una distancia de cinco kilómetros. Allí se pudo bajar. Como no traía dinero para el tranvía, regresó caminando bajo el sol insolente. El hielo empezó a derretirse y cuando llegó a la casa nos mostró con orgullo la cuerda todavía humedecida, prueba de que sí había ido a comprar el hielo.

Las putas —llamadas eufemísticamente *mujeres de asuntos subalternos*— habían elegido la siesta como horario de labor. Toda fémina decente y todo hombre que se juzgase caballero tenían prohibida la calle entre el almuerzo y el crepúsculo. Los extranjeros que insistían en permanecer puertas afuera en ese horario —había uno en particular que se decía descendiente de La Rochefoucauld: se sentaba semidesnudo junto a la puerta de sus aposentos y tecleaba febrilmente sobre una máquina de escribir— resultaban una vergüenza para la familia.

Los oficios de los varones eran inopinados; aunque La Laguna prosperaba, ser flexible no dejó de significar subsistencia. Al principio, la gente linda de Torreón contaba con un solo peluquero, un hombre que cobraba modestísimos emolumentos al ejercer su disciplina. Por esta razón se excusaba de ella durante la pizca del algodón, época en la que ganaba más centavos empleándose de jornalero. Hubo varios años en que los caballeros permanecieron hirsutos hasta el final de la cosecha.

Tulitas abandonó Torreón a los 13 años para dirigirse a San Antonio primero y a San Francisco después a estudiar preparatoria. Hasta cumplir los 17, y mientras intentaba dejarse crecer el cabello hasta el dobladillo y peinárselo al esponjoso estilo *pompidour* de la *Chica Gibson* (esos dibujos de mujeres jóvenes realizados por el ilustrador Charles Dana Gibson, quien a través de almanaques como *The Social Ledder* dictaba la moda *pin-up* de la época), sólo tuvo noticias de la comarca a través de la correspondencia que intercambiaba con sus padres. En algunas cartas se filtraban imágenes como extraídas del sueño:

> Papá cabalgaba entre unos matorrales que le llegaban a la cintura, y de pronto empezó a llover. Aunque vestía un abrigo para protegerse, papá estaba empapado de pies a cabeza al fin de la tormenta. Sin embargo, los peones que caminaban atrás estaban completamente secos. Papá se dio cuenta de que, cuando la lluvia había empezado, los hombres se habían quitado la ropa, la habían guardado en la copa de sus sombreros, y habían caminado desnudos hasta que cesó el aguacero.

Gertrudis cursó estudios de arte en el Instituto Hopkins y leyó a escondidas novelas rosas cuyo escenario era París y soportó ser excluida del ámbito universitario (a la mayoría de los varones estadounidenses de la época les repugnaba estudiar junto a mujeres) y una vez casi sufre un ataque de nervios al ver a un hombre desnudo en una clase de dibujo al natural. También toleró por años la manía de su pequeño hermano Robert de hablar obsesivamente mal de las narices de la gente. Cuando cumplió los 17 fue informada de que Linda, la madre, viajaría a California con la encomienda paterna de traer a todos los hijos —salvo a *Fidi*, el mayor, quien por entonces cursaba estudios universitarios— de vuelta a Torreón.

Era enero y el viaje en tren fue accidentado. Linda Wulff se la pasó al borde del soponcio. En su carácter de hija mayor, *Tulitas* debió encargarse de los niños durante todo el trayecto. En Albuquerque les tocó una nevada y un trasbordo y, para colmo, la reserva de uno de los camarotes falló. Gertrudis —quien justo a la mitad del viaje estaba descubriendo que había llegado su hora de convertirse en mujer y buscar un marido y hacerse cargo del mundo adulto— se paseó llorosa y consternada por los pasillos del convoy hasta que un caballero que viajaba solo se apiadó de ella y accedió a velar en el baño común del vagón dormitorio con tal de ceder su camarote a la muchacha y a Alice, la hermana adolescente. Gertrudis aceptó el ofrecimiento pero no pudo pegar un ojo: se mantuvo atenta a la puerta corrediza y le ordenó a Alice que ni siquiera se quitara los zapatos. Cuando ésta protestó, *Tulitas* dijo:

—Tienes suerte. Ya dejé que te quitaras el sombrero.

En el andén de Torreón los esperaba Federico. Durante los años en que sus hijos permanecieron en Estados Unidos, manteniéndose no muy holgadamente con una dieta de 400 dólares mensuales, el ingeniero había invertido su energía y sus ganancias en construir un pequeño palacio familiar. La obra se alzaba al sur del pueblo, no demasiado lejos de la estación de trenes, en la cima de una pequeña y escarpada colina desde la que se apreciaba la ciudad entera. Al descender del convoy, *Tulitas* pudo ver a la distancia su futura casa aún sin terminar. Aunque el diseño semejaba un castillo alemán en miniatura, los torreonenses lo llamaban *el chalet*. Con los años llegaría a ser conocido como la Casa del Cerro.

En cuanto escuchó los acordes de la banda del pueblo, *Tulitas* se dio cuenta de lo mucho que había extrañado México. Dice:

> Aunque eran las siete de la mañana —hora muy temprana para estar en ese lugar— dos muchachos bien parecidos caminaban por la plataforma de la estación. Bajamos del tren y, de pronto, papá les habló y luego nos dijo: "Él es el doctor Jamieson y él es el señor Fairbain". Si hubiera sabido que estaba conociendo a mi futuro marido me hubiera sentido diferente, pero como no lo sabía, me sentí muy enojada con papá por el error de presentarme en esa pésima imagen. Me sentía incómoda, sucia y demasiado desarreglada.

★★★

En La Laguna se cuenta un chiste: dicen que Saltillo es una panadería que está junto a la carretera entre Torreón y Monterrey. Lo dicen porque una tradición gastronómica local es el famoso pan de pulque tlaxcalteca. La broma funcionaba mejor hace unas décadas, cuando Torreón era una metrópoli cuyo excelente alumbrado público podría verse, afirmaba el escritor Paco Amparán, desde la luna. Saltillo, mientras tanto, custodiaba un valle provinciano cuyos habitantes se referían al Venustiano Carranza como *el bulevar*: era el único que había. Luego el crecimiento de Torreón se desaceleró mientras que el de Saltillo se disparaba. Ahora cada ciudad tiene alrededor de un millón de habitantes y ambas cuentan con una planta industrial y comercial parecidas.

El desprecio a la capital provincial es metonimia de un rechazo mayor y más hondo: el que se tiene hacia el centro del país (particularmente al D. F.) y su concepto de nación.

Torreón festejó su cumpleaños número 100 en 2007. Es la ciudad más joven de México y una de las más jóvenes de Latinoamérica. Aunque se vende a sí misma como sociedad de avanzada (y en muchos sentidos lo es), posee también una veta reaccionaria. Sus espíritus penates (ferrocarril, telégrafo, algodón) pertenecen a la más estricta modernidad y a la vez son antiguallas; piezas de museo. Un rasgo que hace único su trazo es que, originalmente, no había un solo edificio gubernamental ni tampoco una iglesia católica alrededor de la plaza de armas. Todo fueron bancos, hoteles, despachos y un cine: en 1910, Isauro Martínez inauguró la sala Pathé, donde se proyectaban filmes mudos.

Uno pensaría, y es lo que afirman los torreonenses, que una comunidad así tiene garantizada una vida cívica más libre y moderna que las otras a pesar de los castigos a distancia que le imponga el orden católico–juarista–azteca. Esto es verdad sólo en parte. Torreón posee una potentísima vida popular y una sexualidad casi tropical que florecieron en el desierto a punta de *spaghetti western* y cachondeo de cumbia; pero es también una sociedad que prefiere conservar sus esqueletos en el clóset.

Filemón Garza Cavazos, quien fuera alcalde en la década de los treinta, fue en los años veinte miembro del club antichino, un organismo cuyos integrantes se armaban de garrotes y se apostaban frente a las tiendas de sus competidores asiáticos para espantar a la clientela. Esto lo sabe cualquier historiador lagunero, pero difícilmente lo dirá en un estudio o en una crónica: Filemón Garza Cavazos —empresario, político y fundador del periódico más importante de la urbe— es considerado uno de los pilares de la sociedad comarcana. Muchos otros abuelos o bisabuelos o tíos abuelos de quienes hoy presiden empresas, patronatos y proyectos culturales militaron alguna vez en el Club Svástica, de filiación nazi, o brindaron con champaña a las puertas del casino al enterarse de que Victoriano Huerta asesinó a Madero. Los nombres de estos personajes son de sobra conocidos por la casta intelectual torreonense, y muchas veces he escuchado a ésta repetirlos *sotto voce*. Nadie, sin embargo, se atrevería a poner semejantes historias por escrito.

***

Detrás del escritorio del doctor Sergio Corona Páez hay una fotografía panorámica del viejo centro de la ciudad. La imagen muestra la antigua estación del tren, el mercado de La Alianza y, dominándolo todo, el edificio que le dio nombre a la comuna.

—Éste en realidad era el segundo torreón —dijo Corona—. El primero fue destruido en el verano de 1868 por un desbordamiento del Nazas. Ah, pero ninguno de los dos era un adorno: ¿ves aquí los parapetos, las troneras?... Era una pequeña fortaleza para defenderse de los nómadas y de los forajidos que abundaron en la región hasta ya entrado el siglo XX.

Desde su nombre, Torreón fue una ciudad fundada en el lenguaje de la violencia y nadie podría afirmar que las metáforas violentas le hayan sido nunca extrañas. En épocas recientes, dichas metáforas se han multiplicado por la influencia de los cárteles del narco. Si no me detengo en ese aspecto es porque creo que ya se trató bastante. Lo que me interesa no es el discurso llano de la brutalidad en La Laguna, sino sus expresiones más internalizadas y domésticas.

A diferencia de lo que ocurre en otros parajes del norte, donde la resolana impuso un veto calvinista a las partes pudendas, la comarca administra una sexualidad exultante, una versión rijosa y polvorienta del aura caribeña que un amigo mío resumió así:

—Llego a Torreón, me quito la verga, la aviento parriba y, en toda la semana, no me la dejan caer.

La prostitución ha gozado de buena salud desde la época en que las *mujeres de asuntos subalternos* salían a la calle a la hora de la siesta. Dice Francisco L. Urquizo que, durante la Revolución,

> los burdeles que había en Torreón eran famosos y no se encontraban mejores en todo el norte del país [...] Las tres casas de calidad eran las de María Ortega, Paulina y La Niña, con unas 20 o 30 mujeres cada una. Eran las que daban el servicio desde la tarde hasta la madrugada a los jefes y oficiales, sin contar con los prostíbulos de menor calidad que eran a donde iban los de la tropa [...]

Todavía en la actualidad el oficio se ejerce en las calles del centro, donde es fácil levantar a una chica o a un chico o a un travesti por una módica suma. Hay multitud de cantinas donde mujeres cobran "lo que tú me quieras dar" porque te vengas en su boca. Tampoco faltan *escorts* que se publicitan en la web con encantadora obscenidad recatada: "Francés profundo, 15 brazas"; "Compañeros de viaje y parejitas románticas, bienvenidos"; "Puerta de servicio disponible las 24 horas".

Hace tiempo, el poeta y fotógrafo Jesús Flores hizo una indagación: se autoempleó como prostituto homosexual durante un año y logró fotografiarse a sí mismo y a algunos de sus clientes antes o después del coito anal para construir una crónica gráfica *gonzo* del estado de la prostitución masculina en La Laguna. Como producto marginal, elaboró una suerte de diario en verso que firmó con el seudónimo Sebastián Margot y publicó bajo un título redondo: *Chacal y susceptible*.

Torreón contó en los años setenta con la zona de tolerancia más famosa de México. Contra lo que podría esperarse, el también llamado Sector Cuatro no era un lugar meramente arrabalero y torvo; más bien parece (según imágenes que se conservan) feliz, especialmente por sus murales pornográficos. Años después de que el conglomerado de puteros cerrara, y cuando se supo que habrían de demolerlo, el fotógrafo Héctor Moreno registró muchas de las piezas y las publicó en un pequeño libro: *Clausurado*. Es uno de los mejores documentos que conozco acerca de la sexualidad popular: una Pompeya portátil y cábula.

Hay que decir que en Torreón el sexo es mucho más que putería. Hay una elegancia básica en la amabilidad, la franqueza y el donaire con que la gente se intercambia aquí los músculos, los fluidos y las grasas. Hay que decir también que esta carnalidad se ha visto amenazada por la violencia, la delincuencia y el deterioro del tejido social. Es una lástima: la pérdida de la alegría sexual me parece un grave daño al patrimonio intangible de cualquier nación.

Habida cuenta de tal sensualidad, no es extraño que la cumbia colombiana prendiera aquí y en Monterrey más que en ninguna otra ciudad de México. La Sonora Dinamita de Lucho Argaín compuso en los ochenta una canción ("ya se va tu lagunero, negra, / se va para no volver") para agradecer el amor que los torreonenses le profesaban. Tampoco es raro que, al generar su propia identidad cumbiambera a partir de grupos como Tropicalísimo Apache o, una generación después, Chicos de Barrio, el toque local que se añadió haya sido contrario al tradicional del *underground* colombiano y regiomontano: no "rebajar" las revoluciones de la pieza sino "doblar" el *beat*: aplicar la frecuencia de golpes del güiro a la batería, que es más o menos lo mismo que convertir un *rockabilly* en una rola *punk*. Porque Torreón es una novia acelerada, una mujer que fuma piedra mientras coge de perrito hasta desollarse las rodillas. Tampoco es raro que la marca de la casa en los bailes (esa expresión vertical de un deseo horizontal) sea cerrar a chingadazos: un baile de los Chicos que termina sin una batalla campal es un fracaso. Porque ¿cómo catalizar la pasión sexual de una cultura que añora la violencia si no es partiéndole la madre a un bato de otro barrio antes de metérsela quizás a su mujer?...

Existe otra escenificación extrema, inofensiva pero de gestos grandilocuentes, que la comarca considera suya: la lucha libre. A diferencia de lo que sucede en otras regiones del país, aquí el deporte se toma muy en serio, su nivel es óptimo, posee rituales específicos y cuenta con un público cuya fidelidad supera modas y franquicias. El lado durangués de La Laguna ha producido verdaderas leyendas del pancracio: Gran Markus, Mano Negra, Blue Panther, Último Guerrero y Espanto Jr.

La agrupación Chicos de Barrio compuso el tema de una serie gringa de dibujos animados titulada *Mucha lucha*.

Todas estas aficiones palidecen ante el futbol. Sin importar edad o género, los torreonenses son fanáticos tifosos. No es para menos: Santos, el equipo local, ha tenido campañas gloriosas, suma algunos campeonatos y, aunque últimamente parece haber entrado en decadencia, consiguió hace años lo más difícil para un club nacional: jugar lindo, como pordioseaba Galeano. Figuras como Jared Borghetti o Rodrigo *el Pony* Ruiz, que vistieron la camiseta albiesmeralda en los años de esplendor de la franquicia, e incluso atletas un poquito traidores como Oribe Peralta, encarnan el grado supremo de la querencia popular.

¿Cómo podrían haber bautizado los laguneros, verdaderos yonquis de las analogías violentas, a los 11 de su tribu?... Por supuesto: los llaman los Guerreros.

El amor por el Santos es una encarnación del amor propio. Durante años, cuando el equipo jugaba en el diminuto estadio Corona (no había valla: uno podía casi escupir a la cara del rival desde la tribuna en los tiros de esquina), no existió público más imaginativo y feroz. Hubo un momento en el que los fanáticos locales se quedaron sin enemigos porque todas las porras foráneas temían venir a Torreón a perder la vergüenza o la dentadura. Esto, aunado al hecho de que Santos fuera el equipo más sólido del futbol mexicano jugando de local, le dio un sobrenombre a la grama comarcana, un apodo soberano que se mantuvo aun cuando el equipo se mudó a un estadio más amplio, moderno y lujoso; un mote que está inscrito en los muros del nuevo recinto y que no deja de ser cruel aunque nos guste mucho. Lo llaman la Casa del Dolor Ajeno.

★★★

En 1888, un joven chino bajó del tren en la estación de Torreón. La tradición oral lo representa llevando en las manos sendas canastas con chunches de su país: seda, remedios, artesanías, perfumes… Productos con los que comerciaba en los vagones del ferrocarril o en los mercados de los pueblos que le salían al paso a lo largo del desierto. Se llamaba Wong Foon Check. Los mexicanos llegarían a conocerlo como Foon-chuck.

Wong Foon Check tuvo una larga vida. Pero eso no es lo que me interesa ahora.

Foon-chuck fundó una escuela donde se enseñaba cantonés, administró un hotel donde se fumaba opio y fue socio de un hombre que estuvo condenado a morir mediante la tortura conocida como *leng t'che*. Pero eso tampoco es lo que me interesa ahora.

Lo que me interesa es lo que pertenece a este momento: la imagen de un muchacho solitario, desconocido por todos, de español magro y modales tímidos que desciende del

TAXI (2)

—Y lo que hacían, bato, es que les clavaban la bayoneta a los niños cuando sus mamás iban saliendo de las casas con ellos en brazos, y luego se daban la vuelta así como los de *300* y ¡chingas!, por la espalda se las fregaban también a las chinitas.

Voy tarde: se me fue el tiempo hablando de Benjamín Argumedo con el magistrado Jesús Sotomayor, su biógrafo; llevo un cuarto de hora de retraso para reunirme con Manuel Terán Lira en el Sanborns.

—¿No nos podemos ir por Diagonal Reforma?

—Está en obras, bato —dice el taxista sonriendo con un diente de oro (hace mucho que no veía un diente de oro en alguien más joven que yo) a través del retrovisor. Continúa su conferencia magistral—: Pero donde te pueden informar mejor es en la estación de radio, ¿cómo se llama?... No me acuerdo cómo se llama, bato, pero está ahí en el mero centro, por la Hidalgo. Ellos te pueden informar mejor, porque ahí jala una hermana de mi vieja y dice que a cada rato se le aparecen los chinitos.

Entro en el Sanborns y pregunto a la mesera por el doctor Terán Lira. Ella me señala una mesa apartada. Ahí está, en compañía de su esposa: un septuagenario no muy alto, magro de carnes, muy derechito, con un bigote despeinado y una cara preciosa. Se pone de pie en cuanto me distingue y camina hacia mí como quien te recibe en su casa y me presenta a su mujer, quien estrecha mi mano y murmura "Hola", sonríe, luego clava la vista en su plato y no vuelve ni a hablar ni a mirarnos.

Terán Lira me señala una silla y se sienta frente a mí mientras ordeno un té. Más que médico o historiador, parece un *rockstar* jubilado: lleva un viejo sombrero texano con las alas arriscadas, usa lentes de aumento de un suave polarizado color uva, viste unos *jeans* negros casi nuevos y una camiseta sin mangas que lo hace lucir como un *eskato* adolescente con arrugas prematuras en los brazos. Le faltan solamente los tatuajes para que lo dejen pasar sin gafete al *backstage* de los Rolling Stones.

—Aquí le traigo este librito de los chinos —dice extendiéndome una *plaquette* de no más de 30 páginas—. Pero lo mío, lo mío, es Pancho Villa.

En presencia de su carisma entiendo por qué la gente dice disparates como el que se mandó mi taxista cuando le conté con quién iba a reunirme:

—Lo único que necesitas es hablar con el doctor Terán, bato. No dejes que esos otros cabrones te engañen. Hay unos que hasta dicen que el que mató a los chinitos no fue Villa, wey, imagínate, ¿cómo chingaos no va a haber sido Villa? Tú habla con el doctor, bato, el sí sabe. Además es dueño de todos los pinches museos que hay en Torreón. Tiene como ocho.

Me sorprende la cantidad de errores historiográficos que Terán Lira fue capaz de meter en un cuaderno de 30 páginas. Si bien exculpa a Villa, dice que en 1900 había 2 000 chinos en Torreón, cuando lo más probable es que no llegaran a 100; confunde el *chalet* campestre de Lim con la casa de Foonchuck; afirma que existe un parte de la Secretaría de Guerra que asegura la incorporación de un grupo de chinos como paramilitares en la defensa de 1911: esto, más que una equivocación, es una calumnia.

Ahora que, de ser simpático, lo es. Muchísimo.

***

No sólo es falso que Pancho Villa participara en la masacre: también es ficción que hubiera en La Laguna madres asiáticas a las cuales pasar a bayoneta. Un documento referido por Carlos Castañón habla de solo cuatro mujeres chinas registradas en Coahuila en 1910. Estaba, por supuesto, la hermana de Lim: la única de la que hay noticia cierta. Pero la apabullante mayoría de los colonos eran varones.

Tampoco es factible que abundaran los menores: según cifras oficiales, en el evento perecieron dos chicos de 17 años, otro de 14 y uno más de 12. Todo a tiros.

—Tenía que haber mujeres —opinó Silvia Castro cuando la visité en el Museo de la Revolución—. Porque si no, ¿de dónde salieron los niños?

Tal vez el difunto de 12 años del que hablan los documentos atravesó medio planeta sin su madre. O quizás ésta fuera mexicana; abundan testimonios de matrimonios mixtos. De las posibilidades, esta última me parece la peor: que una partida de asesinos odie a tu hijo sin odiarte a ti primero, sin darte la opción de cargar tú con el odio que le deparó el mundo porque la piel de sus verdugos es del mismo color que la tuya.

OLVIDO DE AMOR

You better run,
You better take cover.

MEN AT WORK

Piensa esto: hay un lugar donde lo más cercano a ti, eso que finges poseer, se llama de otro modo. No es gran cosa. Puede tratarse por ejemplo de tu madre. Ya de por sí tuviste que aprender que nunca fue "mamá", que usaba nombre y apellidos, y peor: que tu padre la invocaba en la intimidad a través de un apodo repugnante. No pasa nada. Entonces ella muere y, despellejado por dentro, debes hurgar entre sus cosas buscando no sé qué, un documento para el certificado, y descubres esa carta amarillenta donde una amiga de la prepa la moteja de un modo que te destroza: "pinche Macaca". El cadáver de tu madre es la Pinche Macaca. Visto así, desde la soledad de nuestros nombres, nada es tuyo. Las cosas le pertenecen al lenguaje.

Recuerdo cuánto me indigné al saber que la Nao de China venía en realidad del archipiélago filipino. Su nombre justo, escuché, era el otro, el que le daban al norte: Galeón de Manila. Lo supe siendo niño. Jugaba a solas en el Fuerte de San Diego. Se lo escuché decir a un guía de turismo y pasé años intentando olvidarlo. Mi ilusión era que un buque surcara el océano desde las puertas de Pekín hasta mi casa en Acapulco.

El Galeón de Manila fue el primer contacto formal entre México y Asia. Lo inauguró en 1565 Andrés de Urdaneta, quien descubrió lo que llegaría a conocerse como el *tornaviaje* o la corriente Kuroshio: un desplazamiento de aguas marítimas (también llamado Río Negro) que va de Taiwán hacia el norte, bordea la costa levantina de Japón, atraviesa la fosa de Chinook al sur de las islas Aleutianas y, poco a poco, desciende hacia las costas del Pacífico mexicano. No hay océano más grande. El *tornaviaje* duraba entre cuatro y cinco meses, a diferencia de los tres que hacía la ruta inversa trazada por Magallanes-Elcano en 1521.

Los primeros chinos que llegaron a América venían quizás al servicio de mercaderes españoles. Algunos —de seguro pocos: todavía la migración no era sinónimo de supervivencia para ellos— se establecieron como tenderos, lavanderos o barberos en zonas segregadas de unas pocas ciudades novohispanas, y señaladamente en la capital. Bautizaron al virreinato como Da Lusong ("Gran Luzón") para distinguirlo de Xiao Lusong ("Pequeña Luzón"): Filipinas.

Durante dos siglos y medio (una edad más larga que la historia de México), el Galeón de Manila cruzó los mares una o dos veces al año y abasteció de primores las casas y la imaginación de la Colonia: seda, especias, cerámica, venenos… La empresa fue cancelada en 1815 a causa de la guerra de independencia, pero su *chinoiserie* permaneció en la fantasía mexicana todavía un siglo más tarde. Sus huellas se aprecian en este poema de Francisco González León:

> La nave de la China
> que llegó a Acapulco
> le trajo a la noble
> Marquesa de Uluapa
> un cofre de laca
> color de vainilla;
> y ornados de alados
> dragones dorados

y de extrañas flores,
unos dos tibores.
Pero a mí me trajo
algo que es mejor:
a mí me ha traído
olvido de amor.

La nave de la China
trájole al Virrey,
para su hija Pía,
la milagrería
que abre un abanico
tejido en carey;
y para su esposa
el cristal tallado
de un frasco colmado
de esencia de rosa.

Pero a mí me trajo
algo que es mejor:
a mí me ha traído
olvido de amor.

Pena que se queda
del camino a un lado;
fórmula anodina
de oriental receta;
humo que las penas
ve con telescopio.

La nave de la China
hoy ha facturado
para mi dolencia
cansina y secreta
una libra neta
de ensueños y olvido

bajo la etiqueta
que asegura:
¡Opio!

Lo genial de la pieza es su anacronismo: el cruce de miradas entre la China grácil de tiempos de la Nao y la terrible China de las Guerras del Opio.

Existe un bonito libro de Patricia Buckley Ebrey titulado *The Cambridge Illustrated History of China*. Comienza así:

La mayoría de los pueblos posee mitos acerca de sus orígenes, y el chino no es la excepción. Durante la mayor parte del periodo imperial, los chinos letrados tuvieron una teoría del "gran hombre" de cómo se desarrolló su civilización. A diferencia de otros pueblos que señalaban a los dioses como sus creadores o progenitores, los chinos atribuían a una serie de seres humanos extraordinariamente brillantes las invenciones que poco a poco los transformaron de un pueblo primitivo a uno altamente civilizado. Fu Xi, el Domador de Bueyes, domesticó animales e inventó la familia. Shen Nong, el Granjero Divino, inventó el arado y el azadón. Huang Di, el Emperador Amarillo, inventó el arco y la flecha, las balsas, los coches, la cerámica, la escritura y la seda. También peleó una gran batalla contra tribus extranjeras, asegurando a su pueblo la planicie del río Yangtsé. En la historia temprana de China es catalogado como el primero de los cinco grandes gobernantes predinásticos, de los cuales los dos últimos fueron Yao y Shun. A Yao se le atribuye la creación del calendario y los rituales. En lugar de ceder su trono a su propio y menos digno hijo, eligió a Shun como sucesor, un campesino pobre cuya piedad filial había sido demostrada por su devoción al servicio de su padre ciego y su madrastra malvada. Shun no sólo se convirtió en el siguiente gobernante, también contrajo matrimonio con dos de las hijas de Yao. A pesar de su virtud, incluso Yao y Shun fueron incapaces de prevenir inundaciones, por lo que el segundo designó a un oficial, Yu, para que se encargase del problema. Por más de una década, Yu recorrió el territorio dragando los canales que se convertirían en los ríos del norte de China. Llevó a cabo la tarea con tanto celo que pasó varias veces por su casa sin detenerse a saludar a su esposa e hijos. Shun nombró como su sucesor a Yu. Éste dividió el reino en nueve regiones e hizo moldear vasos de bronce para representar cada una de ellas. Cuando Yu murió, los pobladores ignoraron al sucesor que él había nombrado y buscaron guía en el hijo del extinto soberano, estableciendo de esta forma el precedente de mandato hereditario y dinástico. Yú y su hijo fueron los primeros dos reyes de la dinastía Xia, la cual perduró durante 14 gobernantes.

Es imposible resumir la historia de un país cuya primera y semilegendaria dinastía (los Xia) comenzó a gobernar hace más de 4000 años. Un país que territorialmente es el tercero más grande del planeta y está cubierto de hielo y desiertos al norte y ceñido por montañas al oeste y tapizado de selvas al sur y salpicado de puertos también al sur y al este. Un país que en el siglo XI tenía ya 100 millones de habitantes. Un país con un récord de luto: una vez perdió a la mitad de su población por causa de la peste bubónica. Un país cuya escritura se remonta 5000 años atrás. Un país cuyas dinastías más discernibles para un hombre educado por la Ilustración europea (los Qin, los Tang, los Han, los Yuan, los Ming) abarcan un periodo que sobrepasa el milenio: algo tan vertiginoso como ir en un solo enunciado de las cruzadas a Steve Jobs. Es imposible resumir la historia de un país que inventó torturas perversamente refinadas como el *leng t'che* (esa extática forma de morir mediante cientos de cortes que obsesionó a Salvador Elizondo y a John Zorn) y al mismo tiempo produjo poetas sencillos y sublimes como Li Bai. Un país hecho de muchos pueblos: los yi, los chinos (China significa "el centro"), los manchúes, los tocarios, los zhuang, los hakkas, los… Un país que generó el confucionismo y que, al paso de los siglos, se las ingenió para transformar en jerga burocrática esa filosofía sutil: durante el siglo xix, los exámenes de doctrina que debían aprobarse para ingresar al servicio público eran de un rigor y una complejidad y una absoluta inutilidad que hubieran hecho las delicias de la talmúdica mente de Franz Kafka...

Es imposible resumir la historia de un país tan ajeno. En 1644, una revuelta campesina culminó con el suicidio del último emperador de la dinastía Ming. Tras una guerra civil que duró más de tres lustros, un niño de ocho años llamado Kangxi subió al trono. Gobernaría por 60 años. Fue el fundador de la postrera dinastía celeste: los Qing, un clan manchú que se mantuvo en el poder hasta 1912. Los tres primeros monarcas (Kangxi, Yongzheng y Qianglong) tuvieron éxito en su encargo: ampliaron las fronteras del reino y fortalecieron las finanzas, aunque ya desde el siglo xviii lidiaron con fuertes escándalos de corrupción. Uno de los más sonados lo protagonizó Heshen, funcionario a quien el cuarto emperador, Jiaquing, obligó a suicidarse a principios del siglo xix.

Muy pronto los Qing tuvieron que lidiar con la mayor crisis en la historia del dilatado imperio. Fue Tao Kuang, quinto soberano de la dinastía —quien ocupó el trono entre 1821 y 1850— el encargado de reinar sobre el principio del fin. Uno de los problemas que afrontó fue la explosión demográfica: el censo imperial de 1830 registró un incremento de 100 millones de habitantes. La corrupción, los altos impuestos y las constantes sequías e inundaciones hicieron imposible alimentar a 400 millones. Decenas de miles murieron de inanición.

El segundo conflicto fue la desigualdad comercial y militar ante las potencias occidentales: Francia, Holanda, Portugal, España y, sobre todo, Inglaterra. Esto desembocó en las Guerras del Opio.

Un ejemplo escolar de la doble moral del capitalismo es la historia de las relaciones comerciales entre China e Inglaterra. Durante mucho tiempo, los chinos comerciaron ventajosamente con la Europa en expansión pues, mientras ésta deseaba un sinnúmero de productos orientales (seda, tinturas, especias), los chinos sólo aceptaban plata a cambio. Para equilibrar la balanza, los ingleses —y tras ellos otros comerciantes occidentales— introdujeron masivamente en China el opio que se cultivaba en la India Británica; lo hicieron con la misma seriedad con la que siglo y medio más tarde Pablo Escobar trasladaría por aire cocaína colombiana y la distribuiría en Estados Unidos. Las autoridades chinas prohibieron tal comercio por considerar que el número de adictos se había convertido en un problema de salud pública, y también porque el narcotráfico afianzaba el puntaje económico a favor de Occidente.

A finales de 1838, el incorruptible funcionario Lin Tse Su se dirigió al puerto de Cantón y exigió la entrega de los cargamentos de opio que hubiera en los barcos. El capitán Charles Elliot, superintendente del comercio inglés, instó a los mercaderes afectados a rendir su producto ante la reina Victoria. Luego permitió que Lin incautara la sustancia. Acto seguido, informó a Londres sobre la destrucción en China de bienes pertenecientes a la corona británica. La respuesta fue el envío de 20 buques de guerra, 4000 soldados y 540 cañones. Esta fuerza se incrementaría hasta llegar a contar con 130 buques y 13 500 soldados al mando del comandante Henry Pottinger, quien combatió en el mar, la tierra y los ríos a las tropas chinas y a la población civil sublevada hasta derrotarlos el 27 de agosto de 1841. Esa misma fecha fueron firmados los Tratados de Nankín, que establecían la parte del león a favor de la potencia europea: una cuantiosa indemnización en plata por los costes de la guerra, cero impuestos, libertad para comerciar opio y cualquier otro producto a lo largo y ancho de China (un premio que alcanzó para los estadounidenses, quienes se emplearon con singular alegría como traficantes de adormidera turca), y una delictuosa norma jurídica: sin importar los crímenes que cometieran —incluso si éstos afectaban a súbditos chinos—, los extranjeros avecindados en el país no responderían a las autoridades locales sino únicamente ante su propio consulado. De acuerdo con Juan Puig, la Primera Guerra del Opio le costó a la nación oriental la tercera parte de sus ingresos totales de 1841.

Los sucesores del emperador Tao Kuang debieron afrontar un paulatino recrudecimiento de la desventura. Lo hicieron pésimo, sobre todo en lo que atañe al descontento popular.

A excepción de la Segunda Guerra Mundial, la rebelión Taiping es el conflicto bélico que más vidas humanas ha costado: los cálculos conservadores hablan de 20 millones de muertos. Habida cuenta de la perversidad del lenguaje político ("bellas palabras para ocultar la ausencia de hechos", ha escrito Tzvetan Todorov), no me sorprende que un movimiento social tan devastador y tóxico se haya autodenominado Reino Celestial de la Gran Paz. La rebelión se inició en la provincia sureña de Guangxi, al oeste de Cantón, y tuvo como protagonista estelar a Hong Xiuquan, un campesino cantonés de origen hakka nacido en 1814.

Destacado estudiante desde la infancia pero miembro de un hogar miserable, Xiuquan se preparó durante años para presentar los exámenes oficiales de doctrina confuciana que le permitirían acceder —al menos en teoría— a la vida mejor que deparaba el servicio público chino. Como sucede aún entre las familias pobres de muchas naciones, todos (padres, tíos, hermanos, primos) hicieron sacrificios para que el chico listo de la casa permaneciera en la escuela. Xiuquan falló en los exámenes oficiales en 1836 y 1837, lo que le ocasionó una crisis psicótica. Antes de eso se había adentrado en la doctrina cristiana merced a la lectura de la *Exhortación al perfeccionamiento*, un panfleto escrito por Liang Fa, probablemente el primer pastor protestante chino. También existe noticia de que entabló contacto con el pastor bautista estadounidense Issachar Jacox Roberts. A partir de estas experiencias, y tras su fracaso académico, Hong Xiuquan comenzó a tener alucinaciones en las que un hombre viejo acompañado de otro más joven le pedía recuperar para él la fe del pueblo chino, así como destruir las imágenes de los demonios. Hong decidió que estas apariciones no eran sino Dios Padre, de quien se declaró segundo hijo, y Jesucristo, de quien se declaró hermano menor.

Al principio, el flamante Rey Celestial se limitó a fundar una secta iconoclasta en compañía de sus parientes. Con ella se dedicó a destruir las imágenes de la devoción confuciana que encontraba a su paso. Más tarde, conforme empezó a ser perseguido y fue ganando adeptos, le declaró una guerra abierta a los ejércitos de Sien Feng, el nuevo emperador manchú. Sus huestes, que empezaron siendo escasas, sumaban 500 000 guerreros cuando llegaron a la ribera del Yangtsé. Pronto serían millones. Avanzaron hacia el norte conquistando importantes ciudades como Wuchang y, sobre todo, Nankín, a la que rebautizaron como Tienching y designaron capital de su reino.

Mi percepción de los taipines es que fueron una versión sobrepoblada, hiperviolenta y fugazmente exitosa de los cátaros. Viajaban a todas partes con sus mujeres y sus niños, como una suerte de país guerrero y nómada que intenta devorar por dentro a un país sedentario. Su efectividad militar dependía de una ventaja que a la larga los arruinó: la ausencia de trabajo. Los taipines pasaron 13 años sin interesarse por la agricultura o por cualquier otra labor productiva, pues estaban ocupados entrenando y combatiendo. Fueron ellos mismos quienes socavaron el suelo bajo sus pies mediante una guerra inusitadamente cruel y larga.

La rebelión se prolongó desde 1851 hasta 1864, cruzándose con la Segunda Guerra del Opio, y su costo económico y social fue tanto que, al concluir esta última, los gobiernos europeos se aliaron con el imperio chino para combatir a los taipines por miedo a que éstos terminaran por destruir China entera, despojando así a Occidente de sus prebendas (que para entonces eran muchas). Los taipines, por su parte, habían enfrentado entre 1858 y 1860 una revuelta interna que minó su número, abatió o enemistó a algunos de sus mejores estrategas y dañó severamente su ánimo para el combate. Lograron reponerse y derrotaron al ejército oficial por enésima vez y ocuparon nuevas y estratégicas posiciones sobre el mapa del imperio, pero casi enseguida experimentaron un revés militar que inició su debacle: el fallido avance sobre Shanghái. A partir del momento en que fueron repelidos y diezmados por las tropas imperiales, tanto los insurgentes como el líder carismático cayeron en una fosa de desaliento. Es probable que para entonces el santo Xiuquan hubiera sucumbido en el plano personal a la lujuria y el abuso de poder. Tal vez —especulan los historiadores— se suicidó. El Reino Celestial de la Gran Paz, que para 1864 ocupaba importantes territorios del sur y el centro de China (mientras en México se libraba otra extraña y cruenta guerra entre liberales y liberales disfrazados de conservadores), se extinguió poco después. Su líder, uno de los locos sagrados más ilustres del siglo XIX y el principal artífice de la segunda más grande masacre en la historia de la humanidad, pasó a ser un desconocido en Occidente.

Después hubo más violencia: la guerra contra Francia en 1885, que no fue sino una actualización gala de las prebendas que ya gozaban los ingleses; la guerra contra Japón, que arrebató a China el dominio sobre Corea; la rebelión de los *boxers*: un emocionante esfuerzo nacionalista por recuperar el país a base de terrorismo, guerra civil y artes marciales… Podría añadir muchos otros sucesos sin que la enumeración modificara el resultado: China era en ese momento *Tralalá*, esa puta drogada a la que una pandilla de rufianes viola hasta matarla en el asiento trasero de una ruina de coche. Estaba boqueando sangre.

Cada provincia afrontó el desastre como pudo. Unas se hicieron a la guerra, otras concentraron su población en las grandes ciudades, otras más se convirtieron en besanas para la muerte. Cantón (Guangdong en transcripción pinyin, 廣東 en chino tradicional) tenía una salida al mar y sus habitantes llevaban siglos acostumbrándose a la navegación. Algunos hombres —los más audaces, los más desesperados— se embarcaron. Fueron a Filipinas, a Japón, a la India y también más lejos. Al poco tiempo, como un rumor de olas que despierta suavemente, una noticia se esparció por el puerto, después por la ciudad, luego en los pueblos vecinos y finalmente en los distritos distantes: allá, del otro lado del mar, habían hallado oro. Toneladas de oro. Suficiente oro como para volver a inventar la realidad.

(O al menos eso pensaba Karl Marx quien, con su afilado amarillismo, declaró que el descubrimiento de las minas californianas sería históricamente más importante que el descubrimiento de América.)

Fue así como cientos, miles, decenas de miles de cantoneses abandonaron su casa, sus magras posesiones, su idioma, a sus familias, y subieron a los barcos y treparon a la ola de la corriente Kuroshio, el *tornaviaje*, la antigua ruta del Galeón de Manila que décadas atrás conducía hasta Da Lusong en una travesía de cuatro o cinco meses bordeando la costa oriental de Japón, atravesando luego la fosa de Chinook al sur de las islas Aleutianas para recalar por fin en América. Esta vez su destino no era la salutífera bahía de Acapulco sino un territorio bastante más al norte: la California de la fiebre del oro. Era el inicio de lo que hoy conocemos como la gran diáspora china, un fenómeno que en el transcurso de 101 años arrojó fuera de su provincia a ocho millones de cantoneses: el equivalente a la población total de Honduras.

***

Pablo Chee emigró de 廣東 a Chiapas en 1901. Se estableció como comerciante y buscó esposa: la mexicana Adelina Palomegus. En 1910, la pareja tuvo un hijo: Manuel Jesús Chee. Probablemente a causa de los sobresaltos revolucionarios y la xenofobia que acompañaba a éstos, la familia viajó a 廣東 en 1914. Pablo tomó entonces una decisión desconcertante: dejó a su esposa e hijo en casa de sus parientes y se volvió a México solo. Se estableció en Baja

California y, a lo largo de 10 años, hizo fortuna como propietario de una tienda, un hotel y una cantina (y, probablemente, como traficante de opio). Durante todo ese tiempo, se mantuvo al pendiente de la casa: enviaba dinero para que su hijo mexicano se educara en el mejor colegio británico de China. Finalmente, y gracias a una cuantiosa fortuna, compró la ciudadanía estadounidense para él, Adelina y Manuel Jesús. Los Chee se reunieron en 1924 en Imperial Valley, California.

Lee Kwong Lun, un hombre de sombrero de ala corta echado un poco hacia atrás, bigote bien cortado y mirada tensa de pistolero famoso (su fotografía aparece en la portada de *The Chinese in Mexico*, el libro de Robert Chao Romero del que tomé esta historia y la anterior), emigró a Cuba durante la segunda mitad del siglo XIX, probablemente bajo el sistema de contratación culí, lo que significa que la mayor parte de su sueldo iba a parar a una red de traficantes de personas. Lee aprendió español y se dedicó por años a la fabricación de puros. Después se trasladó a California, donde se estableció en el comercio, aprendió inglés y fundó una familia pese a que acababa de entrar en vigor el Acta de Exclusión. Durante la primera década del siglo XX, él y los suyos tuvieron que abandonar Estados Unidos a causa de su irregularidad migratoria. Se establecieron en Sonora. Lee se ganó la vida como mediador entre empresas chinas, mexicanas, cubanas y estadounidenses gracias al conocimiento de los cuatro países y el dominio de los tres idiomas. Tras una década en México, y amenazados por la revolución, los Lee regularizaron sus documentos y volvieron a Estados Unidos. Se avecindaron en Tucson.

Lo que nos obsequian estas semblanzas —amén de la imagen de personas concretas— es un telón de fondo para entender el carácter trasnacional de la diáspora. Estados Unidos fue el país dominante de la China exiliada en América pero México y Cuba jugaron el rol de comodín migratorio. Podría decirse incluso que Cuba compitió con California como destino excepcional: para 1870, eran alrededor de 100 000 los cantoneses avecindados en la isla.

(Por eso no es raro que un niño-*mood*-índigo tal Severo Sarduy dedicara a esa raíz una égloga tercera con tufo a octavas reales travestida en bolero: "Junto al río de cenizas de rosa", un profuso pasaje de la novela *De dónde son los cantantes*.)

Había una diferencia: casi todos los chinos de Estados Unidos gozaron de movilidad, también los de México. En cambio la mayor parte de los de Cuba estaban sujetos al régimen culí, lo que los arrimaba a la condición de esclavos.

El trasnacionalismo de la diáspora fue un fenómeno sutil. El norte de América y la región Caribe resultaron para los cantoneses un megaterritorio que podían transitar de manera estratégica dependiendo de hacia dónde se inclinara la balanza económica y de qué tanta animadversión existiera hacia ellos. Las fronteras eran mucho más difusas desde el punto de vista de los recién llegados. Eso explica en parte la prosperidad de la colonia china de Torreón: su relación con capitales trasnacionales (chinos, canadienses y estadounidenses) fue un caso único en la historia de México.

***

Observa Juan Puig que el antichinismo en América no surge a partir del arribo de inmigrantes orientales: cuando el primer cantonés atracó en las costas de California, ya hacía décadas que los blancos demócratas y protestantes lo odiaban desde el escabroso territorio de la imaginación.

Los primeros en traer noticias del imperio fueron comerciantes, contrabandistas y marineros. Lo que destacaban sus relatos era la corrupción de las autoridades migratorias y la falta de honor de muchos comerciantes, que vendían cargamentos de té cuyas capas superficiales resultaban de alta calidad pero cuyo contenido inferior se componía de yerbajos inmundos. Se acusaba además a los chinos de ser, dice

Puig, "torturadores, polígamos, enemigos del progreso, idólatras y supersticiosos, propensos al infanticidio de las hembras, incapaces de navegar mar adentro y, sobre todo, jugadores empedernidos".

La segunda fuente sinófoba la constituyeron las misiones diplomáticas europeas. Todas ellas prestigiaban a los súbditos celestes de sucios, incultos y arrogantes. Parece que lo que más ofendía a los occidentales era que intentaran obligarlos a practicar el *kao tao*: prosternarse ante el emperador con los brazos y la frente contra el suelo. John Barlow los acusó, además, de carecer de sentido del humor. Ese sí que me parece un cargo grave. Pero no hay cosa más difícil de traducir que el humor, esa expresión simultánea de nuestras esperanzas y nuestras pesadillas.

(Me pregunto si lo del *kao tao* no habrá sido una teatral broma pesada de la que los funcionarios chinos se reían tras los biombos de papel arroz.)

Pronto este fantasioso odio se convirtió en un nicho editorial. Los informes de las misiones diplomáticas europeas a Oriente se publicaban y reimprimían no en sus países de origen sino en Filadelfia. Los libros acerca de la impericia y maldad naturales de los chinos menudearon década tras década, empedrando el camino de la futura sinofobia californiana y concitando de antemano la aprobación y solidaridad de la muy noble y sensata clase media ilustrada de la Costa Este, que al respecto resultó más racista de lo que nunca fue con los esclavos africanos.

El último clavo del cajón del muerto lo martillaron los pastores protestantes. No eran, ni mucho menos, los primeros cristianos en divulgar en Asia la palabra de su Dios. Los nestorianos pasaron por ahí, como lo atestigua una estela del 625. La dinastía mongola Yuan (fundada por el Khan Kubla) da noticias de una misión franciscana emprendida entre los siglos XIII y XVI. La todoterreno Compañía de Jesús llegó al imperio en 1582. Los misioneros jesuitas destacaron por su pragmatismo al oponerse a los dictámenes papales y abogar en favor de la misa en chino clásico, o la adaptación de la liturgia y el catecismo a las tradiciones del país. Aun así, y a pesar de la buena impresión que causó en ellos la civilización oriental, los mejores curas que forjó la razón fallaron en su intento de introducir el cristianismo en China.

Su fracaso no fue tan resonante como el de los puritanos anglosajones del siglo xix: hacia 1842, y después de casi cuatro décadas de esfuerzos inusuales, el número de chinos convertidos al cristianismo protestante alcanzaba la rimbombante suma de seis personas. Puig da una clave que explica al menos un aspecto de la debacle: "... ni siquiera había en su lengua, el cantonés, una palabra antigua y rancia para traducir el nombre de Dios, ni para designar el alma inmortal, ni para aludir al pecado y ni tan solo para decir 'religión'".

Nada es tuyo: las cosas le pertenecen al lenguaje.

Los misioneros se vengaron de la impermeabilidad de los chinos repitiendo y magnificando los vituperios que sobre éstos se decían en Estados Unidos. A saber —vuelvo a Puig—, que eran

una infinita multitud de paganos irremisibles, asesinos de sus hijas, veneradores de un seudofilósofo [Confucio] banal y ramplón, erotómanos antinaturales y carentes de todo pudor, opresores de las mujeres, insensibles como el metal, cultivadores de un idioma diabólico, salvajes, de muy escasas entendederas y, por si eso no bastara para detestarlos ya, agentes voluntarios de Lucifer y enemigos declarados del Dios único, a quien se regocijaban en odiar y ofender.

(Lo irónico es que uno de los pocos cantoneses cristianizados de la época fue Hong Xiuquan, un hombre cuya conversión a la fe del amor dejó un saldo de 20 millones de cadáveres.)

La prensa estadounidense difundió estos y otros informes. Periódicos de incipiente prestigio amarillista como el *New York Herald* o el *Boston Evening Transcript* consideraron imperativo denostar a los súbditos celestes como parte de su estrategia de mercado. No se equivocaban: la sinofobia devino *bestseller*. "Y todavía no se registraba en California la llegada de ningún chino", aclara Puig.

La diáspora inició en 1848 y se agudizó tres años más tarde debido a la rebelión Taiping. Cerca de 20 000 cantoneses arribaron a California en 1852. De acuerdo con Chao Romero, alcanzarían a ser alrededor de 300 000 residentes legales en el transcurso de los próximos 30 años (sin tomar en cuenta el índice de mortalidad durante todo ese periodo), con la cifra récord de 40 000 recién llegados durante 1881, el año previo a que se les prohibiera el ingreso.

En 1878, el imperio chino estableció una misión diplomática en Estados Unidos.

Algunos inmigrantes cantoneses se dirigieron a Oregon, Nevada, Idaho... Pero la mayoría permaneció en California. San Francisco y Sacramento fueron sus ciudades predilectas. Un reducido número eran comerciantes y traían consigo un magro capital que en poco tiempo se multiplicó. Había algunas mujeres, muy pocas: Elmer Sandmeyer afirma que apenas superaban el siete por ciento del total de la diáspora, y que casi todas se dedicaban a la prostitución. El grueso de los migrantes era fuerza de trabajo: obreros sin familia (o que habían dejado a ésta al otro lado del océano), casi iletrados y sin ninguna especialización. No eran muy distintos, en el fondo, a la mayoría de los habitantes de California: entre 1848 y 1849, la población total del estado pasó de 13 000 a 100 000; casi todos los nuevos habitantes eran hombres blancos y solteros atraídos por las minas. Quizá lo único que distinguió a los chinos de los caucásicos fue (además de su aspecto) la desesperación: venían de un mundo que se caía a pedazos y estaban dispuestos a trabajar más que nadie y en cualquier oficio —desde el más rudo hasta el más repugnante— por la mitad o menos del salario que cobraban sus competidores.

Los chinos se incorporaron a las huestes de jornaleros que se mataban en las minas de oro. También se emplearon en las compañías ferroviarias, especialmente en la Southern Pacific, cuyas vías férreas construyeron casi por completo. Trabajaron como cargadores en los muelles o como operarios en la industria del tejido, y también como hortelanos, granjeros, obreros del calzado, albañiles y liadores de tabaco. Ejercieron oficios que tradicionalmente se adjudicaban a las mujeres: cocinar, lavar ropa, hacer la limpieza. No tenían sindicatos. Sólo una figura gris —mitad cívica, mitad siniestra— velaba por ellos: las Seis Compañías.

Casi todos los recién llegados estaban sujetos a una organización que los recibía en California, los ponía en contacto con la primera empresa que habría de contratarlos y les ayudaba a instalarse en alguno de los *chinatown*. Esta organización era conocida como La Compañía. Existieron seis de ellas. Cinco atendieron —cada una por separado— a los originarios de los cinco distritos cantoneses más profusamente migrantes. La sexta se ocupaba de quienes provenían de cualquier otro distrito o, caso excepcional, de otra provincia china. Estos seis gremios se dedicaron también —aunque en menor escala, subrepticiamente y negándolo siempre— al tráfico ilegal de personas, el comercio de opio y el manejo de redes de prostitución. Son un ejemplo de la vecindad histórica entre el crimen organizado y el activismo social.

No tardó en surgir el antichinismo laborista y pragmático de los sindicatos en California. Como sucede siempre con las migraciones masivas, la baratura de la mano de obra asiática afectó el salario local, el más atractivo de la Unión a partir de la fiebre del oro. La persecución mediática, los disturbios y la fundación de clubes antichinos no se hicieron esperar. Uno de los grandes enemigos de la diáspora fue Denis Kearney, del Partido de los Trabajadores de California, quien fomentó la aplicación de leyes especiales e impulsó un ideario que a la postre desembocaría en el Acta de Exclusión de 1882.

También estaba la prensa: Sandmeyer consigna un artículo del *Marin Journal* del 30 de marzo de 1876 que caracteriza a los chinos como una amenaza contra la clase obrera, la civilización, la libertad, la democracia, la salud y, ya entrados en gastos, la felicidad. Un documento oficial hecho público ese mismo año los acusaba de enviar la mitad de su sueldo a China a manera de remesas y de que 75 por ciento de lo que consumían en suelo estadounidense provenía de aquel país, lo que dañaba la economía local por partida doble. Leo estas páginas y las comparo con lo que se imprime hoy en Estados Unidos acerca de los migrantes mexicanos y centroamericanos y no puedo evitar la zozobra: han pasado más de 100 años y los argumentos para excluir al otro no han variado un ápice. Más que un fracaso moral o social o económico, considero esto un fracaso de la retórica.

El antichinismo mitad-fantasioso-mitad-pragmático de los estadounidenses se institucionalizó por la clásica ruta electorera: tanto republicanos como demócratas lo utilizaron para atraerse votos estatales o federales a lo largo de tres décadas de comicios. Algunos políticos dominaron esta práctica sin que la mano izquierda supiera lo que hacía la derecha: como gobernador de California, Leland Stanford los llamó "raza inferior" y abogó por su expulsión en su discurso de toma de protesta; mas, como empresario y presidente del consejo administrativo de la Central Pacific, los contrató y fomentó su inmigración. También hubo gestores como el senador A. A. Sargent o líderes como el gobernador George Clement Perkins cuyo rechazo era, al menos, sincero y consecuente.

En manos de las autoridades, la sinofobia adquirió pantomimas de legitimidad. A diferencia de lo que sucedía con los extranjeros blancos, a los chinos se les cobraba impuestos por migrar, por tener donde habitar, por pedir trabajo y por haberlo recibido. Junto a los indios, los negros y los mexicanos, se les negó la opción de participar como jurados en los juicios. En caso de ser abusados en cualquier sentido, carecían del derecho a testificar contra un caucásico: sólo si otro hombre blanco declaraba a su favor podían defenderse ante la ley. En California se realizó un plebiscito cuyas boletas incluían sólo una opción: "No a la inmigración china". El Congreso ordenó una investigación detallada sobre su presencia en Estados Unidos —esa vez contaron con un simpatizante: el senador Oliver P. Morton—, y durante la presidencia del republicano Chester A. Arthur menudearon las iniciativas de ley en su contra. La más importante fue el Acta de Exclusión de 1882, que les prohibía internarse en territorio estadounidense durante los siguientes 10 años.

Si la diáspora siguió entrando —ilegalmente— a Estados Unidos, fue porque los dueños del dinero lo quisieron así. Miles de chinos de Cuba llegaron a Florida con el pretexto de que estaban repatriándose y treparon a trenes que los llevarían de costa a costa hasta California. La mayoría de estos pasajeros "se perdió" en el camino. Otros cantoneses viajaron a las costas de Sinaloa y Baja California e ingresaron a Estados Unidos en calidad de *mojados*.

El descontento popular de los blancos se canalizó en manifestaciones, marchas e invectivas. Y también, unas cuantas veces, a través de la violencia física.

El 24 de octubre de 1871, una multitud asaltó el barrio chino de Los Ángeles y destruyó buena parte de los inmuebles; 18 cantoneses murieron en los disturbios. El 18 de marzo de 1877 hubo otro brote de violencia en la comunidad de Chico, California, también con varios asesinatos como saldo. El evento más grave fue la masacre de Rock Springs, Wyoming, el 2 de septiembre de 1885, donde 30 mineros orientales perdieron la vida y 15 más fueron heridos de gravedad.

No me sorprende que Rock Springs haya sido la peor masacre de chinos en la historia de Estados Unidos: para entonces, la inmigración era ilegal. Rock Springs es un ejemplo de que la violencia xenófoba, aunque provenga de una masa anónima, está vinculada al sentimiento de norma que prevalece en una sociedad.

No todos los estadounidenses odiaban la diáspora. En 1877 existieron en Oakland y San Francisco brigadas de anglosajones que protegían a los chinos. Su presidente se llamaba William T. Coleman, y en su mejor momento llegaron a contar con siete mil voluntarios.

★★★

El suceso que ha cobrado más vidas de chinos en América no fue una masacre sino un suicidio colectivo, y es un retrato fulminante de lo que significó el sistema culí.

En 1854, centenares de cantoneses arribaron a las costas de Panamá para emplearse en el trazo ferroviario. Avanzaron sobre el territorio hasta una población de nombre siniestramente irónico: Matachín.

(Es seguro que el apelativo no proviene de la historia que narro, pues aparece documentado en los mapas del siglo XVI.)

Matachín está enclavado en una zona pantanosa y húmeda, de calores sofocantes. Los culíes trabajaban en el ferrocarril durante jornadas de 12 o 15 horas. Dormían hacinados y casi a la intemperie y cobraban un sueldo apenas suficiente para subsistir. El principal objetivo de su viaje —ahorrar dinero para enviarlo a la familia que habían dejado atrás— resultó una estafa. Pronto la depresión empezó a hacerse presente en muchos de ellos, afectando su disponibilidad laboral y, por ende, las utilidades de la compañía ferroviaria. Parece que un ejecutivo de estos muy *out-of-the-box-kind-of-guy* tuvo entonces la brillante idea de levantarles el ánimo incluyendo una ración de opio en su rancho cotidiano. Con las nefastas consecuencias que ahora se verán.

Un testigo presencial —probablemente uno de los capataces— vio algo que en primera instancia le resultó curioso y después lo impresionó: uno de los jornaleros chinos a su cargo se enderezó, levantó ceremoniosamente sobre su cabeza el punzón que llevaba en una mano y lo clavó en su propia garganta. Algunos compañeros se acercaron al hombre agonizante, primero con alarma, después con curiosidad y finalmente con aprobación. La mayoría dejó de trabajar. Algunos se dirigieron a una playa cercana, fumaron un poco de opio y se tendieron entre las olas. Siguieron fumando y bebiendo tragos de agua salada hasta que se ahogaron. Otros, quizá la mayoría, tomaron trozos de soga de las bodegas de la empresa, corrieron hasta alguno de los árboles que crecían junto a las vías del tren a medio construir, y se colgaron. Cuando los jefes de la empresa vinieron a hacerse cargo de la situación, no encontraron más que un bosque de ahorcados que se balanceaban prendidos de las ramas, como frutos podridos.

Cuatrocientos quince chinos se suicidaron en masa en 1854 en Matachín, Panamá. Casi nadie lo recuerda. No solamente trigo sarraceno para ellos, sino también un velo de opio: olvido de amor.

TAXI (3)

Es medianoche. Cené en casa de Julio César Félix y su familia: su esposa, dos nenas superlistas y un chavo casi adolescente que se afanó todo el rato en las tareas del hogar ("Es que está castigado", me explicó Julio). Asamos carne, vaciamos un par de sixes y tomamos chocolate como postre. El poeta Félix me acompaña hasta la salida de su fraccionamiento (vive al noreste de la ciudad, por la antigua carretera a San Pedro, estratégicamente cerca de la Universidad Iberoamericana —donde trabaja— y del estadio del Santos); esperamos un taxi durante 20 minutos. Nos despedimos con un abrazo. Subo al vehículo en el asiento del copiloto y le doy al conductor la dirección de mi hotel. Estoy exhausto: llevo una semana intentando capturar el aroma de la historia regional en archivos, entrevistas y caminatas. Miro de reojo al taxista. Es un hombre joven, moreno, con el cabello rapado sobre las orejas y un poco largo hacia atrás; "corte de buki", le decíamos en los ochenta. Parece asustado. Creo distinguir en su mirada algo que he visto en muchos otros rostros y también en el espejo: la luz blanda, como de vidrio derretido, de los impenitentes fumadores de piedra.

—¿Tú sabes quién mató a los chinos? —pregunto más por disciplina que por curiosidad; estoy cayéndome de sueño y no son horas para andar por ahí encuestando taxistas.

El hombre responde que no con un ligero movimiento de cabeza. Continuamos el viaje en silencio.

En la puerta del hotel desciendo del auto, doy las buenas noches y pago. Al darme el cambio, el muchacho murmura sin mirarme:

—Han de haber sido los Zetas, ¿no? Esos weyes son los que matan a todos.

TSAI YÜAN DE NADIE

…las ciudades destruyen las costumbres.

JOSÉ ALFREDO JIMÉNEZ

A finales del siglo XIX, tras el fracaso de la política exterior que pretendió fomentar la inmigración europea (un programa que tuvo en las fallidas colonias agrícolas de italianos su momento más agrio, pues la noticia fue severamente cubierta por la prensa internacional), México volteó por primera vez hacia los chinos. Era 1882; acababa de aprobarse el Acta de Exclusión. El primer (y casi único) político mexicano que invirtió energía en esta nueva estrategia fue un ciudadano frentudo, barbón, tal vez guapo y yo digo que chaparro: Matías Romero Avendaño.

Matías Romero nació en 1837. Era oaxaqueño, al igual que Juárez y que don Porfirio (Alfonso Reyes dice, refiriéndose a Vasconcelos, que todos los oaxaqueños son dogmáticos). Romero ingresó al servicio exterior a los 18 años. A los 25 era secretario y consultor jurídico de la legación mexicana en Estados Unidos. En 1863 regresó al país para enfrentar a los franceses bajo las órdenes del general Díaz, quien lo hizo coronel en cinco minutos. Pero la disposición de Matías no eran las armas sino la diplomacia, así que dos meses más tarde estaba de vuelta en Washington. A partir de entonces hizo carrera en el servicio público, llegando a ocupar el Ministerio de Hacienda en tres ocasiones entre

1868 y 1879. Culminó su vida como ministro plenipotenciario (recibió el título de embajador poco antes de morir) en Estados Unidos. Falleció en Nueva York a los 61 años, 20 de los cuales había dedicado a cabildear los ánimos de tres presidentes mexicanos frente al país del norte.

El cadáver de Matías arribó a Torreón el 15 de enero de 1899, lo que tomó desprevenidas a las autoridades locales: tuvieron apenas media hora —y esto gracias al soplo de un reportero— para prepararle al ataúd una recepción más o menos digna. Ernesto y José Romero, hermanos del embajador, viajaron a La Laguna y desde ahí escoltaron los restos hasta la ciudad de México. Esta anécdota ilustra lo importante que se había vuelto la villa para el porfiriato.

Veinticuatro años antes de morir, en 1875, Matías escribió un artículo de prensa sobre la inmigración de chinos a México. Con un realismo infrecuente entre los políticos porfiristas, consideró improbable el arribo de europeos y alegó que las semejanzas climáticas entre nuestro país y China serían factores favorables para la colonización. No encontró conflicto en que los grupos étnicos nacionales se mezclaran con los chinos pues consideraba a estos últimos "la raza original de nuestros indios". A partir de aquel temprano texto, Romero fomentó la inmigración asiática durante dos décadas. No vivió lo suficiente para ver coronado su esfuerzo.

El telón de fondo del embrollo fueron la economía mundial y las relaciones bilaterales. A partir del descubrimiento de las minas de oro en California, la plata en general (pero en particular la mexicana) había entrado en una caída de precios que llegó a su momento crítico en 1891. El imperio celeste, por apego a sus rancias costumbres (y me imagino que también por algún resentimiento hacia los socios de quienes le habían vejado en las Guerras del Opio) se negó a consolidar su respaldo financiero en oro y/o en la nueva plata de buena ley extraída de las minas estadounidenses. Siguió usando el peso mexicano de plata como índice de sus reservas. Desde la perspectiva del régimen porfiriano, esto convertía a China en eso que las aerolíneas llaman un Cliente Titanio.

El mutuo interés —migración y plata— hizo que desde 1882 se procurara la firma de un Tratado Sinomexicano. En esa época no existían relaciones formales entre ambas naciones. Al más puro estilo mexicano (y chino), la negociación se burocratizó de manera inconcebible incluyendo varios metros de papel entintado, distracción a causa de los respectivos problemas internos y un error diplomático de la nación asiática, que envió al gobierno de Washington un comunicado oficial dirigido a México. El tratado se concretó en 1899: 17 años después de iniciadas las negociaciones y unos meses más tarde de que el cadáver de Matías Romero hubiera pasado en tren por Torreón.

Los chinos de México no llegarían a ser, ni de cerca, tantos como los de Estados Unidos o Cuba. Para 1895 sumaban sólo 900, y en 1910 eran 13 000. Siguiendo la dinámica del fenómeno migratorio trasnacional, se habían distribuido con los ojos puestos en Estados Unidos: 7 855 vivían en territorio fronterizo, mientras que 667 ocupaban Sinaloa, una entidad muy apegada a la cultura del norte. De los 32 estados, sólo siete (Baja California, Sonora, Sinaloa, Chihuahua, Coahuila, Nuevo León y Tamaulipas) sumaban dos tercios del total de la diáspora en México. Fuera de esta zona, nada más el Distrito Federal (1 482) y Yucatán (875) tenían comunidades chinas con más de 500 habitantes. El resto albergaba a veces un par de cientos y a veces decenas. En Querétaro vivían cinco, y tres en Quintana Roo. Su presencia se reducía también conforme el observador se desplazaba del poniente al oriente: solamente en Sonora (donde a la postre se desataría la sinofobia política más intensa) había 4 486: un tercio del total nacional. El número descendía uniformemente en el abanico norteño hasta llegar a los apenas 213 cantoneses de Tamaulipas. En Coahuila vivían 759, y entre 70 y 80 por ciento de ellos radicaba en Torreón.

Sus oficios eran semejantes a los que practicaron en Estados Unidos: peones ferroviarios, lavanderos, cocineros, dependientes, zapateros, comerciantes... Añadieron el afán de pescadores en Sonora, destacaron como hortelanos en La Laguna, y un negocio al que se dedicaron en Sinaloa y acerca del cual no se ha escrito (porque no hay fuentes documentales) es la introducción y el cultivo de amapola para la producción de opio.

***

En julio de 1911, cinco hombres (Hom Hing, Ah Fong, Lee Lock, San Seu y Leu Lin) viajaron en barco desde Cantón hasta Ensenada. Fueron recibidos por un par de *coyotes*: Francisco Ríos y Antonio Solís. Los inmigrantes pagaron cantidades que fluctuaban entre 120 y 405 dólares para que los mexicanos los guiaran a través de la frontera con Estados Unidos burlando a la migra. El grupo se internó por San Ysidro, siguió hasta El Cajón, cerca de San Diego, y ahí permaneció durante cinco días oculto en un pajar vecino a la estación de Riverview. Luego los braceros y sus lazarillos treparon a un vagón de la Santa Fe Railroad Co. e intentaron colarse hasta Anaheim, donde los esperaban representantes de una red de colocación para trabajadores ilegales.

Como a las tres de la mañana del 8 de julio, el agente migratorio Harry H. Weddle revisó un convoy y descubrió en uno de los vagones a siete hombres: cinco chinos y dos mexicanos. Tras ponerlos bajo custodia, comunicó su hallazgo al inspector Ralph L. Conklin. Ambos agentes interrogaron a los mexicanos, quienes delataron a su contraparte californiana en un vasto negocio de tráfico de personas. A partir de ese momento, los chinos desaparecen —cual si de mercancía se tratase— del relato documental.

Lo que vino enseguida es una de esas historias de policías encubiertos que ama Hollywood. Weddle y Conklin reclutaron al *sheriff* George Placencia de Santa Ana, California, para que suplantara a uno de los contrabandistas mexicanos. La misión era desmantelar una red sinoamericana de traficantes de personas que, a decir de los *coyotes*, pagaba 150 dólares por cabeza ilegal. El *sheriff* Placencia viajó a Anaheim y se presentó como Francisco Ríos ante Ngan Fook, quien le pidió que esperara algunas horas al arribo del jefe de la banda: Chin Tung Yin, reconocido empresario de Los Ángeles con quien debía finiquitarse el negocio.

El encuentro se llevó a cabo en el *chinatown* de Anaheim, desde donde Placencia, Ngan y Chin se desplazaron a un jardín a las afueras de la ciudad, siempre bajo la vigilancia inadvertida de la migra. El agente encubierto logró que los tratantes se autoinculparan antes de dirigirlos hacia un seto de moras detrás del cual esperaban ocultos los federales. Ngan Fook y Chin Tung Yin fueron arrestados —quiero creer que después de una trepidante persecución pedestre— pero nunca llegaron a juicio. Tampoco los *coyotes*. La fiscalía federal desestimó los cargos debido a irregularidades en la investigación.

★★★

Un argumento tradicional contra la diáspora —tanto en México como en Estados Unidos— fue que los chinos no se integraban: consumían productos que importaban de su país, sólo daban empleo a sus connacionales y preferían vivir lo más al margen posible de las sociedades de Occidente. Ésta es una verdad a medias: parte de la segregación se debió a leyes locales. El matrimonio entre chinos y mujeres blancas estuvo prohibido en California hasta 1968. Y por "mujer blanca" la ley entendía "mujer occidental". Lo irónico es que, exclusivamente frente a los chinos, este vago concepto consideraba *mujeres blancas* a las negras, indias y mestizas.

En México el caso fue distinto: los alegatos contra el matrimonio interracial aparecieron *después* de que muchos chinos se hubieran casado con señoritas locales. Chao Romero demuestra a través de los éjemplos de Pablo Chee y Rodolfo Ley —este último prosperaría en Mexicali— que las esposas mexicanas dieron a los inmigrantes una red familiar y de amistades que les permitió prosperar económicamente, amén de facilitarles la incorporación cultural al país de adopción sin abandonar sus tradiciones. Esto contradice de manera pragmática el discurso spenceriano.

***

La mayoría de los historiadores —inclusive los más escrupulosos, como Chao Romero y, menos tajantemente, Juan Puig— asume la tesis de que hubo una clara separación entre las diferentes clases sociales mexicanas y su postura frente a la diáspora. Establecen que la sinofobia se originó entre los pobres de manera no organizada a partir de 1911, con la masacre de Torreón. Consideran que esta ideología evolucionó, se organizó y contagió a la clase media a partir de una suerte de convención antichina (en la que participaron sobre todo comerciantes en pequeño) celebrada en Magdalena, Sonora, el 5 de febrero de 1916. Romero sugiere, por último, que el movimiento nunca fue apoyado por la clase dominante.

Esta lectura sirve para sistematizar el discurso historiográfico, no para retratar la realidad. Su primera petición de principio es que una ideología no protagónica originada entre la gente más pobre del país ascendió en la escala social a un ritmo más veloz que el de cualquier otra preocupación revolucionaria (democracia, reforma agraria, reforma constitucional, etcétera); lo encuentro poco probable. La descripción implica además que el trasnacionalismo de la diáspora no tuvo un correlato mexicanista: que el ideario antichino de las clases media y alta de la Costa Este y el de los laboristas californianos no se propagó en nuestro país durante el último tercio del siglo XIX. Esto ya me parece imposible. Muchos de los primeros maquinistas que atravesaron la Suave

Patria ("el tren va por la vía / como aguinaldo de juguetería") eran sindicalistas blancos de lengua inglesa (muy bien pagados: ganaban 200 pesos mensuales —entre nueve y 10 salarios mínimos laguneros–; una cantidad equivalente, quizás, a 20000 pesos de hoy). Las familias mexicanas pudientes (algunas de ellas representadas por agricultores ricos como la familia Madero, de La Laguna, y también los Creel, los Luján, los Terrazas, los Mendirichaga, los Gómez Palacio, los Lavín) enviaban a su descendencia a estudiar a Estados Unidos con especial predilección por ciudades como Filadelfia, Nueva York o Boston. En 1896, el gobierno de Coahuila becó a cinco graduados de la Escuela Normal del estado para que fueran a especializarse a Bridgewater, Massachusetts. Por lo menos uno de estos jóvenes —Gabriel Calzada— era lagunero, vivió algún tiempo en Torreón y fue cercanísimo a Francisco I. Madero: algunas de las cartas que intercambió con el espiritista se conservan y la tradición oral lo prestigia como corrector de estilo de *La sucesión presidencial en 1910*.

No hablo de hechos sino de grados de separación; no es descabellado pensar que algunos miembros de las clases media y alta mexicanas adoptaron los prejuicios antichinos de las cúpulas estadounidenses de su época. La influencia puede deducirse de la reiteración de cierto tipo de acusaciones contra los orientales (ser sucios y portadores de enfermedades, carecer de inteligencia y sentido del humor, ser arrogantes e impíos, etcétera), que aparecieron en el imaginario mexicano varios años antes que los prejuicios de índole laboral.

Creo que las cosas sucedieron exactamente al revés de como las plantean Juan Puig y Robert Chao Romero: la sinofobia repitió en México el esquema geográfico y político de su expansión en Estados Unidos. Primero se desarrolló un antichinismo intelectual y burgués más o menos fantasioso; luego este prejuicio fue secundado por gobiernos provinciales, enseguida federales y, años más tarde (a partir de 1906), la ideología se complementó con la xenofobia pragmática de las clases populares.

Quizás el texto antichino más antiguo publicado en México provenga de Coahuila. Apareció en 1882, el año en que se promulgaba el Acta de Exclusión en Estados Unidos. Es un artículo del *Diario Oficial* de la entidad. Sergio Corona Páez lo consigna en su *Crónica de Torreón*. Dice, entre otras cosas:

> Hemos dicho que la inmigración es el problema que resolverá el porvenir de México, y ahora agregamos que las medidas que se adopten por los poderes públicos acerca de los inmigrantes que convienen a nuestros intereses y a nuestras instituciones, depende [*sic*] que ese porvenir sea grande y halagüeño.
>
> Pero cuestiones son estas que no nos corresponde tratar hoy, limitándonos a consignar el deber imperioso, y la necesidad y hasta la conveniencia de nuestros gobiernos y nuestras sociedades para mejorar esa raza [indígena], para despertarla de su marasmo [...] Necesita el cruzamiento con razas europeas descendientes del sajón o del cimbrio o del teutón, pero nunca de su misma raza latina, ni mucho menos de la mongola.
>
> Si vinieran a poblar y cultivar nuestro suelo, los chinos por ejemplo, en lugar de ser benéfica para nuestra patria la inmigración, no sería más que un mal más agregado al número ya crecido de los que nos aquejan.

La distancia ideológica entre las políticas públicas y el parecer de la oligarquía fue casi inexistente durante el porfiriato. Digo esto sin intención demagógica: la mayor parte de la prensa de la época opinaba lo mismo (independientemente de que condenara o aplaudiera tal circunstancia), y basta atender a un testimonio tan bien informado como el de John Kenneth Turner para admitir que el comentario editorial expresado en un órgano oficial de finales del siglo XIX representaba, si no los intereses, al menos sí el ideario de la burguesía mexicana.

Dieciocho años más tarde, en 1900, el pasquín *El Cómico* de la ciudad de México publicó un artículo satírico sin firma a propósito de un brote de peste bubónica en Hawái: "Las medidas sanitarias en Honolulú". Se trata de una ficticia carta dirigida a un tal Mr. Pawl H. Pawl. Transcribo el texto íntegro porque, a pesar de su crueldad y su racismo, vale medio semestre de prosa.

Señor de mi respeto:

Lo molesto a usted debido a mi aflictiva situación: soy chino y menesteroso; como quien dice, peor que perro, y una víctima del saneamiento americano de Honolulú, más temible que el que está atravesando hasta mojar los dedos la ciudad de México...

Usted sabe que nosotros los chinos usamos trenza porque ese apéndice le ha de servir a nuestro Dios para llevarnos al cielo en manojo de tres personas y una fracción, es decir un niño; que comemos arroz sin gastar cubierto; que en una sola accesoria cabemos padre, madre, hijos, primos y demás parientes como los animales domésticos, beneficiando al público sin albergue y evitando que los propietarios se enriquezcan; nos cosemos nuestra propia ropa, hablamos poco, no usamos chanzas, y somos económicos hasta en el mirar, puesto que Dios no nos ha permitido contemplar sus obras sino por una rendija oblicua, pero expresiva; comemos ratas, evitando de ese modo la propagación de tan deliciosos animales que destruyen muebles de valor, y, sin embargo, nos ha caído la de malas...

[Un juramento intraducible.]

Dizque producimos la peste llamada por los europeos bubónica y por nosotros el *mal del boliche*, por la cantidad de pelotas que produce; dizque las ratas la trasmiten asimismo, y rata y chino han venido a ser la misma cosa para los médicos de acá.

[Otro juramento filosófico.]

Un uñero, una angina, una postemilla, un sabañón, o cualquiera otro bulto de pronóstico reservado, como los lobanillos por ejemplo, son bastante para que declaren a uno *caso sospechoso* y lo partan por el eje.

[Otro juramento científico.]

Aquí se dio un caso: un infeliz que murió de indigestión de tunas, tenía el vientre como costal de papas.

—Es *bubonic fever* —dijo el médico al sentirlo helado y tieso; y sin otra fórmula, lo metieron al horno de una jabonería, donde se hizo cisco—. *¡Necesitar aislar casos!* —y cuanto enfermo hallaron, así fuere de la dentadura, pasó a un estanque de petróleo refinado, a sufrir después baños de vapor y ser barnizado con sebo de macho y ácido fénico, dejándoles a secar durante 48 horas al aire libre, en las jaulas que fueron de unos leones de circo. Nos hicieron desocupar las ocho manzanas que componen nuestro barrio, sin permitirnos sacar ni los peines.

—¡Encuérense!

Y apuntaron contra nosotros una pieza de artillería, y nos pusimos en estricto traje de verano, siendo sujetados a un minucioso reconocimiento de lengua, nariz, ojos y otras partes nobles de la fisonomía.

Hay gentes más amarillas que otras, y contra éstas se cebaron los agentes sanitarios, enviándolos a ser frotados con polvos de ladrillo y vinagre, para despercudirlos de cualquier germen que pudieran tener. Después, nos dieron ropa limpia, de soldado, a unos, y esto nos ha podido mucho, de jaquet a otros y de saco a los demás. Acostumbrados a nuestro traje, el sombrero boleado, el jipi, la cachucha, nos caían como a un Cristo un par de pistolas...

[Sigue un párrafo imposible de ponerse en letras de molde, pues nos llevaría a Belem por Bucareli.]

—A ver, Smith, vaya usted cortándoles la coleta, porque esa trenza es capaz de provocar el *bubonic agent*.

Un clamor inmenso se elevó del concurso: la trenza nos es tan cara como a [los toreros] Minuto, Fuentes y Algabeño las suyas; la trenza es nuestra distracción; la trenza es nuestra segunda madre; la trenza es nuestra religión; la trenza es nuestra trenza.

Y las cortaban con tijeras de caballo; gruesas lágrimas caían sobre el montón de ellas, agitadas por los últimos sacudimientos de la agonía.

—Y ahora, vayan desfilando.

Nos daban medio y cuartilla por cabeza (niños y tropa media paga) y nos embarcaron en grandes canoas rumbo a una *Isla del Diablo* donde estaremos hasta que desaparezcan todas las sospechas.

Después prendieron fuego a las barracas y 20 manzanas ardían; los cerdos se ocultaban; los cabritos daban saltos de angustia; las ratas huían despavoridas; los agentes echaban palos a diestra y siniestra, para impedir que se acercaran los curiosos; olía a cuerno: eran nuestras coletas.

¡Sólo Budha sabe lo que yo sufrí!...

Estamos en una isla, sin más traje que un taparrabo de algodón antiséptico; nos fumigan a tarde y mañana; nos han colgado al cuello un cencerro y estamos amarrados de una pata a estacas numeradas.

Apenas se sospecha que es uno *caso*, podrá no tener la peste bubónica, pero le recetan cinco o seis ayudas de abundante medida con bomba de pie de bicicleta de aire fenicado que da lugar a numerosas explosiones.

Yo quiero irme con usted. Seré su mozo, cocinero, cuidador de los niños, acróbata transformista, recamarero, pinche de cocina, gladiador, lo que usted guste. Pero ya no resisto la temible prueba de la higiene que está matando tantos compatriotas, y estoy expuesto a que me tomen por caso, y seré el ablativo que es el último, porque acaban conmigo.

Suyo afectísimo,

Re-Kon-Li

El cuento es, ni más ni menos, la representación jocosa de un *pogrom*.

¿Qué tan valioso resulta un texto así para arrojar luz sobre la masacre?... "El inconsciente está expuesto", escribió Slavoj Žižek: dudo que una sátira tan elegante y maligna pudiera producirse en el seno de cualquier sociedad en la que no alentara un odio gimnástico en contra de los chinos. No estoy culpando al autor del artículo de incitar a las masas a cometer la larga serie de asesinatos. Hablo de algo más sutil: el modo en que los buenos escritores (particularmente los satíricos) son capaces de captar el sentimiento de su época. Jonathan Swift no tuvo que comerse a un niño (al menos eso espero) para retratar la inmoralidad con la que los irlandeses de su tiempo percibieron la pobreza y la hambruna.

Matar a nombre del racismo —cuya coartada son malos sentimientos: el odio, el desprecio y la cosificación; un grado de la farsa— no es en el Occidente romanizado-liberal una práctica espontánea. Primero habría que *representar* la violencia hasta desnaturalizarla, hasta convertirla en un discurso solemne, una suerte de ley.

El antichinismo nacional no inició con la matanza de Torreón y tampoco concluyó con ella. Antes del pequeño genocidio, la fantasía de aniquilación campeó en la prensa, las conversaciones de café, los chistes, las leyes, la segregación, las manifestaciones públicas y el vituperio, hasta llegar a los golpes. El primer chino asesinado por una turba en México data de 1881: el umbral de la firma del Acta de Exclusión en Estados Unidos y del inicio de las negociaciones del Tratado Sinomexicano.

Tras la masacre torreonense de 1911, lo que emergió no fue arrepentimiento, ni siquiera autocrítica, sino un permiso simbólico de transgresión: cualquier vejación contra los cantoneses tenía un antecedente histórico que no sólo justificaba sino que exculpaba la nueva atrocidad porque ésta era menos grave que la explosión de violencia canónica.

Así es como funciona la economía de la crueldad.

★★★

La primera articulación del discurso antichino en México es obra de la burguesía y de los Científicos en el poder y surgió de Palacio Nacional. Aunque se publicó en 1911, tanto su puesta en marcha como su fundamento ideológico datan de

1903; apenas cuatro años después de la firma del Tratado Sinomexicano. Se trata del Informe de la Comisión Romero.

El 17 de octubre de 1903, Porfirio Díaz creó una comisión especial para investigar el impacto de la inmigración a gran escala de súbditos celestes. Lo hizo —traduzco a Chao Romero— "en respuesta a temores expresados por la ciudadanía mexicana". Primero: si en 1903 no hubiera existido ya una campaña antichina, ¿de dónde sacó el señor presidente de la República la truculenta idea de que existían estos temores? Segundo: según la experiencia histórica y partiendo de testimonios tan atendibles como el de Turner en *México bárbaro*, ¿qué es lo que el régimen consideraba "ciudadanía mexicana", cuyos temores habría que tomar en serio?... Estoy convencido de que el vocativo se refiere a la cúpula financiera nacional, que ya empezaba a preocuparse por las excesivas prebendas de que gozaban los extranjeros.

La comisión estuvo integrada por cinco miembros: Genaro Raigosa, José María Romero, Eduardo Liceaga, Rafael Rebollar y José Covarrubias. Debía responder a cuatro preguntas: ¿Es bueno para la nación que se permita la libre inmigración de chinos y japoneses a México? ¿Tiene la inmigración de chinos por una parte y de japoneses por la otra un mismo efecto para México o, por el contrario, habría que establecer políticas diferenciadas para cada uno de estos grupos? ¿Deberían establecerse normas contra la inmigración asiática independientes de los acuerdos con China y Japón? ¿Qué propuestas considera esta comisión apropiadas para la reforma de normas constitucionales, legislativas y diplomáticas en torno al tema?

Ninguna de las preguntas atiende la agenda sinófoba magonista, la cual por otra parte ni siquiera se había formalizado en 1903. Es cronológicamente imposible que el antichinismo tácito de la Comisión Romero proviniera de las clases populares.

El reporte final fue redactado por José María Romero, tiene 121 páginas y se publicó en 1911. En él queda establecido que la inmigración china, ya sea en forma individual o grupal, no es un fenómeno que abone en el mejor interés de la nación. Lejos de ofrecer razones pragmáticas que sustenten sus conclusiones, el diputado Romero sigue de cerca el pensamiento de Herbert Spencer. Concluye que los chinos son "indeseables" porque sustituyen e inhiben la inmigración de un grupo étnico "más deseable": el de los europeos blancos, a quienes el texto reputa de artífices del desarrollo económico en Argentina, Brasil y Australia (como si la geografía, la historia, el clima y la política interior no tuvieran injerencia en la realidad). Añade que los chinos son incapaces de integrarse, poseen diferencias insalvables con la cultura occidental, tienden a formar sociedades secretas, se oponen al mestizaje, se consideran a sí mismos superiores, no planean establecerse sino obtener ganancias para volver luego con ellas a su país y, en general, representan un lastre para la paulatina y no coercitiva integración de los indios mexicanos en una corriente generalizada de mestizaje con los blancos.

El antichinismo de la clase trabajadora no tardaría en saltar a la palestra en la voz de Ricardo Flores Magón. En 1906, el Plan del Partido Liberal Mexicano estableció:

> La prohibición de la inmigración china es, ante todo, una medida de protección a los trabajadores de otras nacionalidades, principalmente a los mexicanos. El chino, dispuesto por lo general a trabajar con el más bajo salario, sumiso, mezquino en aspiraciones, es un gran obstáculo para la prosperidad de otros trabajadores.

El 10 de abril de 1911 —33 días antes de la matanza—, el periódico *El Tiempo* de la ciudad de México publicó una carta del señor José Díaz Zulueta que refuta la propuesta de David Thomatis (aparecida previamente en ese mismo periódico) de apoyar la inmigración china a México. Antes de incurrir en el expediente habitual (Díaz Zulueta reivindica textualmente los argumentos de la Comisión Romero incluso antes de la publicación de éstos, lo que sugiere que eran —entre otros— los empresarios agrícolas de La Laguna quienes estaban detrás del discurso antichino), la carta declara:

> Siento mucho que entre las muy buenas intenciones del señor Thomatis esté la de traer chinos, que, lejos de beneficiarnos, vendría a perjudicarnos muchísmo. Díganlo si no el Ecuador y el Perú, donde esta inmigración ha llegado a constituir una verdadera plaga. Creo que para cultivar el algodón necesario para nuestro consumo, y aún más, no tenemos necesidad de chinos, y que a nuestros actuales productores de algodón, que son los más progresistas de nuestros agricultores, no les halagará mucho el obtener una mayor ganancia por el momento, a cambio de traer una verdadera plaga al país, dígolo al menos por los productores de algodón mexicanos.

Estoy seguro de que Díaz Zulueta habla a nombre de los latifundistas de La Laguna cuando identifica (dos veces en un solo párrafo) a los chinos con una plaga: más racista no se podría ser en términos de discurso, porque a las plagas naturalmente que se les extermina. En aquel momento la comarca era el principal productor de algodón de México y el polemista se expresa con la seguridad de quien cuenta con el apoyo y la aprobación del grupo social al que defiende.

Tras cuatro párrafos consagrados a deplorar lo que él considera la estulticia china, Díaz Zulueta remata así:

> Digan nuestros esforzados y progresistas algodoneros si desean todo eso [las iniquidades que ha descrito antes] para esa región tan rica y tan fértil, a donde ya se levantan ciudades que nos honran.
>
> Vengan en buena hora capitales extranjeros, y, sobre todo, ingleses, a fecundar con su impulso nuestras agradecidas regiones, que los recibiremos con los brazos abiertos y les daremos toda clase de garantías, pero no nos traigan chinos, pues ellos mismos no los recibirían en su querida "Home".

Aquí la diatriba parece aludir a Torreón y Gómez Palacio ("a donde *ya* se levantan ciudades que nos honran"), y el "nuestras agradecidas regiones" me hace pensar que el caballero porfirista pudo haber sido lagunero; no encontré datos duros que permitan confirmarlo.

Ésta es evidencia suficiente para poner en duda la afirmación de Chao Romero —y de muchos otros historiadores— de que las clases pudientes de La Laguna no albergaban sentimientos sinófobos un mes antes del pequeño genocidio.

El 21 de abril, la representación china en México envió una carta a *El Tiempo* en la que refutaba cortésmente las acusaciones de Díaz Zulueta. Veinticuatro días más tarde, los cadáveres de 303 chinos yacían desperdigados por las calles y las huertas de Torreón.

★★★

Pasé la infancia en Ciudad Frontera, un pueblo que en 1982 habrá tenido 40 000 habitantes —los mismos que Torreón en 1911— y que está pegadito a Monclova. "Pegadito" es literal: había, a la mitad de la puerta de la maderería Hidalgo, una placa de fierro que anunciaba la división entre ambos municipios, con lo que uno podía ir de una ciudad a la otra saltando en un pie.

Me gradué de la escuela primaria Ferrocarriles Nacionales, a dos calles escasas de la estación del tren. Entre mi árido patio de recreo y las vías férreas se levantaban escombros de un edificio carmesí: eran los restos del Hotel Internacional. Entre sus escondrijos, galerías y vericuetos, los niños y las niñas de mi clase íbamos a apedrear bichos, esconder revistas porno o intercambiar besos casi húmedos so pretexto de jugar a la botella.

Luego supe que, mientras funcionó, el decadente recinto cuya ruina usufructuamos guardaba un secreto lujoso: en su interior existió un salón para fumadores de opio. *Qué elegancia la de Francia.* Lo que no supe entonces es que el propietario de ese hotel reducido a polvo habría de ser uno de los personajes de un libro que yo querría escribir más de 30 años después: Foon-chuck, el empresario que insufló vida a la colonia china de Torreón.

Wong Foon Check nació en febrero de 1863 en la aldea de Hoy Pung. El otro día tomé un café con Bernardo Chuck, uno de sus bisnietos, y éste asegura que el lugar (fue a visitarlo hace años en busca de sus raíces y se encontró con que el pueblo miserable del que hablaba la tía Celina se convirtió en una ciudad próspera y enorme) estaba en el continente, al suroeste de Hong Kong. Tiene que tratarse de un distrito cantonés.

A los 12 años, Wong ("una palabra que no existe en chino —me explicó eventualmente don Manuel Lee Soriano—; debería pronunciarse algo así como *Wah*") salió huyendo de casa y se embarcó rumbo a América. Llegó a San Francisco en 1875. Entró a estudiar inglés en una escuela misional y fue acogido en calidad de mozo por un tal doctor Lummis, a cuyo servicio estuvo dos años. Luego se empleó como mesero en el Hotel Jackson, sobre la calle California, pero no se acomodó y prefirió regresar al hogar adoptivo, donde permaneció tres años más. Bernardo Chuck afirma que en su familia los Lummis son venerados no como amos sino como padres postizos del bisabuelo.

En 1881, *Wah* Foon Check viajó a China a visitar a sus parientes. Estuvo varios meses en Asia. A su regreso a América, el barco en el que viajaba fue detenido en el puerto de San Francisco y se negó el acceso a todos los pasajeros cantoneses; había entrado en vigor el Acta de Exclusión. Foon-chuck logró escapar de la nave —probablemente arrojándose al mar— y se internó de nuevo en Estados Unidos. Se empleó en la Southern Pacific Railroad Company, que por entonces construía el trayecto ferroviario de Los Ángeles a San Antonio. Fue así como llegó por primera vez a Texas. Durante seis meses trabajó de cocinero en El Paso. Viajó luego a San Antonio y después a Del Rio, en la frontera con la comunidad coahuilense de Las Vacas (hoy Ciudad Acuña). Se estableció una temporada en Eagle Pass, en la frontera con Ciudad Porfirio Díaz (hoy Piedras Negras). Ahí aprendió español. Volvió a emplearse como cocinero y se inició en los negocios como propietario del Hotel Central. Junto a éste instaló una tienda de curiosidades y una lavandería.

Tenía 22 años.

En 1886, Foon-chuck traspasó su hotel y cruzó el río Bravo hacia el sur siguiendo las vías del Ferrocarril Internacional. Vendía *chinoiserie* barata a perplejos habitantes de pueblos y de villas. En San Buenaventura trabó amistad con un hombre que sería la piedra de toque de su futuro en México: el abogado Miguel Cárdenas, diputado y vaquero.

En 1888, cuando el Ferrocarril Internacional llegó a Torreón, Foon-chuck venía con él; pretendía la concesión de un hotel que estaba a punto de inaugurarse junto a la estación de trenes. No está claro si concretó su deseo, pero si hubiera sido así duró muy poco: en 1889 se embarcó de nuevo a China, donde permaneció por espacio de 10 meses. En 1890 volvió a México y entró a trabajar en la Coahuila Coal Company de San Felipe. Era un capataz de 27 años con 400 jornaleros cantoneses a su cargo. Se mantuvo en este giro por tres años, hasta que los peligros de la mina carbonífera lo incitaron a volver a probar suerte en el ramo hotelero. En 1893 consiguió al fin la concesión por cinco años del Hotel del Ferrocarril de Torreón mediante un acuerdo conjunto con las compañías Central e Internacional. Tenía 30 años y era el inmigrante chino más exitoso de la región. Dos años más tarde se casó con una joven tamaulipeca: Cristina Vega Domínguez. Se establecieron en Eagle Pass y —tras el nacimiento de su primer bebé— se desplazaron a Piedras Negras, donde procrearon nueve hijos.

El negocio hotelero de Foon-chuck se expandió velozmente. El Ferrocarril Internacional le concesionó hasta seis establecimientos (uno de ellos el arruinado edificio donde yo jugué de niño) a lo largo y ancho del territorio coahuilense. Me pregunto, pensando en esta prosperidad repentina y en el lujoso y decadente salón fumador que existió en Ciudad Frontera, si el muchacho magnate habrá participado en el trasiego de opio. Por otra parte, la expansión de su fortuna coincidió con el encumbramiento político de su amigo Miguel Cárdenas, quien en 1893 era ya secretario de gobierno y a partir de 1894 iba a ser gobernador durante tres lustros. Dudo que se trate de una coincidencia.

No toda la fortuna de Foon-chuck provino de los hoteles. Parte de ella fue producto de la Asociación Reformista China, fundada en Torreón en 1903, y de la Compañía Bancaria y de Tranvías Wah Yick, creada en 1906. Ambas empresas estuvieron vinculadas a un ilustre pensador oriental, consejero personal del monarca Guangxu y propagador de rumores maledicentes acerca de la emperatriz Cixí, budista académico y golpista político, inversor mesiánico y utopista xenófobo, fugaz ministro de Asuntos Extranjeros e impenitente recolector de donativos: Kang Youwei, el reformista.

***

Nació el 19 de marzo de 1858 en el distrito de Nanhai. Descendía de una familia aristocrática y pudiente. Desde pequeño se distinguió por su inteligencia y su soltura caligráfica. Uno de sus tíos notó estas habilidades e instó a sus padres a que lo enviaran a estudiar los textos clásicos del confucionismo en una de las escuelas donde se preparaba a la juventud para presentar esos complejísimos e inútiles exámenes de doctrina que eran obligatorios para ingresar al servicio público (los mismos exámenes que Hong Xiuquan, líder de la rebelión Taiping, había reprobado sucesivamente en 1836 y 1837 con nefastas consecuencias para la humanidad).

Kang Youwei se inconformó desde la adolescencia con el pensamiento académico y muy pronto se manifestó como un iconoclasta nato. Empezó a practicar la meditación budista como método de apoyo para el estudio de la doctrina confuciana, lo que representaba una herejía desde el punto de vista de sus conservadores maestros. A diferencia de lo que dictaba el discurso oficial, interpretó la obra de Confucio como un corpus reformista antes que reaccionario y llegó a afirmar que algunas de las versiones recién descubiertas del confucionismo clásico eran meras invenciones modernas para amoldar la tradición al parecer de la burocracia. Para mayor escándalo, y antes incluso de tomar los exámenes de rigor, se proclamó partidario de la monarquía constitucional y de la reforma del Estado.

Kang aprobó sin esfuerzo los exámenes provinciales y presentó los metropolitanos por primera ocasión en 1882. Fracasó. Volvió a intentarlo en 1889. Fracasó de nuevo. Esta vez decidió escribir al emperador Guangxu —quien en ese momento era un muchacho de 16 años— un excurso en el que clamaba por una mayor injerencia de las clases ilustradas en la política del imperio. El documento jamás llegó a manos del monarca, pero muchos de los funcionarios que tuvieron acceso a él estuvieron de acuerdo en que aquel treintañero cantonés merecía ser tomado en cuenta.

En mayo de 1895, Youwei se convirtió en uno de los 1 300 eruditos que se reunieron en Pekín para presentar (en su caso particular por tercera vez) los complejísimos exámenes metropolitanos. Para entonces era un hombre de 37 años y llevaba ya 13 de ellos empeñado en la escritura de *Da Thongshu*: el Libro de la Gran Unidad; la obra de su vida.

La actitud rebelde de Kang Youwei no era ajena al descontento generalizado entre las distintas capas de la sociedad china. En 1861, tras la muerte del emperador Xianfeng, el hijo de éste, Thongzhi, de cinco años de edad y procreado con la concubina Cixí, fue nombrado heredero del trono teniendo a su madre como emperatriz regente. Thongzhi asumió el poder directo a los 16 años, pero murió de viruela (hay quien afirma que de sífilis, porque era un chico putañero) a los dieciocho. Cixí continuó siendo emperatriz regente y se las ingenió para nombrar como nuevo emperador a su sobrino Guangxu, de tres años de edad. Hacia el final de la regencia, en 1894 (para entonces Guangxu tenía 21 años pero seguía avasallado por su tía, quien debió ser una de las mujeres más carismáticas y aguerridas de su tiempo), China sufrió un duro revés: la derrota militar ante Japón, que le arrebató el dominio de Corea y le impuso una humillante carga de pagos y compromisos a través del Tratado Shimonoseki.

En 1895, los 1 300 aspirantes de los exámenes metropolitanos dirigieron al emperador un manifiesto redactado por Kang, postulante que se había convertido en su líder. El escrito conminaba a Guangxu a trasladar la corte fuera de Pekín, reorganizar las fuerzas militares y negarse a ratificar ante Japón el Tratado Shimonoseki. Abogaban por una reforma del Estado que abarcaba aspectos de educación, tecnología, administración pública y relaciones internacionales. Este documento tampoco le llegó al soberano: fue interceptado por una camarilla de censores. Pero era obvio, incluso entre la cúpula de la burocracia celestial, que los argumentos de aquellos revolucionarios pequeñoburgueses y pacíficos pronto serían imposibles de barrer debajo del tapete.

En 1897, Kang Youwei escribió un tercer memorial a Guangxu (quien de seguro para entonces estaba harto de los designios de su rabiosa tía regente). Esta vez el dardo dio en la diana: el joven monarca leyó el texto y se sintió identificado con él. Las críticas y propuestas de una nueva generación de letrados se convirtieron en política imperial.

Dio inicio la Reforma de los Cien Días de 1898. La emperatiriz Cixí y su camarilla conservadora se replegaron de la arena política, vapuleados por el recuerdo de su derrota militar ante Japón (ya para entonces el Tratado Shimonoseki se había ratificado) y por el menosprecio que las clases bajas les obsequiaban debido a la penetración occidental. Los discípulos de Kang (jóvenes en su mayoría) fundaron sociedades de estudio, organizaron foros de discusión e imprimieron y distribuyeron masivamente tanto los tres memoriales políticos de su líder intelectual como otros muchos documentos, manifiestos e informes redactados por una emergente e ilusionada clase política. El 16 de junio, Kang, ya cuarentón, fue nombrado ministro de Asuntos Extranjeros del imperio por un soberano de 25 años.

Se abolieron las milenarias pruebas burocráticas para ingresar al servicio público. El *Ensayo de ocho secciones* —que, hasta donde logro dilucidar, haría parecer areneros de kínder a la exposición sobre las finezas de Cristo del padre Vieira y a la *Carta Atenagórica* de Sor Juana— fue sustituido por exámenes de ciencia y tecnología basados en las disciplinas occidentales. Se adelgazó severamente la burocracia. El ejército fue disuelto y reconstituido. Se fundó un ministerio de recaudación y control del gasto público. Se suspendió el subsidio del que gozaban los originarios de Manchuria por el mero hecho de ser paisanos de la familia en el poder. Fueron creadas dependencias para promover los ferrocarriles, la minería, la agricultura, la industria y el comercio. Se instó a los particulares a fundar cámaras o asociaciones de los distintos gremios. Fue creada también la Sociedad para el Fortalecimiento Propio, de cuyo Departamento de Traducciones emanaría pocas semanas más tarde la Universidad de Pekín.

Es probable que la revolución pacífica hubiera triunfado de no ser porque jamás tomó en cuenta una de las grandes amenazas a la humanidad: la incapacidad de las mayorías para sentir y trasmitir empatía por lo nuevo. El circuito conservador adscrito a los salones de la emperatriz no tuvo que hacer mucho: apenas esperar. En cuanto las reformas entraron en efecto, cada vez más súbditos de todos los niveles empezaron a mostrar nostalgia por quienes habían destrozado al país mediante guerras, corrupción y hambrunas. Una nostalgia que se complementaba con el odio absoluto hacia quienes proponían introducir a Isaac Newton en los planes de estudio.

El día 103 de la reforma hubo un golpe de Estado. El emperador Guangxu fue puesto en reclusión domiciliaria, y si no murió a manos de los esbirros de su tía se debió a la intercesión del gobierno japonés. Pero la clase política que osó desafiar la tradición no conocería misericordia: uno tras otro, los reformistas fueron ejecutados. Por decreto de Cixí, Kang Youwei —el mayor de los monstruos— debía padecer una muerte singular: se le sometería a las sutilezas del *leng t'che*, esa forma de tortura y aniquilación que consiste en desmembrar al condenado mediante un proceso largo, lento y doloroso que incorpora los más finos y diversos filos del acero y culmina con una horrenda expresión de arrobo místico... La sentencia no se consumó porque, tal vez alertado por un espía de buena entraña, Kang huyó de Pekín antes del golpe y logró refugiarse en la isla de Hong Kong.

Inició la andanza del exilio. Kang mantuvo su residencia entre Canadá y Estados Unidos, desde donde abogó a favor del respeto a la vida y la inmediata liberación del emperador. Fundó la sociedad Proteger al Emperador, que en México (y concretamente en Torreón) sería conocida como Asociación Reformista China: un círculo de estudios políticos, centro de divulgación de pensamiento y palestra para combatir tanto al imperialismo conservador como a los nuevos enemigos que surgían en el horizonte: los republicanos chinos encabezados por Sun Yat Sen. Asimismo, Kang Youwei estableció en Vancouver —auxiliado por los hermanos Liang Chi Chao y Liang Chi Tien, financistas— la Corporación Comercial, una empresa destinada a administrar, reinvertir y desarrollar los donativos que recibía la Reforma en el exilio. También dedicó tiempo a la escritura: los dos primeros capítulos de *Da Tongshu* aparecieron publicados en Japón en 1900.

Da Thongshu —cuya versión definitiva aparecería en 1935: siete años después de la muerte de su autor y 50 después del inicio de su redacción— es un monumental proyecto filosófico que podría compararse por un lado con la *Utopía* de Thomas More y por otro con *El capital* de Karl Marx. Propone la creación de una nueva sociedad imperial basada en unidades de población geográficamente rectangulares y políticamente autogobernadas que responderían a un déspota ilustrado cuya autoridad abarcaría la totalidad del mundo. La familia es considerada como un mecanismo opresor de la mujer, por lo tanto (Kang es quizás el primer feminista de Asia) se decreta su disolución: el cuidado inicial y la educación de los niños tendrían que recaer en manos del Estado, en tanto que el matrimonio se convertiría en un contrato de común acuerdo entre hombres y mujeres cuya vigencia sería de un año. La obra describe al capitalismo como un sistema inherentemente perverso que debe ser vigilado y sustituido por instituciones de índole socialista y comunista al servicio del emperador. Aunque algunas de estas ideas fueron inspiradas por pensadores occidentales —Kang cita explícitamente a Charles Fourier—, muchas otras provienen del folclor y la tradición chinas.

Da Thongshu es una obra desquiciada que evidencia algunos de los prejuicios más cabezaduras del comunismo tradicional y pone a prueba nuestra capacidad para leer a la izquierda bienpensante como un todo: en tanto que su defensa de los derechos de la mujer es explícita, el milenario tabú chino acerca de las preferencias sexuales se impone en sus páginas, por lo que no hay alusión al papel de la homosexualidad dentro de una futura sociedad soñada. Tampoco hay lugar, en esta utopía, para los negros y morenos. El texto propone nuestro exterminio o, en el mejor de los casos, la paulatina integración de nuestros rasgos al gran corpus de una sola raza normalizada. Este pensamiento coincide de manera paradójica y un poquito macabra con el ideario porfirista que habría de tener efectos homicidas sobre uno de los proyectos concretos que Kang Youwei alentó: la colonia china de Torreón.

El final de la vida de Kang es un aviso para cualquier intelectual revolucionario: una mezcla de patetismo e inteligencia en llamas. Después de haber figurado como un sol de renovación y libertad en el cielo político de China, Kang

Youwei terminaría quedándose cada vez más a la derecha de Sun Yat Sen y de otros republicanos chinos del siglo xx. La propia Asociación Reformista se convirtió en un reducto del conservadurismo exiliado, cuando no en un *lobby* en ruinas. Tal vez rabioso por el recuerdo de haber sido condenado a muerte, Kang pasó las últimas décadas de su existencia esparciendo rumores abyectos acerca de Cixí. En respuesta, los campeones ideológicos de la emperatriz lo caricaturizaron como un burguesito mezquino que aprovechó sus cinco minutos de fama imperial para vivir de lo lindo a expensas de la diáspora.

Kang se repatrió en 1912, al triunfo de la república, sólo unos meses después de la masacre torreonense. Durante los cinco años siguientes se opuso al régimen republicano; esta vez no era un radical sino un reaccionario. En 1917 lanzó un golpe de Estado con la intención de reinstaurar a Puyi —ese hermoso niño que emerge entre cortinas de seda en *El último emperador,* la película de Bertolucci— y fracasó. Se retiró a una mansión en Qingdao, donde murió —hay quien afirma que envenenado— 11 días después de haber cumplido 69 años.

Pero en 1906, dos décadas antes de entrar en agonía, a los 48 años, Kang Youwei, uno de los políticos y filósofos más brillantes de Asia, todavía en pleno dominio de su pasión y de su mente, descendió por las escalerillas de un vagón de tren en un pueblo de México que estaba a punto de ser elevado al rango de ciudad: Torreón, Coahuila. Su arribo causó expectativa entre la comunidad cantonesa local, que acudió a recibirlo multitudinariamente. Kang venía acompañado de Foon-chuck y de algunos integrantes de la comunidad china de Piedras Negras y Monclova. Su paso por la ciudad fue cubierto entusiastamente por el periódico *El Popular* de la ciudad de México, que no sólo dio cuenta de su arribo a Torreón y de sus intenciones de fundar en esta urbe una empresa naviera que conectara los puertos de Hong Kong y Mazatlán, sino que posteriormente cubriría su viaje a la capital del país y su entrevista con Porfirio Díaz, un acto en el que el ex ministro fue acompañado por el doctor J. W. Lim, líder moral de la China lagunera.

Calculo que no serán muchas las personalidades de semejante prosapia que pisaron el País de la Laguna durante la primera mitad del siglo xx, y no sé de ningún filósofo libanés, estadounidense o alemán que visitara Torreón antes de 1911. Sin embargo, el arribo de Kang es un acontecimiento que parece tener sin cuidado a los propios torreonenses y, en general, a los mexicanos. Aun hoy, no existe en La Laguna una placa conmemorativa o siquiera una cédula museográfica que conmemore tan extraordinario suceso: el encuentro entre un utopista profesional proveniente de Asia y una utopía pragmática recién nacida en América.

★★★

¿A qué vino Kang Youwei?

Es imposible precisar cuándo se conocieron el empresario Foon-chuck y el filósofo Kang. Tiene que haber sido mucho antes del viaje al desierto de Mayrán de este último, porque la Asociación Reformista China se fundó en la comarca en 1903. Foon-chuck era amigo personal de Hop Lee, un capitalista de San Francisco cuyas inversiones en Estados Unidos formaban un emporio que iba desde el ámbito restaurantero hasta la posesión de minas, campos agrícolas e instituciones bancarias. Hop Lee estaba involucrado en el movimiento reformista, y esa pudo ser la vía de contacto entre los personajes. Lo cierto es que no existe un mapa preciso de la economía trasnacional de la diáspora.

A simple vista, los líderes de la colonia china de Torreón parecían poco involucrados en política y más interesados en permanecer en América que en retornar al imperio. J. Wong Lim había adoptado la nacionalidad mexicana y Foon-chuck se había casado con una mujer del país. Sin embargo, Foon-chuck (además de estar vinculado a la Asociación Reformista) fundó en Monclova la escuela Yue Mae, donde los niños estudiaban en español, cantonés e inglés, y usaban uniformes al estilo *kuomitang*. Este detalle (el de los uniformes) es leído por Evelyn Hu DeHart como un *statement* político: Foon-chuck se identificaba con la pedagogía reformista.

En La Laguna (donde el gremio de los tipógrafos se había desarrollado en forma relampagueante) se estableció muy pronto una imprenta de caracteres ideográficos que impulsó la comunicación escrita entre los colonos orientales. Es relativamente fácil para los empresarios coincidir en el ámbito económico, pero el proyecto de Kang tuvo siempre, además, un componente intelectual; ¿cómo se vinculó este aspecto del reformismo exiliado con la colonia cantonesa?... Es probable que el gozne fuera un personaje casi desconocido: Woo Lam Pó, de quien supongo (puesto que no existe información suficiente para afirmarlo) que era una suerte de delegado de Kang.

Woo Lam Po fue secretario de la sede torreonense de la Asociación Reformista China desde su fundación. Salvo por lo que atañe a los días de la matanza, su nombre casi no aparece en los anales de La Laguna: no sólo hay poca información documental sobre él, sino que tampoco aparece en la tradición oral. Sin embargo, su liderazgo es evidente: en los días previos a la toma de Torreón, fue él quien redactó e hizo circular un mensaje en caracteres ideográficos que prevenía sobre la posibilidad de un asalto armado contra los cantoneses. Sergio Corona Páez ha traducido y publicado una nota que lo coloca como vocero oficial de la colonia ante la prensa internacional. Por otra parte, existe un oficio en el que el ministerio de relaciones exteriores de Estados Unidos autoriza al cónsul George C. Carothers a facilitar los recursos materiales de sus oficinas en Torreón a Woo Lam Po para que éste inicie una investigación en torno a la masacre. Ni Foon-chuck, el magnate, ni J. Wong Lim, el líder moral, obtuvieron trato preferente del gobierno de

Estados Unidos. Por eso imagino que fue Woo quien, en 1906, recibió a Kang y a su comitiva en la estación de trenes.

Kang apareció en Torreón en compañía de los hermanos Liang, sus asesores sinocanadienses. Apenas llegar, tanteó las aguas mediante la compra de una manzana (uno de esos cuadrados perfectos lotificados por Federico Wulff) en 1700 pesos. Unos días después vendió el mismo terreno en 3400. El margen de ganancia era inconcebible. Luego compró una casa en 2 400 pesos y la vendió un mes más tarde al doble de lo que había pagado por ella. Se impresionó: el frenético desarrollo de Torreón permitía hacer una fortuna especulando en bienes raíces a quien contase con información oportuna y liquidez suficiente. Él poseía lo segundo. Lo primero lo tenían los empresarios chinos locales. Fue así que Kang Youwei decidió crear una filial mexicana de la Corporación Comercial de Vancouver asociándose con capital de la colonia china lagunera e inversores de una compañía transportista neoyorquina. El nombre formal de la nueva empresa fue Compañía Bancaria y de Tranvías Wah Yick, S. A.; en La Laguna se le llamó simplemente el Banco Chino. La sede del emprendimiento se situó (o eso se supone: falta ver todavía lo que la maestra Silvia Castro tiene que decir al respecto) en el cruce de las calles Juárez y Valdez Carrillo, en la esquina sureste de la plaza de armas, donde hoy se erige —¿cómo podría ser de otro modo?— un Oxxo. Muchos de los terrenos adquiridos por Youwei al oriente, en la zona conocida como El Pajonal —donde hoy se alzan algunos de los fraccionamientos burgueses de la urbe: Torreón Jardín, Nuevo Torreón, La Rosita y San Isidro— fueron originalmente revendidos o concesionados a otros empresarios chinos, quienes los convirtieron en ranchos especializados en el cultivo de hortalizas. Juan Puig afirma que había al menos siete grandes huertas en la zona, siendo la principal la Do Sing Yuen (propiedad de Foon-chuck), junto al rancho La Rosita. Otras dos fincas de importancia fueron Lu Zoc Yuen y Tai Sing Yuen, algunos de cuyos empleados habrían de ser las primeras víctimas del pequeño genocidio de 1911.

Las actividades bancarias de la comunidad cantonesa quedaron bajo la supervisión de Foon-chuck, en tanto que el manejo de los bienes raíces se asignó a un médico venido de la ciudad de México de nombre Huang Jih Chuck. A pesar de que Kang mencionó al reportero de *El Popular* su intención de crear una empresa naviera cuya sede administrativa sería Wah Yick, no existen pruebas de que el proyecto se haya puesto en marcha.

Leo M. Dambourges registra la construcción de ocho millas del servicio de tranvías eléctricos Wah Yick a lo largo de la avenida Morelos, y la maestra Silvia Castro me contó que alguna vez vio unos papeles que describían su recorrido al oriente, hacia las huertas de El Pajonal. Manuel Terán Lira afirma, basándose en testimonios orales, que el objetivo de la empresa era construir un ramal que llegara hasta el vecino municipio de Matamoros. Es seguro que estos tranvías existieron y, brevemente, dieron servicio a La Laguna. Sin embargo, no he logrado encontrar una sola fotografía del sistema. Hay muchas imágenes (algunas pintorescas) de los tranvías de la compañía Lerdo-Torreón. Pero de Wah Yick, no: ninguna. Es difícil no sentirse intrigado ante esta falta de simpatía tecnológica por parte de los fotógrafos torreonenses, quienes solían registrar en sus placas todo aquello que significara progreso.

La visión del Banco Chino de La Laguna fue convertirse en la institución de crédito que diera servicio a todos los miembros de la diáspora avecindados en el país. Torreón era una gran sede bancaria: tenía nueve instituciones de ese tipo. ¿Por qué no fijar las miras en la administración del capital total de un grupo migrante extraordinariamente ahorrativo cuyo 70 por ciento de la población se concentraba en los estados fronterizos?... Gracias al carácter trasnacional de sus recursos, la de Torreón estaba llamada a ser la comunidad cantonesa más poderosa (aunque no necesariamente la más poblada) de México. Era una colonia capitalista: la única que competía abiertamente con las altas burguesías estadounidense y nacional en 1911. Me resulta difícil de creer que esto no fuera relevante para el resto de los empresarios de la comarca. Hay al respecto un dato significativo: al constituir formalmente la empresa Wah Yick (en cuyo directorio aparecen los nombres de Woo Lam Po, Walter J. Lim, Wong Foon Check y Kang Youwei, entre otros), los colonos asiáticos decidieron no hacer el trámite en Torreón: fueron a buscar un notario público al vecino municipio de Matamoros. Quizá porque alguno de los inversores tenía familiaridad con el funcionario. O quizá porque prefirieron manejar el carácter de su alianza con la mayor discreción posible frente al resto de los empresarios de Torreón.

***

Para Juan Puig, fue lo bien afincada que estaba la comunidad china local lo que llamó la atención de Kang Youwei. Para Leo M. Dambourges y Silvia Castro, en cambio, fue la fuerte inversión que hizo la Sociedad Reformista en La Laguna lo que permitió que la comunidad cantonesa se desarrollara. Yo coincido con esta segunda opinión. No eran muchos los chinos de Torreón en 1900, como lo demuestra un censo de población, ni demasiados sus recursos en 1902, como lo demuestra su nula presencia en el directorio comercial compilado por Jacobo M. Aguirre. En cambio, en 1905 ya empiezan a menudear sus anuncios en el *Directorio Comercial e Industrial de La Laguna*, y su presencia es inocultable en el *Directorio Profesional de Arte y Mercantil de la Laguna 1908-1909*.

La colonia china de Torreón no era simplemente próspera: empezaba a volverse poderosa. Eso pudo molestar a los pobres, pero sobre todo a los ricos. En 1907, los empresarios mexicanos fundaron una cámara de comercio con la abierta intención de hacer frente, por un lado, al Banco Chino y, por otro, al crecimiento de empresas estadounidenses que medraban gracias a la exención de impuestos. Los burgueses mexicanos publicaron un manifiesto en el periódico local *El Nuevo Mundo*:

> No podemos competir con los extranjeros en el ámbito comercial. El hecho triste y lamentable es que la postración de nuestro comercio nacional ha creado una situación en la que los mexicanos son sustituidos por compañías o particulares extranjeros, que monopolizan el comercio y se comportan como conquistadores en un país conquistado.

También elevaron quejas ante el gobierno coahuilense. Ninguno de estos mensajes contenía postulados antichinos. Eso no significa que el antichinismo local no se expresara por otros medios. El 17 de agosto de 1907, la revista *La Iberia* da cuenta de una nota publicada en un periódico torreonense:

> SÚPLICA. Los colonos en general rogamos al ilustrado público de esta progresista ciudad, se digne abolir la palabra CHALE para todos los que pertenecemos al imperio chino, pues no sabemos qué quiere decir dicha palabra, supuesto que mejor entendemos de CHINO y no de CHALE que nada significa para nosotros. Rogamos pues, se digne borrar de vuestro dialecto dicha palabra y aceptad de nosotros el más sincero afecto. Woo Lampo.

La súplica no es tan reveladora como la respuesta que el periódico en cuestión dio a la carta: "Aconsejaríamos a Woo Lampo que se dejara de tonterías y fumara cigarros 'Flor de lis' de la 'Tabacalera Mexicana' para curar su hipocondría".

Sergio Corona Páez reflexiona al respecto:

> ¿Cómo podían estos medios impresos [...] manejar de manera tan irresponsable la información, al ofender así a los miembros

de toda una colonia torreonense? Tanta ceguera es inconcebible, a menos que efectivamente hubiera una "agenda racial" que le trajera beneficios políticos al periódico en cuestión.

Otro evento crítico de 1907 fue el arribo a Torreón, a principios de abril, de Antonio de Pío Araujo, líder magonista. En una carta del 18 de mayo, De Pío Araujo informa a Flores Magón que en Torreón están listos para alzarse en armas un grupo en el que se cuentan Orestes Pereyra y Manuel *el Chino* Banda, futuros jefes villistas. Varios de los rebeldes provenían de las clases media y alta y contaban con recursos financieros. Sería díscolo no admitir que el antichinismo formaba parte de su ideología.

El 11 de junio, *The Mexican Herald* publicó un reportaje en torno a la escasez de vivienda en Torreón provocada por la especulación en bienes raíces, de la que el Banco Chino era en gran medida responsable. Las rentas se habían disparado y, en consecuencia, muchos trabajadores recién llegados carecían de hogar o debían vivir hacinados. La tensión desembocó en dos huelgas: la de los caldereros del ferrocarril y la de los maquinistas mexicanos. La segunda fue rota por esquiroles.

El 15 de septiembre de 1907 se publicó el bando que elevaba a Torreón al estatuto de ciudad. Tres meses más tarde se creó el Banco de La Laguna, concesionado a Juan Brittingham, Luis Gurza y Praxedis de la Peña. Es obvio que se trataba de una compañía destinada a competir con el Banco Chino: las otras siete sedes financieras de la ciudad eran sucursales, sólo la de los chinos y la de los laguneros mexicanos eran netamente torreonenses. El capital de la nueva institución era de seis millones de pesos, contra un millón escaso de la corporación oriental. También la empresa de tranvías Lerdo-Torreón fue fortalecida: adquirió seis grandes carros de pasajeros y una máquina de 150 kilowatts para hacer frente a la competencia de Wah Yick.

El año 1908 fue convulso. Los magonistas se alzaron en Viesca, atacaron la presidencia municipal y lograron controlarla durante algunas horas; luego se dieron a la fuga. Ciertas zonas residenciales de Torreón sufrieron escaramuzas nocturnas, por lo que se conminó a los particulares a armarse y a apoyar los movimientos de la milicia y el gobierno contra los rebeldes. En julio fueron arrestados Orestes Pereyra y Enrique Adame Macías (dos personajes que más tarde participarían en la toma de Torreón), entre otros miembros del Partido Liberal Mexicano, PLM.

La crisis económica, que golpeó seriamente el valor de las acciones de la empresa Wah Yick, produjo un enfrentamiento entre Foon-chuck y el doctor Huang Jih Chuck: el primero decidió dejar de invertir en los tranvías a pesar de la amenaza del gobierno mexicano de rescindir la concesión. Sin embargo, la colonia china continuó prosperando: por todo el centro había comercios como El Puerto de Shanghái, El Pabellón Mexicano, El Puerto de Ho Nam y La Plaza de Armas. Había también grandes tiendas de abarrotes como Wing Hing Lung y la casa de Yee Hop. En el enclave donde hoy se alza el maltratado Hotel Calvete se hallaba la espléndida Lavandería de Vapor Oriental, que empleaba a más de 20 lavanderos, poseía una gran caldera a leña, tenía un comedor y contaba con un cocinero exclusivo para los empleados. Menudeaban los restaurantes, por ejemplo el de Chon Lee. El parián (hoy Mercado Juárez, situado en Acuña entre Juárez e Hidalgo) estaba lleno de puestos donde los chinos ofertaban frutas y verduras. Algunas calles al oeste de ahí, el personal asiático del Hotel Internacional atendía a una constante clientela. En la planta alta de la Compañía Wah Yick, las habitaciones de la Asociación Reformista eran destinadas a albergar a los cantoneses recién llegados, realizar círculos de estudios políticos y/o generar estrategias para emplear a una fuerza de trabajo que no paraba de expandirse…

Debió ser hermoso: todos esos hombres solos con sus ropas peculiares y sus largas coletas participando —junto al *look* de jornaleros de sombreros gigantescos y *cowboys* internacionales y profesionistas de levita— en la erección de una ciudad que tenía un poco de filme de Sam Peckinpah y otro poco de Torre de Babel. Los chinos bautizaron a Torreón con un nombre cuya dulzura fue extirpada de la historia a punta de balazos: Tsai Yüan: Jardín de las Verduras, un pueblo fantasma que perdura oculto entre las rendijas de una ciudad moderna.

El 12 de octubre de 1909, 10 000 torreonenses se congregaron alrededor de la estación de trenes para saludar a Porfirio Díaz en su tránsito rumbo a Ciudad Juárez, donde iba a entrevistarse con el presidente Taft. Díaz desairó a los concurrentes. El tren se detuvo sólo unos minutos, y el viejo general no se dignó siquiera a saludar a la multitud por una ventanilla. El convoy siguió su curso de inmediato. Quizá por entonces don Porfirio empezaba a notar que Torreón, la niña de sus ojos, la prueba fehaciente de que la política del régimen científico era capaz de hacer milagros urbanos, lo había traicionado. Ahora era un reducto de la subversión. No sólo se había inclinado a favor del reformismo institucional representado por Bernardo Reyes, sino que era una de las plazas donde el magonismo contaba con más adeptos y, para peor, la cabecera de una región que había dado origen a Francisco I. Madero, el candidato opositor que concitaba mayores simpatías en la República. Torreón, la perla artificial del porfiriato, se había convertido en la retina de una revolución. Quizá no tanto porque los torreonenses fueran revolucionarios (como sugiere la historia oficial) sino porque el resto de los laguneros —los excluidos, los transformados en mano de obra semiesclavizada: los peones y aparceros de Chávez y Cuencamé y Tlahualilo y Matamoros— estaban hasta la madre del régimen. Son ojos lo que antes fueran perlas.

El 15 de septiembre de 1910 cayó una lluvia intensa sobre la ciudad. El programa de los festejos por el centenario de la Independencia tuvo que ser modificado de última hora. Originalmente, se inauguraría por la mañana la escuela Centenario y se suponía que por la noche el doctor Leopoldo

Escobar (quien había tomado posesión como alcalde siete meses atrás) se dirigiría desde los balcones del Casino de la Laguna a una multitud asentada en la plaza del 2 de Abril. El aguacero obligó a las autoridades a posponer la inauguración del colegio y a trasladar la velada del Grito al interior del Teatro Ricardo de la Vega.

El recinto se colmó como a las 11 de la noche; al menos la mitad de los asistentes tuvieron que permanecer de pie en la calle. Una obertura fue interpretada por el octeto del doctor Founier y se escucharon los discursos de los licenciados Carlos E. Suárez y Emilio G. Saraiza. El himno nacional y otras piezas patrióticas fueron interpretadas enseguida y, finalmente, el doctor Escobar dio el tradicional grito de "¡Viva México!"

Al concluir la ceremonia, los distintos gremios del pueblo marcharon por las calles. Portaban sus estandartes. Aunque la prensa no lo registra, es probable que algunos establecimientos de la colonia española fueran apedreados esa noche: dice Urquizo que se trataba de una muy acendrada tradición local posterior al Grito. Carothers informa en su correspondencia oficial que también ese día fueron atacados algunos comercios chinos.

Los festejos duraron cuatro días. El 16 hubo desfile. El 17, la comunidad española dotó de muebles escolares a la escuela Centenario. El 18 hubo fuegos artificiales cortesía de la colonia cantonesa. Me atrevo a suponer que para entonces habían corrido importantes cantidades de alcohol entre los concurrentes. Al paso de las noches, un grito empezó a sustituir a otro por las calles de Torreón: el "¡Viva México!" se convirtió en "¡Viva Madero!" La tensión festiva creció de cara al desafío a las autoridades. Dice Eduardo Guerra que alguien gritó: "¡Mueran los chinos!" Y la consigna cundió: "¡Mueran los chinos!"... Algunos establecimientos fueron nuevamente apedreados. Hubo saqueos, pero el evento no pasó a mayores.

Al menos no esa noche.

cuál— bajo unos techos callejeros ultramodernos que instaló el municipio y que no sé si me gustan tanto. El canal subterráneo de La Perla —uno de los últimos vestigios históricos de que la comarca fue alguna vez la Tierra Prometida— está cerrado. Dicen los letreros que se debe a una reparación.

Continúo recto por Valdez Carrillo. La acera a mi derecha es la más jodida de las cuatro que enmarcan la plaza. No hay absolutamente nada: un baldío, un estacionamiento, una paletería La Michoacana; absolutamente nada. Corto camino sobre la plancha y me dirijo hacia el oriente bordeando la avenida Juárez. Tres edificios colman la acera sur: el Banco Chino, la fachada principal del Casino (diseñado en 1910 por el arquitecto francés Louis Channel) y el Banco de la Laguna, que empezó a ser construido el 16 de junio de 1911 —exactamente un mes después de que los chinos perdieran todo— y fue inaugurado el 20 de noviembre de 1912.

Doy vuelta en contra de las manecillas del reloj y exploro la acera oriental. En la esquina donde alguna vez estuvo el cine y teatro Pathé se levantan los restos del edificio que lo sustituyó: el Hotel Galicia, que figuró entre los mejores de la ciudad y ahora sólo existe a medias y se publicita en grandes lonas a 160 pesos para los clientes de las putas. Todo ese costado está lleno de tiendas de ropa de mezclilla y baratija y media, chunches probablemente fabricadas en China. Más o menos a la mitad de la calle hay un pequeño y descorazonador restaurante chino que promueve sus platillos con cartelitos de papel lustrina rellenados a plumón y con faltas de ortografía.

Doy vuelta hacia la acera norte y paso junto a un edificio que no sé qué fue pero que ahora alberga la recaudación municipal: magro triunfo de las instituciones sobre el rechazo tradicional de los torreonenses a colocar oficinas públicas alrededor de la plaza. Vuelvo a toparme con el Palacio Real. Regreso sobre mis pasos por Cepeda para dirigirme a uno de los edificios más espectaculares del centro histórico: el Arocena.

El edificio Arocena se localiza en la esquina noroeste del cruce de Hidalgo y Cepeda, a una cuadra de la plaza.

Fue construido en 1920 por la familia que le da nombre. Tiene un frontis grandioso. Su color rojizo y el artilugio de sus molduras blancas —el sostén inferior de los balcones simula abanicos abiertos— contrasta con las líneas parcas y la monocromía de la mayor parte de las construcciones que lo rodean. El chapitel que corona la chatura de su esquina, construido sobre un jardín terraza, es de una peculiar *chinoiserie*. Esta vistosa condición ha hecho que algunas personas se confundan y crean que este inmueble albergó alguna vez el Banco Chino. Pero no: el Arocena ni siquiera existía durante la época de esplendor de la colonia oriental. Todo es tan nuevo y tan viejo en Torreón que cuesta trabajo relacionar la historia con la arquitectura.

Entre el edificio Arocena y el Banco de la Laguna se alza una construcción peculiarísima: el acceso al Museo Arocena, construido hace poco sobre una entrada lateral del antiguo Casino de la Laguna, cuya planta ocupa en su totalidad. Tampoco estoy muy seguro de que me encante la fachada del museo, obra de la arquitecta Abby Aguirre Garay: es una versión región cuatro de esos diseños europeos ultramodernos que procuran convivir armónicamente con edificios ancestrales, pero que aquí se nota ejecutada con más pretensiones que sentimiento del espacio. Tal vez esta sensación mía se deba en parte a que al centro histórico de Torreón le falta aire: la cuadrícula original del trazo urbano es demasiado apretada como para permitir al peatón disfrutar un edificio de estas características, artificiosamente fluido cuando se le compara con la actitud constructiva general y con el recio temperamento de los torreonenses. Aun así, la callecita de Cepeda entre Juárez e Hidalgo me parece deliciosa en términos arquitectónicos.

Recorro el pasaje peatonal por tercera ocasión hasta plantarme frente a la esquina sureste de Hidalgo y Cepeda. ¿Qué hay ahí? Otra vez nada: un edificio rectangular, moderno *in a bad way*: sin chiste. Pero hay también una duda. Silvia Castro afirma que en esta esquina estaba el verdadero Banco

Chino, y no en el edificio histórico que está frente a la plaza de armas, al otro extremo de la manzana contigua. Es esa observación lo que me ha traído hasta aquí este domingo.

La duda me vino de leer. En un pasaje de *Entre el río Perla y el Nazas*, Juan Puig da por buena la dirección original del Banco Chino: Juárez y Valdez Carrillo. Pero luego, al enumerar los muchos negocios de los chinos en Torreón, asigna otro domicilio para la compañía bancaria y de tranvías Wah Yick; uno ubicado en la calle Hidalgo. ¿Cuál dirección era la verdadera? Silvia Castro tuvo esta misma duda hace 10 años y descubrió, comparando los testimonios de Woo Lam Po con otros documentos del Archivo Estrada, que el Banco de la Laguna estaba ya en la planta baja del edificio del Banco Chino al momento del ataque, y no *después* de éste, como sugiere Juan Puig. Esto contradice la tradición popular y el discurso oficial, que durante décadas caracterizaron como escenario principal de la masacre al inmueble equivocado. En realidad los hechos se registraron en una esquina distinta: 100 metros más al sur y 100 metros al este: donde hoy se erige una vulgar tienda Coppel.

Camino por Hidalgo e intento imaginar lo que hubo aquí: decenas de cadáveres, gente corriendo por las banquetas cargada de objetos robados (muchos de ellos inútiles), hombres que lloran y piden clemencia, hordas borrachas que jalan del gatillo, cuerpos arrastrados a caballo, sangre… Intento imaginarlo sin melodrama, sin fantasía incluso: apelo a los recursos de la historia, a su estoica asimilación de los hechos. No puedo. Torreón es nada más esto que ves: un domingo de junio de 2014, peatones que sudan la gota gorda, tráfico y cláxones, comercios. Siempre es más fácil destruir la memoria que restaurarla. Y eso es una tragedia pero también una bendición. Después de todo, el impulso biológico es ciego y sordo y carece de lengua: es presente puro. Somos los humanos quienes nos empeñamos en escapar de Lo Real a través del lenguaje y la memoria. El olvido está más cerca de la naturaleza que nosotros.

NUMEROSAS BANDAS

(Senda de cimarrón)

Hasta donde alcance tu vista —la tuya, lector de paso— es mío, se lo he comprado al diablo por una gallina ciega. Si llegaste aquí por tu propio pie, por este sendero de cimarrones, sabes poco de ti mismo. Llegar no significa estar aquí. Arribar a esta colina de brezo se confunde con secar un manantial. Óyeme pues con tu oído de oír lejos. Vamos, alégrate, ese que dices ser tú, también soy yo un poco, con algunos canarios tal vez de más. Juntos hacemos las palabras, el acto de callar, el desierto de la virgen. Lo que quiero decir no tiene comas: mi emoción es un ojo que duerme. Por eso sé que tus hijos persiguen una burbuja de jabón en el cementerio.

Ernesto Lumbreras

Numerosas bandas es un libro de Ernesto Lumbreras donde conviven los ángeles de Rilke, la desgarrada pulcritud del acmeísmo ruso, el habla popular, la estética anarquista, un jefe de estación de trenes que pasa revista a sus novias difuntas, una puta argentina que de joven parecía un anillo bajo el lodo de un camino que lleva al cementerio…

Numerosas bandas. El título me recuerda a los nómadas del desierto donde vivo: borrados, guachichiles, cocoyomes y yoricas que por siglos recorrieron estos rumbos antes de ser exterminados por mi clan. *Numerosas bandas*: ésa es la descripción que conviene a los revolucionarios de la primera hora, las incontables gavillas de entre 10 y 50 guerrilleros que asolaron La Laguna a principios del siglo XX hasta convertirse poco a poco en el ejército (hay quien habla de 5 000, 7 000 hombres; lo más probable es que no pasaran de dos millares) que se reunió a las puertas de Torreón a la mitad de la primavera de 1911 bajo las órdenes de un comandante de 23 años.

William K. Meyers escribió un ensayo al respecto. Intentaré resumirlo.

La Laguna profunda es ejemplo de lo que *modernización* significa en México: la política porfiriana generó un auge productivo y financiero pero también un abismo social. Mientras que Torreón, Gómez Palacio y Lerdo se desarrollaban y los latifundistas y empresarios amasaban fortunas, las cuatro subregiones que rodean el área urbana se pauperizaron. En menos de 150 años, las grandes empresas locales le hicieron a su comarca lo que les tomó algunos milenios y tres civilizaciones a los habitantes de Mesopotamia. Sin embargo, dice Meyers: "A pesar de sus grandes beneficios, la élite se las arreglaba para encontrar de qué quejarse". Otro problema era que, además de participar conjuntamente en las diatribas contra el poder central, los industriales e inversionistas no paraban de pelear entre sí, como ya era habitual desde tiempos de Benito Juárez y Leonardo Zuloaga.

Afirma Meyers:

Desde 1884 hasta la caída de Torreón en manos de las clases populares de la región, Díaz dedicó mucha atención a resolver las disputas de la élite dividida de la zona, que peleaba por todo, desde el derecho de aguas hasta el precio del jabón.

A principios de los años 80, los plantadores de la zona inferior del río armaron a los trabajadores residentes y los enviaron a la zona superior, en Durango, a destruir las presas para obtener más agua para Coahuila.

La consiguiente batalla entre ejércitos de trabajadores agrícolas suscitó un incidente grave entre Durango y Coahuila, que requirió la intervención de Díaz para evitar estas guerras privadas.

La más antigua subregión de la comarca es Cuencamé, al suroeste, del lado de Durango. La vocación de Cuencamé fue siempre agrícola, y es el único territorio lagunero donde las reivindicaciones campiranas encabezadas desde 1905 por Calixto Contreras y Severino Ceniceros eran de índole comunitaria; una suerte de zapatismo norteño (aunque nunca lograron aliarse con Emiliano Zapata). Cuencamé fue el único bastión de la revuelta regional que contó con un grupo de indios entre sus filas: los ocuileños. Aunque su maderismo era más definido que el de otras partidas y su levantamiento cumplió con la fecha estipulada por Madero, los ocuileños no participaron en el asalto original a Gómez Palacio. Su mayor defecto fue el apego a la querencia: la terquedad de mantener la guerra en territorio conocido.

A Calixto Contreras lo llamaban *el Indio*. Nació en el otoño de 1867 en San Pedro de Ocuila. Es bastante probable que supiera leer: cursó tres o cuatro años de primaria. A los 12 años dejó la escuela para contribuir a la economía familiar trabajando en una mina. Se politizó siendo ya no tan joven: la primera noticia que hay de su existencia es que se inconformó, a los 36 años, ante el despojo de las tierras de cultivo de su etnia por parte de los propietarios de Sombreretillo. Luchó jurídicamente contra el régimen y la hacienda durante cinco años. Agotados los recursos legales, respondió al llamado bélico de Francisco I. Madero. En algún momento fue candidato a liderar la revuelta regional. El mando recayó finalmente en Jesús Agustín Castro, lo que no fue muy simpático para Calixto. Tal vez por eso, o por errores de coordinación militar, él y sus tropas llegaron tarde a la toma de Torreón.

La segunda subregión durangués de La Laguna tiene como extremo norte al municipio de Tlahualilo, sede de una de las mayores agroindustrias del porfiriato, y como centro el Real de Mapimí, situado al noroeste, a 20 kilómetros escasos de Bermejillo, que es paso obligatorio entre Durango, Coahuila y Chihuahua. La fundación de Mapimí —"Cerro Elevado" en lengua cocoyome— data de 1598. Para la época revolucionaria, los colonos habían exterminado ya desde hacía décadas a los indios nómadas de la región y lo que quedaba era un emporio minero y agrícola al que acudían millares de trabajadores temporales. También bandoleros: hay dos corridos —*Los dos amigos* y *Eran cuatro de a caballo*— que dan cuenta de ello.

Jesús Agustín Castro, primer jefe guerrillero del noroeste de La Laguna, quien eventualmente tomaría Mapimí y lo convertiría en su centro de operaciones, no había nacido en el ámbito rural: era de Lerdo, una de las ciudades trillizas de la opulencia. La capacidad estratégica o el carisma o la valentía deben haber sido notables en este muchacho. Si bien Madero lideró políticamente la primera fase de la Revolución, fue Jesús Agustín, un tranviario durangués, quien la puso en marcha en términos militares.

Castro era de tez blanca requemada, bajito pero macizo. Siendo ya militar constitucionalista portaba un tieso bigote de puntas arriscadas que lo hacía lucir ligeramente cómico. Urquizo cuenta que durante los primeros meses de la revuelta "usaba barba moruna; parecía un beduino del desierto marroquí". Aunque provenía de una familia pobre, logró estudiar hasta los 15 años; es seguro que completó la educación elemental. A partir de 1902 desempeñó diversos oficios en minerales de Durango y Chihuahua: ayudante de almacenista, rayador, carpintero… Trabajaba como inspector de tranvías y vivía en Gómez Palacio cuando Madero llamó a las armas. Castro se sumó a los conspiradores. Siendo La Laguna la cuna de Francisco I. Madero, y siendo Torreón de la Laguna uno de los mayores emblemas del poder porfiriano, la presidencia municipal de la urbe era un objetivo natural de la revuelta.

El 3 de noviembre de 1910 arribó un correo personal de Francisco I. Madero. Portaba un ejemplar del Plan de San Luis, mismo que entregó en propia mano a Manuel N. Oviedo, líder del Club Antirreeleccionista local, junto con una serie de instrucciones verbales. Oviedo leyó el plan con temblor oratorio en la voz en una tertulia clandestina y aseguró, tal vez indiscretamente, que el 20 de noviembre se presentaría a tomar la alcaldía con un contingente de entre 1 000 y 6 000 hombres. Nunca apareció: la autoridad lo buscaba y eventualmente fue apresado y puesto bajo custodia.

La segunda opción era tomar la presidencia de Gómez Palacio. Para esta hazaña se nombró jefe a Mariano López Ortiz, antiguo ayudante de un director de policía y segundo de Oviedo en su calidad de vicepresidente del Club Antirreeleccionista.

El 16 de noviembre, López Ortiz se acuarteló en una casa de seguridad en compañía de Castro, Orestes Pereyra y Sixto Ugalde, entre otros cabecillas. El lunes 20 a las seis de la tarde el contingente se dirigió a la vecina ex hacienda de Santa Rosa, donde machetes y máuseres fueron repartidos. Pero los torreoneneses estaban destinados —al menos en esa primera jornada— a la duda: viendo que sólo contaba con 21 rifles y 88 hombres, López Ortiz renunció al liderazgo. Quien tomó las riendas del movimiento fue Jesús Agustín, el más joven de los rebeldes.

A las 2 de la mañana del 21, la gente de Castro asaltó la comandancia de policía. El jefe Ruiz y los cuatro gendarmes que lo acompañaban contestaron el fuego, pero pronto se quedaron sin parque y huyeron por la puerta trasera del edificio. Los conjurados ocuparon la sede, destruyeron los archivos y liberaron a los reos. Parte de la tropa se dirigió a la subrecaudación de contribuciones, de donde pretendían extraer 10 000 pesos. Sólo hallaron 800.

La pandilla creció: antes del amanecer eran más de 200.

Como a las dos y media de la madrugada, en Ciudad Lerdo, el coronel retirado Carlos Abundis escuchó a lo lejos las primeras detonaciones mientras se tomaba un café. Se apersonó ante el jefe político de su localidad, el coronel Zúñiga.

—Los revoltosos están tomando Gómez —dijo Abundis.

Zúñiga envió a su jefe de rurales, Félix Chávez, a la cabeza de 16 elementos. Se trasladaron a la ciudad vecina y avanzaron hacia la comandancia. Iban a caballo por en medio de la calle sin advertir que la sede era ya un reducto rebelde. Los recibieron a plomazos. Un caballo murió en la primera andanada. Parte del fuego venía de las azoteas, donde Castro había emplazado francotiradores. Aprovechando la oscuridad, los rurales se replegaron y lograron guarecerse en calles aledañas. No pasó mucho antes del segundo enfrentamiento; fue cerca del mercado. El agente Rosales resultó muerto a tiros y su colega Leandro Zermeño fue herido a machetazos. Un par de horas más tarde, rurales y maderistas tuvieron un tercer enfrentamiento sobre la calzada de los tranvías que conectaba Gómez Palacio y Torreón. En el intercambio cayó Chávez, jefe de los de Lerdo. Los insurrectos registraron su cadáver y lo despojaron groseramente de los 400 pesos que llevaba en la cartera (y que no eran poca cosa: tantito más que el sueldo anual de un jornalero promedio). Después, los alzados marcharon rumbo a Coahuila. No sabían que los estaban esperando al otro lado del puente.

El doctor Escobar, presidente municipal de Torreón, tomó precauciones egoístas: temeroso de que una turba liberara a Oviedo, su rival político, fortificó la prisión y ordenó al alcaide, Félix de la Garza, que asesinara a sangre fría y sin mayor trámite a los presos dentro de sus propios calabozos y galeras en caso de que se produjera un asalto. Luego instó al teniente coronel Enrique Sardaneta, jefe local de las armas, a lanzarse contra los maderistas. Sardaneta marchó sobre Gómez Palacio al frente del 23 batallón de caballería mandado por el capitán Arnulfo Ortiz y el octavo batallón de infantería a las órdenes del teniente Juan Zorrilla Guerrero. Eran, en total, 50 uniformados.

Estaba amaneciendo.

La guarnición gobiernista abrió fuego discreta y disciplinadamente, como le habían enseñado en fatigosas jornadas de entrenamiento, desde el otro lado del río Nazas. Sus proyectiles causaron importantes bajas en el enemigo, que se había apretujado en la estrecha vía del Puente Negro. Desconcertada, la inexperta tropa maderista se replegó. Emprendieron la retirada por el camino de Lerdo. El fuego enemigo seguía tronando a sus espaldas, derribando jinetes. Según una tradición popular, Jesús Agustín Castro desmontó, se parapetó en el recodo de un puente y cubrió la retirada de sus correligionarios a tiro limpio de máuser. Algunos —entre ellos el veterano anarquista Orestes Pereyra y los cabecillas Gregorio García y Antonio Palacios— lo secundaron; otros no. Pero el puro gesto de tomar la iniciativa confirmó al tranviario de 23 años como líder de la revuelta. Y, aunque en los meses venideros pasaría mucha penuria para juntar más de 50 hombres a su cargo mientras que las tropas de Contreras o Moya o Lavín crecían, al final fue él quien redimió al ejército que tomaría Torreón: el jefe juvenil que unió a las numerosas bandas. Nadie —ni capataces veteranos como Ugalde ni matasietes de rancho como Benjamín Argumedo, algunos de los cuales le doblaban la edad— impugnó su derecho.

Los insurrectos de Gómez Palacio escaparon en dirección noroeste, hacia las montañas de Mapimí. No lo sabían entonces, pero acababan de dar a la Revolución el mejor de los combustibles: insensatez.

La tercera subregión de La Laguna la conforman los municipios de Viesca y Matamoros, en la ribera coahuilense del río Nazas. Tanto en esta zona como en Mapimí, la revuelta adquirió carta de fundación en un clima de bandidaje estacional. Durante años, hacia los meses de diciembre y enero —cuando las cosechas de algodón estaban pizcadas y cundía el desempleo—, algunos campesinos se refugiaban en la sierra de Durango o en el desierto de Mayrán (territorios que ellos conocían mejor que la Acordada) para ganarse la vida robando ganado o cargamentos en metálico, esquilmando cosechas o secuestrando doncellas y señoritos. Esta tradición delictiva existía desde el siglo xix, e incluso hubo un popular personaje vinculado a ella: *la China* Apolinaria, una mujer que comandaba a una gavilla de salteadores. Se hizo famosa porque, tras robar las diligencias, enseñaba las tetas a los consternados pasajeros al grito de:

—¡Vean con quién pierden, pendejos!

Para 1908, Viesca se había convertido en una pequeña capital gobernada por la ley del revólver.

Un aspecto importante del descontento rural era la aparcería, sistema de raíz feudal mediante el cual los grandes latifundistas concesionaban pequeñas parcelas a campesinos sin tierra a cambio de un altísimo porcentaje de la cosecha. Esto dejaba a la mayoría de los arrendatarios en la miseria e impedía el desarrollo de los pequeños empresarios locales, una clase media agrícola distanciada del régimen y paulatinamente solidaria con las luchas populares.

El encuentro entre el bandidaje estacional, la inconformidad de los aparceros y la indignación de los pequeños propietarios tuvo un cerillo que encendió la más temprana mecha: el arribo a La Laguna de representantes del Partido Liberal Mexicano, cuyos miembros intentaron tomar por las armas el municipio de Viesca en 1908. El asalto marcó el inicio de la revuelta regional y la aparición de sus primeros líderes: Mariano López Ortiz (quien encabezó un connato de revolución en Matamoros en 1909), Orestes Pereyra, Enrique Adame Macías y Sixto Ugalde.

Orestes Pereyra era de El Oro, Durango, y antes de la Revolución se dedicaba a la hojalatería. El futuro general y novelista Francisco L. Urquizo, quien sirvió bajo las órdenes de Pereyra en 1911, lo retrató así:

> ...le faltaba una oreja y para disimular su defecto usaba pelo largo que habilidosamente cubría, en aquella parte de su cara, la falta del pabellón [...] Tenía el aspecto de los héroes del 47: usaba espada de federal y calzaba acicates constantemente, así anduviera pie a tierra y con pantalón común y corriente.

Parece que la educación de Orestes fue escasa. La primera vez que se sublevó fue en el asalto a Viesca de 1908. Tenía, entonces, 47 años. Fue aprehendido en Torreón pero reaparece como hombre libre en una fecha incierta previa a la revuelta maderista sin que sepamos si escapó de prisión o fue exonerado, ni tampoco por qué corrió con tan buena suerte: la mayor parte de sus compañeros —e incluso algunos ciudadanos inocentes— fueron condenados a la horca o enviados a la cárcel de San Juan de Ulúa a causa del levantamiento.

Tras la fallida toma de la presidencia municipal de Gómez Palacio en 1910, Orestes se mantuvo durante algunos meses junto a Castro en la zona montañosa de Mapimí. Más adelante, hacia abril de 1911, se trasladó a la zona de Tlahualilo a reclutar nuevas tropas.

Otro que participó en el alzamiento magonista de 1908 fue el ex minero Enrique Adame Macías. Tenía en esa época 24 años. Fue hecho prisionero junto al veterano Orestes Pereyra y, al igual que éste, quedó en libertad. ¿O habrá escapado?... Me parece una opción remota: meses después, Enrique gozaba de un trabajo chismoso y más o menos estable: cantinero en Matamoros; como quien dice, a un tiro de piedra de Torreón. Existe la posibilidad de que tanto Pereyra como Enrique hayan negociado el perdón a cambio de delatar a sus cómplices, pero en tal caso habrían sacrificado la confianza de otros opositores comarcanos. Menos descabellado sería pensar que alguien —quiero decir: alguien con poder político o económico— intercedió a favor de ambos al momento de su aprehensión en 1908. No sería la primera vez en que la movilidad social se expresa como intercambio de favores. El enigma de la excarcelación de Orestes y Adame deja entrever una rendija de lo mucho que ignoramos acerca de las relaciones privadas entre los cabecillas rebeldes y los estamentos de poder del porfiriato.

Enrique nació en Villa de Cos, Zacatecas, en 1884. Urquizo lo moteja de chaparro y excéntrico en el vestir: usaba un traje de tela gris, un gigantesco sombrero café de pelo de animal, botas de gambusino y unas ostentosas insignias de coronel terciadas sobre el pecho. Su arma predilecta nunca fue el revólver o el máuser sino —como buen minero— la dinamita. Con ella en mano se incorporó al maderismo, levantándose en San Pedro para luego, en abril de 1911, atacar Parras de la Fuente. Hizo estragos colocando bombas en varios edificios de este pueblo, entre ellos la iglesia parroquial. Su explosiva intervención convenció a los federales de ceder la plaza pacíficamente. En mayo se incorporó a la toma de Torreón y es probable que haya estado presente —participando de los hechos— durante la masacre de los chinos.

De Sixto Ugalde no queda mucha información. Sabemos que era oriundo de Matamoros, que participó en el asalto a la presidencia municipal de Gómez Palacio bajo las órdenes de Castro, que fue cercano tanto a Orestes Pereyra como a Benjamín Argumedo (de quien a la postre sería acérrimo enemigo), que figuró entre los primeros cabecillas en entrar a Torreón en 1911 y que, posiblemente, haya participado en los hechos de sangre. Contamos también con este rápido retrato de Urquizo:

> Don Sixto Ugalde conservaba su indumentaria de mayordomo de hacienda algodonera: sombrero de paja blanco y traje de pana acordonada. Su rubicunda faz y su obesidad le daban un aspecto de bondad perfecta. Al distribuir su gente en la pelea parecía que andaba, como antaño, repartiendo tareas a los peones, en las labores del campo.

La cuarta y última subregión lagunera descrita por Meyers se ubica en el centro de la zona inferior de lo que fuera el río Nazas. Su población más importante es San Pedro de las Colonias, una comunidad libre fundada en 1869 por voluntarios republicanos que, tras licenciarse del ejército, se convirtieron en pequeños agricultores. Aunque San Pedro es llamado Cuna de la Revolución, se incorporó a la lucha de manera tímida y tardía. Es cierto que Adame Macías y Benjamín Argumedo se alzaron ahí, pero tuvieron que replegarse de inmediato, y no porque el ejército federal les hiciera resistencia sino porque varios miembros de la familia Madero permanecían en el pueblo y hubiera sido penoso atacarlos. No fue sino hasta abril de 1911, cuando Emilio Madero negoció la rendición pacífica de la plaza por parte de los federales, que el pueblo cayó bajo la influencia de los revolucionarios. Su posición resultaba paradójica: fue esencial para el discurso pero, una vez iniciada la revuelta, se convirtió en una piedra en el zapato.

Emilio Madero es un insurgente accidental: un empresario atrapado en un tiempo de rebeldes. Su poder nunca emanó de acciones ni de una ideología sino de la peculiar coyuntura de haber sido hermano de un líder carismático. Tenía 30 años escasos (casi 10 menos que Francisco) cuando iniciaron los combates. Durante los primeros meses —entre noviembre de 1910 y marzo de 1911— fue comisionado por los suyos, junto al tío Salvador, como gerente del inmenso patrimonio familiar; no tenía tiempo de involucrarse en política. El 22 de abril (menos de un mes antes de la toma de Torreón) fue encarcelado por las autoridades porfiristas de San Pedro de las Colonias. El destacamento militar salió del pueblo a enfrentar a las tropas de Sixto Ugalde, que acampaban en San Lorenzo, y los campesinos aprovecharon para rebelarse contra la dirigencia municipal armados de picos, palas y machetes. Emilio fue liberado para, usando como pretexto el ascendiente de su hermano Francisco, rescatar a los burgueses de lo que pudo haber sido una escalada de linchamientos. Este hecho fortuito lo convirtió de golpe y porrazo en líder de los alzados. Cuando las tropas de Sixto avanzaron sobre San Pedro tras derrotar a los federales, Emilio fue comisionado nuevamente (no por los insurrectos: por la aristocracia) para negociar la rendición. Carecía de la menor experiencia castrense cuando, por decisión de su hermano, se le concedió el título de Mayor (y posteriormente el vago título de "Jefe Militar") a fin de unir a las numerosas bandas de La Laguna. El cargo le cayó en el regazo.

El clan de los Madero poseía latifundios en Coahuila y Texas desde tiempos de la Nueva España. El primer miembro de la familia del que se tiene noticia se llamaba Alejo Bernabé y nació en 1706. A principios del siglo XIX, José Francisco Madero Gaxiola, bisabuelo de quien sería aclamado como el Apóstol de la Revolución, fundó el pueblo de Liberty, Texas. Un hijo de José Francisco se llamaba Evaristo y se destacó como empresario en La Laguna: fue agricultor, dueño de una fábrica textil, propietario de transportes y socio de la metalúrgica local, además de gobernador de Coahuila entre 1880 y 1884. Sus propiedades se extendían desde el municipio de Parras de la Fuente, al sureste, hasta San Pedro de las Colonias, al norte, constituyendo uno de esos elefantiásicos emporios que predominan en la tradición de la comarca. Patriarcal, eficiente y duro, Evaristo fue la encarnación del porfirismo regional. Tuvo 18 hijos. Murió en Monterrey en abril de 1911, a los 83 años. Su deceso coincidió con el asalto de las tropas revolucionarias a Parras de la Fuente, donde hasta la fecha se conserva el casco albiesmeralda (todo muros de cal y extensas terrazas techadas de vid) de la mejor de sus haciendas, en cuyos patios enlosetados correteaba de niño el artífice de una guerra civil que don Evaristo odió hasta la tumba.

Francisco Madero Hernández fue un hombre menos interesante y vigoroso que su padre o que su hijo mayor. Éste es un fragmento de la carta que envió a su primogénito en enero de 1909:

Apenas puede creerse que un hombre como tú, que te consideras un buen hijo, expongas a un fracaso los intereses comprometidos de tu buen padre, pues no se te oculta que aunque tal publicación [*La sucesión presidencial en 1910*] la hagas contra mi voluntad, la de tu padre, y que sean todas creaciones tuyas, no podrán creer que dejemos nosotros de tomar parte activa en esa publicación, porque deseamos y pretendemos obtener colocaciones por lo cual nos comprometes a todos; en un descuido eres la causa de la ruina de tu padre... Por supuesto que tendrás varios compañeros que te pongan por las nubes porque tú pones el cascabel al gato y te dirán que lo haces como uno de los mejores reformistas, subiéndote a las nubes y comparándote con el gran Demóstenes y no sabes que se burlan de ti... Apenas puede creerse que un hombre como tú, que debías ayudar a tu padre a enderezar sus negocios, vengas a servirle de rémora y aun contribuir para su ruina. Se conoce que eres un niño que no piensa ni quiere consultar a nadie para entrar en asuntos tan graves como el de que se trata... Cada vez que reflexiono sobre tu conducta, me temo hasta que hayas perdido la cabeza, puesto que no consultas opiniones de personas sensatas, y siento que te hayas metido en camisa de once varas... Tú eres uno de tantos que han metido a tu padre en dificultades y en lugar de ayudarlo a salir de ellas, contribuyen a su ruina.

Francisco I. Madero, destinatario de la misiva anterior, nació en Parras de la Fuente en 1873. Era muy chaparro. Pasó largos periodos de su infancia y juventud en Estados Unidos y Europa. Le gustaba nadar. Se aficionó desde joven a la homeopatía y el espiritismo. Empezó su militancia opositora a los 31 años: fundó el Partido Antirreeleccionista y publicó un libro —*La sucesión presidencial en 1910*— importantísimo para la historia de México y aburrido hasta los límites de la migraña.

Mi fotografía preferida de don Panchito —como suelen referirse a él los laguneros de rancho— fue tomada en

Parras antes de 1880. En ella el prócer debe tener unos seis años y posa abrazado de su hermano menor, Gustavo, quien ya desde esa época le sacaba algunos centímetros de estatura. Llevan sendos atuendos idénticos: botines, calcetón blanco, pantalones listados brincacharcos y un elegante saco inquietantemente parecido a una camisola *kuomitang*. Les rodea el cuello un corbatín. Gustavo está recargado en un taburete cubierto por un mantón decorado con flores; pasa su brazo izquierdo por el talle de su hermano mayor. Francisco descansa la mano derecha sobre el hombro de Gustavo y mantiene la izquierda cerrada en un puño pero con el brazo relajado junto al torso. Lo más perturbador es la cara del futuro presidente: mira a la cámara con el ceño ligeramente fruncido, con esa seriedad vecina del dolor que lo acompañó toda la vida.

***

El otoño fue leña verde. Numerosas bandas de 10, de 20 hombres deambulaban por La Laguna. Levantaban rieles, secuestraban convoyes, robaban armas o grano, hostigaban hacendados… Después se replegaban a las montañas o al desierto. Paralizaron la economía de la región pero no lograron consolidarse. Eran pocos, carecían de una organización central, se denominaban a sí mismos "maderistas" mas no por eso compartían una estrategia militar o una serie de objetivos políticos comunes, salvo la voluntad de hacer que Porfirio Díaz renunciara. Cuenta *Tulitas* Jamieson que, cuestionado en relación con sus inclinaciones políticas, uno de los alzados expresó ante Federico Wulff: "Pos yo apoyo a don Luis", refiriéndose quizás al Plan de San Luis lanzado por Madero. Graham, el cónsul británico en Gómez Palacio, los describió así:

> Supongo que ni siquiera un diez por ciento de los insurrectos se plantea un objetivo definido; simplemente se la están

pasando bien a costa de aquellos que antes fueron sus amos; en pocas palabras, tienen por primera vez en sus vidas un buen caballo, un buen rifle y el placer de "mangonear" en vez de ser "mangoneados".

Semejante, aunque idealizada y a la vez más profunda, es la descripción que hizo Francisco L. Urquizo:

Nosotros, los que andábamos en el monte con las armas en la mano, estábamos muy lejos de llegar a vencer a las fuerzas federales. Ciertamente que la mayoría de nosotros era gente de campo acostumbrada a los sinsabores de la vida dura de las haciendas o de la serranía. Éramos hombres de a caballo hechos a la fatiga diaria, constante y endurecedora; sabíamos manejar las armas y cubrir nuestras propias necesidades [...] Sin embargo, de todo ello, nos faltaba experiencia militar, disciplina, milicia, destreza. Carecíamos de jefes, y a quienes estimábamos como tales, en realidad no lo eran sino de nombre o en apariencia [...]

No había más que una voz de combate y ésta la daba indefectiblemente el jefe de cada fracción al lanzarse, a rienda suelta, sobre el enemigo, disparando su rifle: "El que sea hombre, que me siga". Más que una orden era aquello una invitación, no muy precisa, para exponer el pellejo [...] Nadie se consideraba entre aquellas gentes con la obligación precisa de luchar, sino de "ayudar".

—¿De qué gente eres? —se le preguntaba a alguno.

—Ando ayudando a don Sixto Ugalde.

Es decir, que don Sixto era el de la obligación de pelear y no el afiliado a su partida.

El panorama empezó a cambiar en diciembre. Con el fin de la pizca del algodón llegó también el fin de muchos empleos temporales, un fenómeno que ni Madero ni el ejército federal habían calculado. Los flamantes desempleados se enrolaban de inmediato en las filas del descontento. Para enero de 1911, tanto el número de bandas como el de guerrilleros habían crecido. Los principales líderes empezaron a diversificar su autoridad en subregiones y grupos.

El ejército federal no supo afrontar la guerra de guerrillas. Carecía de entrenamiento en ese tipo de combate y, sobre todo, desconocía el suelo bajo sus pies. ¿De qué servía salir a matacaballo detrás de los maderistas si a la primera colina, al primer humedal se extraviaba su rastro?… Tras muchas rabietas y pérdida de tiempo, la milicia porfiriana optó por una actitud defensiva: proteger los conglomerados urbanos sin hostigar a los rebeldes. Esto indignó a los latifundistas e incrementó la popularidad de Madero. Las haciendas fueron abandonadas. Los dueños de la riqueza se refugiaron en Torreón.

Algo que influyó en la cohesión de las tropas rebeldes fue el arribo de líderes burgueses cuya jefatura no había emanado de asambleas populares sino de una mejor educación y del poder financiero que los respaldaba.

Luis Moya Regis era un ranchero rico del norte de Zacatecas que se opuso a Porfirio Díaz desde los primeros años del siglo xx. Se incorporó a la campaña política de Madero en Chihuahua y, tras el inicio de la guerra civil, combatió en Jiménez y Parral con tropas pagadas de su peculio. Debido a su formación (parece que era un buen lector y tenía conocimientos teóricos de estrategia militar), no se limitó a controlar un ámbito geográfico sino que avanzó de norte a sur con una gavilla que al principio sumaba 30 hombres y que a su paso por La Laguna superaba los 200. Moya intentó coordinarse con las numerosas bandas laguneras —Meyers considera que estuvo a punto de consolidarse como líder regional antes que Castro— pero, puesto que su dinámica militar era distinta, prefirió continuar hacia el sur: llegó a operar en Aguascalientes y Jalisco. La única fotografía suya que conozco muestra a un hombre sereno y recio, de barba larga y entrecana, mirada a lo Samuel Beckett y un sombrero tan perfecto que de seguro estaba hecho por encargo. Más que re volucionario mexicano, parece el clásico pistolero *petimetre* de un *western* de Marcial Lafuente Estefanía. Tenía 50 años en 1910. Quizás habría llegado a ser figura prominente del maderismo si no se hubiera topado con la muerte el 9 de mayo de 1911 en Sombrerete, su pueblo natal, mientras combatía a las fuerzas del general Trucy Aubert.

Otro hombre acaudalado que se sumó al maderismo fue Pablo Lavín, hijo del fundador de Gómez Palacio y uno de los herederos del emporio agrícola conocido como Perímetro Lavín.

En una fotografía publicada por *El Siglo de Torreón* en abril de 2012, cuyo pie de foto reza "Los hermanos Lavín", aparecen de izquierda a derecha los hijos de don Santiago, español de nacimiento y uno de los hombres más ricos del México prerrevolucionario: Alejandro, Gilberto, Benjamín y Pablo. Los chicos son flanqueados por dos individuos que exhiben sendos bombines en la mano; deben ser mayordomos. Gilberto es el hermano mayor: porta un bigotito adulto y lleva un libro o libreta de pasta dura en la diestra. Alejandro y Benjamín lucen en el límite entre la adolescencia y la juventud. Pablo, el más pequeño, está sentado en un banquito. Debe tener unos siete años. Frente a él hay un perro enano tan elegantemente tieso que parece de cerámica. Se nota a leguas que el niño está aburrido, y sin embargo es el único que mira directamente a la cámara.

Pablo Lavín se alzó en armas a finales de marzo de 1911. Era bastante joven. Algunos historiadores (y muchos revolucionarios) han especulado que se involucró en la rebelión por oportunismo: para participar de una lucha a la que su parentela le auguraba el triunfo y así, posteriormente, proteger el patrimonio familiar desde el banquillo de los vencedores. La suposición no tiene un fundamento concreto pero tampoco es descabellada. Las tropas de Pablo jugaron un papel importante en la toma (pacífica) de Gómez Palacio y Lerdo, pero no participaron de manera oficial en el ataque a Torreón pese a haber sido convocadas por Castro.

En cambio, semanas antes, tuvo lugar un hecho curioso: al suscitarse un altercado entre la gente de Pablo y la de Juan Ramírez (otro líder rebelde que ocupaba Lerdo), Lavín envió un mensaje a las tropas federales pidiendo que intervinieran para frenar el motín.

Pablo Lavín dirigía un contingente vasto y bien armado, aunque indisciplinado y no siempre respetuoso de su jefe. Es inevitable notar en esta relación un resabio de los ejércitos privados (o paramilitares, o guardias blancas) que los latifundistas sostuvieron durante décadas en La Laguna, y cuya filiación ideológica nunca estuvo lejos de lo que el siglo XX bautizó como ultraderecha.

★★★

Francisco I. Madero tardó algunos meses en darse cuenta de lo que sucedía en su comarca natal. Infatuado por los avances en Chihuahua, no fue sino hasta marzo cuando notó lo consolidada que estaba la revuelta en La Laguna y lo perentorio que era dar a las numerosas bandas un liderazgo. No se trataba nada más de una urgencia militar sino también económica: muy pronto el clima permitiría que los campos estuvieran listos para la siembra, y tanto la parálisis financiera como la falta de producción agrícola acarrearían pérdidas irreparables (como sucedió con el Perímetro Lavín, que jamás logró reponerse de la guerra). Madero negoció con los líderes rebeldes a través de emisarios y de cartas a fin de convertir a la tropa ya no en una fuerza de destrucción y saqueo, sino en los nuevos guardianes de la prosperidad burguesa.

El 9 de febrero, Sixto Ugalde coordinó con distintos grupos un ataque a Matamoros; ocuparon la ciudad durante varias horas, liberaron a los presos y robaron armas y dinero. A finales de marzo, las tropas de Luis Moya y Calixto Contreras amagaron Lerdo y Gómez Palacio. A finales de abril, distintos grupos guerrilleros ocuparon Matamoros, Viesca, Mapimí, Lerdo, Gómez Palacio, Nazas, Velardeña y San Pedro. En una carta oficial dirigida a su gobierno el 1 de mayo, el cónsul estadounidense George C. Carothers declaró que lo único que impedía a los maderistas la toma de Torreón era "la ausencia de un líder revolucionario suficientemente fuerte para unificar a las distintas bandas".

Este liderazgo apareció en la forma de una entidad con dos cabezas: Emilio Madero y Jesús Agustín Castro. Emilio asumió el cargo de jefe militar. Jesús Agustín poseía rasgos que lo colocaban en una zona gris entre patrones y alzados: venía de una familia pobre pero era blanco, más o menos instruido y había crecido en el ámbito urbano. El 9 de mayo de 1911 se le designó comandante en jefe, superado en rango solamente por Emilio. Tal vez con la intención de justificar su cargo, Castro la emprendió ese mismo día, por su cuenta, contra Torreón. No hubo caso: sus fuerzas eran inferiores a las de Emiliano Lojero, el general defensor.

Meyers presume que algunos cabecillas pudieron ver con malos ojos el nombramiento de Castro pero no se atrevieron a inconformarse porque el control de La Laguna era una urgencia marcada por el temporal: había que licenciar a las tropas y ponerse a sembrar algodón cuanto antes. El 12 de mayo, Jesús Agustín envió despachos con sus órdenes a cada uno de los jefes rebeldes a su cargo: Ugalde al oriente, Pereyra y Lavín al poniente, Calixto por el sur. El propio Castro enfiló sus huestes desde Gómez Palacio, al noreste de Torreón.

Del otro lado del cerco, las tropas federales no llegaban a 700 efectivos. El general Emiliano Lojero ordenó construir trincheras en las calles. Todos los accesos a la ciudad fueron cubiertos por voluntarios, elementos militares, zanjas y barricadas. Faltaban pocas horas para el primer asalto.

ELENCO

TRECE RETRATOS

1

El 29 de febrero de 1916, Benjamín Argumedo compareció en Durango ante el Consejo de Guerra que habría de condenarlo a morir fusilado al día siguiente. Lo habían traído desde El Paraíso, Zacatecas, tendido en una camilla y "envuelto como un cuete". Se le acusaba de rebeldía. Llevaba largo tiempo a salto de mata luego de haber sufrido un revés militar tras otro y de abandonar a su tropa a causa de la postración. Estaba cerca de afrontar un destino que siempre despreció:

—Preferible morir en la raya, pero peleando, y no que nos fusilen y se burlen de nosotros y suframos las humillaciones de los vencedores —dijo una vez.

Padecía fiebre. Cuando lo presentaron ante sus jueces, se disculpó:

—No tiemblo por miedo. El paludismo que me mata me produce este frío.

Tenía 40 años, cinco de los cuales había pasado en las filas de la revolución. Los combatientes que llegaron a conocerlo le dieron muchos apodos: *el Zarco, el León* o *el Tigre de la Laguna, el Orejón*… Y también *el Resellado*, por la gran cantidad de facciones en las que militó: fue maderista, orozquista, huertista, convencionista y, cuando la gente de

Carranza lo arrestó, acababa de entrevistarse con el general Juan Bautista Vargas Arreola con miras a establecer una alianza con quien hasta entonces fuera su peor enemigo: el general Francisco Villa.

Lo ejecutaron sentado; estaba tan enfermo que no podía tenerse en pie.

Benjamín Argumedo nació el 3 de enero de 1876 en la Hacienda de Guadalupe, antiguamente ubicada entre Congregación Chávez (hoy municipio de Francisco I. Madero) y San Pedro de las Colonias. Era hijo de Albino Argumedo y Tiburcia Hernández, campesinos de la región. Su padre poseía unas tierritas en la comunidad de El Gatuño. Benjamín tuvo al menos un hermano, Miguel, quien también se incorporó a las filas insurrectas y murió en combate en 1912 en Huejuquilla, Jalisco. Dos nombres le aparecen a su cónyuge: Valeria Soto, con la que existe la certeza de que se casó (de acuerdo con una declaración jurada de una de las hijas que procrearon) pero no cuándo ni dónde. Y María, que es la mujer que un Argumedo moribundo le presentó como su esposa al general Vargas Arreola cuando se entrevistaron; *el Tigre* yacía en un catre y la muchacha le curaba una infección pulmonar derivada de una herida de bala. Tuvo al menos dos hijas: Dolores y Julia, quienes en distintas épocas (1920 y 1940) pidieron a la Secretaría de Guerra constancia de la participación de su padre en las campañas.

Argumedo usó el rango de teniente coronel al levantarse en armas junto al ex magonista Enrique Adame Macías en San Pedro, pero fue en el primer combate de Torreón donde el maderismo lo incorporó a sus filas en calidad de capitán bajo las órdenes de Sixto Ugalde. Llegaría a ser general irregular con Pascual Orozco y finalmente se le reconoció como general de brigada de caballería permanente durante la presidencia de Victoriano Huerta. Sus distintos correligionarios, y hasta sus enemigos, le dieron otro título: "Valiente entre los valientes". Cuenta Paco Ignacio Taibo II que, cuando Villa tomó Zacatecas, Benjamín —quien defendía la plaza al lado de los huertistas— se vistió con un espléndido traje negro de charro ("un bello uniforme para morir"), tomó un machete, salió a la calle y se abrió paso entre las tropas enemigas como un samurái de rancho hasta las puertas de la ciudad.

No tengo la menor duda de que era un sociópata.

Cuando sus verdugos le preguntaron a qué se dedicaba, Benjamín dijo ser sastre. Lo que no deja de sorprender a la imaginación: un tranquilo sastrecillo rural que un día despierta convertido en un guerrero ("maté seis de un golpe"), uno de los hombres más bravos de la Revolución; aquel que defendió tiro por viaje la retaguardia de sus (por otra parte casi siempre derrotadas) facciones al grito de "¡El que cayó, cayó!" Antes de ser soldado se dedicó también a la agricultura. Pero la imagen suya que el imaginario popular conserva es la de talabartero, pues "abotonaba riendas, ojalillos, vestía fustes y cortaba y adornaba carriones para espuelas", dice floridamente su biógrafo Jesús Sotomayor.

Lo que más disfrutaba eran montar: no sólo fue jinete sino también domador. Le gustaba mucho el baile y era capaz de hacer leguas a lomo de caballo con tal de echarse una polca. Hay quien lo acusa de pegarle fuerte al trago y hasta de ser faramalloso, pero José Santos Valdés —uno de sus primeros retratistas— rechaza esta versión aduciendo que fue por largos años amigo entrañable de su padre, don Pedro Valdés Rosales, quien a su vez era abstemio y no congeniaba con borrachos.

Existe en la tradición oral de La Laguna la interrogante de si Argumedo tuvo o no filiación anarquista cuando la insurrección de Viesca en 1908. No hay ningún dato que permita confirmarlo, aunque resulta patente su simpatía por Orestes Pereyra y Enrique Adame Macías dos años después. Lo que es un hecho documentado por la Secretaría de Guerra es que se incorporó a la revolución maderista el 18 de noviembre de 1910 bajo las órdenes de Sixto Ugalde.

Benjamín Argumedo es uno de los principales protagonistas de la primera toma de Torreón y del pequeño genocidio. En su comparecencia ante Macrino J. Martínez reconoce haber sido él quien ordenó abrir fuego contra los orientales. Añade en voz del juez militar que "si no hubiera estado convencido que lo chinos hicieron fuego sobre su tropa, no habría ordenado el ataque sobre ellos, pues tenía instrucciones de respetar a toda clase de extranjeros salvo como se dio el caso".

Esta declaración se convertiría en un dolor de cabeza para él, al punto de ser —según su propio testimonio antes de ser fusilado— uno de los motivos que lo llevaron a sublevarse contra el gobierno de Madero. En agosto de 1912 se le giró orden de aprehensión por robo y homicidio.

¿Tenía Benjamín un odio personal contra los cantoneses?

El testigo Aurelio Olivares lo acusa de ser, junto a Crescencio Soto y Lázaro Sifuentes, "uno de los que más se encarnizaron en matar chinos". Argumedo no era sólo valeroso: era una máquina de hacer cadáveres, un hombre que siempre mostró arrojo pero jamás compasión.

Lo irónico es que la tradición oral insiste hasta los límites de la estulticia en achacar la masacre a Pancho Villa, un hombre totalmente ajeno al evento y el más acérrimo enemigo del Tigre de la Laguna. En cambio si afirmas que el culpable fue Argumedo, nunca faltarán en la comarca personas dispuestas a romper una lanza en defensa de su memoria.

2

El 17 de junio de 1911, el periódico *The Torreon Enterprise* publicó un anuncio en inglés que decía algo como esto:

ANTIALCOHÓLICO ESPECÍFICO DEL
DOCTOR LIM
TÓNICO HERBAL ESPECIAL PARA TODAS
LAS ENFERMEDADES ALCOHÓLICAS NERVIOSAS

Esta notable infusión, compuesta exclusivamente de sustancias vegetales, provee una cura rápida y radical contra el hábito del licor. Múltiples experimentos realizados con víctimas del alcohol han resultado altamente satisfactorios, y por esta razón considero que, al poner a la venta este producto, estoy participando un gran beneficio a las familias que podrán regenerar a cualquiera de sus miembros que haya adquirido tan terrible vicio.

DOCTOR J. WALTER LIM

quien ofrece sus servicios en su Oficina:
Calle Cepeda No. 226, frente a la plaza Torreón, México

Son pocas las cosas que sabemos de Lim. Que llegó a la comarca en 1895 procedente de California y que con él venía —o quizá lo alcanzó después, es difícil precisarlo— su hermana: la única mujer china de cuya presencia en 1911 se tiene certeza. Que esta hermana estaba casada (no sabemos si desde antes de su arribo o si se conocieron aquí) con Ten Yen Tea, agricultor y empleado de Lim. Que la pareja había procreado tres criaturas: una muchachita que tenía 14 años al momento de la toma de Torreón y dos niños más pequeños. Que el doctor estaba fuertemente asimilado a la cultura estadounidense; es probable que fuera cristiano protestante y debiera su título de medicina a una universidad de California, lo que me hace pensar que, al igual que Foon-chuck, pudo haber arribado a América siendo adolescente y quizá fue adoptado por una familia anglosajona piadosa. Que se adaptó bien a México y tenía intenciones de permanecer en el país, pues tomó la nacionalidad en 1889. Que vivía en el centro de la ciudad y despachaba frente a la plaza del 2 de Abril. Que poseía una finca de ladrillo carmesí a las afueras del pueblo, al oriente, por el rumbo de El Pajonal, entre la alameda y las huertas de sus compatriotas. Que, además de mantener una consulta médica, participaba de los negocios de Foon-chuck y la Asociación Reformista. Que era, según tradición oral, muy querido en Torreón, probablemente por su carácter afable, su inglés y español correctos y porque, a diferencia de casi todos los cantoneses, participaba de las costumbres occidentales. Que no era representante del imperio celeste: él mismo lo enfatizó ante el fiscal Ramos Pedrueza en agosto. Que el juez Macrino J. Martínez lo obligó a firmar en mayo un papel lleno de calumnias. Que se consagró durante los días posteriores a la matanza a asistir a los sobrevivientes. Que sentía respeto por un soldado revolucionario llamado Sabino Flores, a quien llamó "todo un hombre honrado y caballero". Que se equivocaba: tal vez Sabino habló bien de los chinos con Lim en privado, pero frente al fiscal Ramos Pedrueza repitió lo mismo que había declarado antes al juez militar Macrino J. Martínez: que él y su gente dieron muerte a varios cantoneses porque éstos los habían hostigado en forma armada desde el 13 de mayo. Que el error de juicio de Lim demuestra que era un hombre candoroso. Que la masacre le destrozó la vida.

Sabemos también que JW siguió viviendo en Torreón por lo menos hasta 1919. Ignoro la fecha de su muerte. No hay descendientes suyos en La Laguna.

3

A los 17 años, Emiliano Lojero tuvo un bautizo de sangre que le predestinaba a la grandeza: se batió en Puebla contra el ejército francés bajo las órdenes de Ignacio Zaragoza en la batalla del 5 de mayo. Su rango era de subteniente. Un lustro después era un flamante capitán de 22 y fue nombrado, en junio de 1867, miembro del Consejo de Guerra que condenaría a muerte al archiduque Maximiliano de Habsburgo.

Lojero nació en Querétaro en 1845. Para cuando estalló la Revolución era un canoso general probado en toda clase de menesteres, desde la guerra franca hasta la represión. Tenía 66 años y la fama de ser hombre de una pieza, por eso el régimen le encomendó en 1911 la defensa de Torreón, uno de sus principales centros de poder y un foco rojo de rebelión y descontento.

Ya habrá tiempo de hablar de lo que Lojero hizo o dejó de hacer entre el 13 y el 15 de mayo de ese año, tres días que unirían su nombre a un genocidio. Lo cierto es que, a partir del episodio, todo se ennegreció a su paso. El general Juan Manuel Torrea, testigo y analista de la Decena Trágica, lo ubica como leal a la democracia, o al menos en una posición neutral que hubiera funcionado como mecanismo de negociación entre los militares y la presidencia de Francisco I. Madero, si tan sólo este último hubiera nombrado secretario de Guerra a Lojero en enero de 1913. Pero el nombramiento no se produjo y, en febrero, Emiliano atestiguó el prendimiento de su amigo Felipe Ángeles y los asesinatos de José María Pino Suárez y Francisco I. Madero. En marzo, Victoriano Huerta lo nombró jefe de la Tercera Zona Militar con sede en Nuevo León. El veterano general aprehendió y envió a la ciudad de México para su ejecución o encarcelamiento al alcalde Nicéforo Zambrano y a otros reconocidos opositores. No parece que Lojero estuviera contento con su encargo, pues se jubiló de las armas pocos meses después.

Pronto lo alcanzaron las humillaciones; el carrancismo triunfante no le perdonó su fidelidad a Huerta. Salvador Alvarado cuenta que un senil Emiliano Lojero intentó suicidarse en febrero de 1918 a causa de las estrecheces económicas a las que se veía sometido. Murió en 1923, a los 78 años. Salvo por el relato de la manera en que un día abandonó Torreón, la historia lo ha olvidado. Ésa es la gloria de quien debutó en la guerra derrotando a un ejército imbatible y se dio después el lujo de mandar matar a tiros al hermano pequeño de un emperador.

4

La segunda vez que Federico Wulff llegó a La Laguna, Andrés Eppen le ofreció un trabajo que más sonaba a alucinación producida por la fiebre: trazar los planos de una ciudad moderna en torno de una solitaria estación de trenes en medio del desierto.

Dos cosas distinguen el proyecto que Fred diseñó en esa ocasión. Una, que es escrupuloso; a pesar de lo accidentado del terreno, que al poniente hace un intrincado cuello de botella entre el río y los cerros, el ingeniero y arquitecto se las compuso para calcular cuadrados perfectos en casi todas las manzanas. Otra, que es holgado: dicen que Wulff midió su idea utilizando el sistema inglés pero los encargados de ponerla en el terreno ejecutaron su labor con el sistema decimal. Por eso las calles y las banquetas de Torreón son más cómodas que las de casi cualquier otra ciudad mexicana.

Federico se avecindó en la población que él mismo había inventado y se enriqueció haciendo obras de riego para los latifundios algodoneros. También dibujó proyectos para empresas mineras y erigió edificios como el Hotel Salvador —donde se hospedaría Emilio Madero tras la primera toma de la ciudad— y la presidencia municipal porfirista. Algunos de sus planos originales se han desperdigado por los municipios de la comarca. La gente —me tocó atestiguarlo entre los mineros de Ojuela— los atesora como reliquias.

En 1901, Wulff compró la cima de una escarpada colina cercana a la actual colonia Durangueña y construyó ahí un palacete mezcla de estilo neoclásico y castillo alemán realizado en piedra gris de Durango. Tenía 15 habitaciones y un sótano, un sistema de canasta de lavandería a través de los baños de la primera y la segunda plantas y, tanto en el interior como en las terrazas, pisos de encino y de azulejos italianos. La mansión fue terminada en 1905. Los laguneros la bautizaron enseguida como la Casa del Cerro. Actualmente alberga el museo de la ciudad.

El 13 de mayo de 1911, armado probablemente con unos prismáticos, Federico subió al techo de su pequeño castillo. Desde ahí atestiguó, durante tres días y en distintos momentos, la batalla por Torreón. Su insospechada atalaya le proporcionó una imagen panorámica de la masacre de la colonia china.

5

José María Grajeda fue un yerbero que se las daba de doctor. Poseía un puesto en el parián, donde el pregón de sus productos se alternaba con la oferta cantada por comerciantes orientales de hortalizas. Puig piensa que sentía celos de los inmigrantes debido a la buena reputación de los remedios que vendían. Lo cierto es que no tenemos nada: ni siquiera es seguro que, antes de la toma de Torreón, Grajeda hubiera sido miembro del ejército maderista. Bien pudo tratarse nada más de un vecino encabronado y a caballo. Nadie sabe por qué odiaba a los chinos.

6

Hartford Harold Miller Cook fue un empresario y fotógrafo estadounidense que arribó a Torreón en 1905 y se quedó en el pueblo durante 30 años. Su cámara registró algunos de los momentos fotogénicos de la utopía lagunera. Iluminó de todo (la palabra *iluminar* es muy bonita; une a poetas, dibujantes y fotógrafos): desde revolucionarios que entraban a caballo al Casino de la Laguna hasta la inauguración de un puente de acero sobre el río. Su mirada es profunda en términos de campo. Se autoproclamaba "fotógrafo aficionado" pero el título no le hace justicia. Poseyó un notable sentido de la oportunidad, como lo demuestran sus mejores placas revolucionarias: 11 jinetes frente a la metalúrgica de Torreón sobre una calle encharcada; soldados federales alrededor de un avión tan frágil que parece de papel. Tenía también un sentimiento de la cinética más bien impuro pero lleno de frescura, algo que se nota en un paseo de caballeros —a la izquierda— y señoritas —a la derecha— por la plaza del 2 de Abril en 1907. La densidad de los cuerpos masculinos en trajes oscuros, de espaldas y en primer plano, semeja una masa a punto de desplomarse. En contraste, el grupo de doncellas que se aproxima, casi todas de blanco, semeja flotar. Es, en su maniqueísmo e inconsecuencia, una imagen preciosa.

Miller registró la masacre de 1911. Sus placas están en el Archivo Municipal Eduardo Guerra de Torreón. Una de las más conocidas muestra una estampa digna de Ingmar Bergman: sobre una lodosa avenida, un *guayín* se aleja cargado de muertos.

7

Tengo la impresión de que la retórica burocrática de principios del siglo XX era menos retorcida que la de hoy. El ejemplo extremo lo encontré en los oficios que el presidente de la República dirigió a la Secretaría de Relaciones Exteriores para dar seguimiento a la matanza de 1911. Son mensajes de tres o cuatro líneas firmados con un escueto: "León de la Barra".

Dice Alejandro Rosas que a Francisco León de la Barra, nacido en 1863 y descendiente de un argentino aristocrático y de una señorita de la alta sociedad queretana, le apodaban *el Presidente Blanco* por su alcurnia, refinamiento y catolicismo (y, agregaría yo, porque no era mestizo como Díaz). Sin embargo, a mí me parece que deberíamos reconocerlo como el presidente gris: nada quedó de los casi seis meses en los que gobernó México. No creo que esto se deba a falta de capacidad suya (su época lo reconoció como especialista en derecho internacional) sino a circunstancias propias de cualquier interregno.

Francisco estudió derecho en la Universidad Nacional y rápidamente se involucró en política: a los 28 años era diputado federal. Fue lo que podría considerarse hoy un diplomático de carrera: empezó como abogado consultor en el Ministerio de Relaciones Exteriores y en 1896 ingresó al cuerpo oficial, sirviendo primero en América del Sur y luego en Holanda y Bélgica. Se le designó representante mexicano en la Conferencia de Paz de La Haya de 1907, y en 1909 recibió nombramiento como embajador ante Estados Unidos, cargo que ocupaba cuando estalló la Revolución. Díaz lo llamó de vuelta a México para que se encargara de la cancillería, tal vez pensando en la importancia del apoyo estadounidense para el sostenimiento de su gobierno. El 25 de mayo, León de la Barra accedió al cargo de presidente interino tras la renuncia de don Porfirio.

Aunque la matanza sucedió antes de su régimen, fue al presidente gris a quien le tocó lidiarla en términos jurídicos. De la Barra se mostró al respecto como un diplomático de cuerpo entero: activo, informado, respetuoso, enérgico e incapaz de arreglar un café. Es justo subrayar, sin embargo, que tomó una decisión sobresaliente al nombrar fiscal de los hechos a un jurista de la talla de Antonio Ramos Pedrueza. Eso es bastante más de lo que podría decirse a favor de cualquier presidente mexicano que haya gobernado durante lo que va del siglo XXI.

8

Glotón y carismático, George C. Carothers encarna uno de los estereotipos del *pinche gringo* preferidos por nosotros. En muchas de las anécdotas que rodean su figura es perceptible el humor y el pragmatismo, el instinto negociador, la celeridad con que atendió los encargos, su irónica resignación frente a lo que consideraba defectos de los indios y mestizos (en una carta consignada por Dambourges declara que los mexicanos podían ser "worse than savages when they are beyond control"); pero también queda claro que sintió verdadera simpatía por el país, del cual podría considerarse hijo adoptivo. Le importaba, así fuera vagamente, el destino de quienes vivían en la miseria.

Nació en 1878 en San Antonio, Texas. Su padre fue un médico que radicaba intermitentemente en Saltillo desde 1868, por lo que el propio George pasó largas temporadas en México desde la infancia. A los 17 años aparece en Torreón como cajero del Ferrocarril Internacional. A los 22 figura como dueño de una tienda de abarrotes. Es cuando se le nombra agente consular, un puesto que desempeñaría hasta 1913 para convertirse luego en representante del gobierno estadounidense frente a Francisco Villa y negociador —en 1914— entre el gobierno de Wilson y Venustiano Carranza durante la crisis diplomática de Veracruz. Antes de eso, en 1905, Carothers estableció en La Laguna un par de empresas dedicadas a la importación. Era también propietario de una mina y se le había elegido secretario de la Cámara de Comercio. Se dio tiempo para desempeñarse como empresario teatral. Estaba casado con Clara, una mujer muy rubia con reputación de hermosa que se quejaba ante sus compañeras de *bridge* de tener "el rostro de un pastel a medio cocer".

El mejor conocido de los retratos de George muestra a un hombre mofletudo pero atractivo, de rasgos serenos, barbilla partida, ojos claros detrás de redondos espejuelos, cuello muy corto y, sobre la frente ancha (tendía a la calvicie), un correcto copete estilo Peña Nieto.

Carothers tenía 33 años cuando los maderistas llegaron a las puertas de Torreón. El tono de su correspondencia oficial previa al asalto trasmite una vaga simpatía por los revolucionarios, y aunque su posterior declaración ante Ramos Pedrueza demuestra reprobación tras la masacre, no pasaría mucho tiempo antes de que el cónsul volviera a entusiasmarse con el movimiento armado a través de uno de sus personajes indelebles: el general Francisco Villa.

9

William Jamieson (o *Billee*, como lo bautizaría cariñosamente su mujer) llegó a La Laguna a principios del siglo xx. Había nacido en Ottawa, era hijo de un farmacéutico, estudió medicina en la Universidad McGill y ejerció su profesión en Oklahoma antes de mudarse a Torreón por sugerencia de Tom Fairbairn, un amigo de la juventud. El arribo de su tren de pasajeros coincidió con un sarao fenomenal: no había ese día en el pueblo un solo médico sobrio. La bella Clara Carothers salió en busca de ayuda urgente para George, quien sufría una infección de garganta. En una bocacalle chocó con un desconocido que evidentemente no era mexicano.

Lo miró.

—¿Es usted el doctor que acaba de llegar?

—Así es.

—¿Y está borracho?

—No lo creo.

Clara lo tomó del brazo y lo condujo hasta la habitación donde yacía su marido. Una estrecha amistad floreció desde entonces entre el médico y el cónsul.

Apenas establecido, Jamieson se dedicó a cortejar a Gertrudis (o *Tulitas*, como la apodaban sus parientes, o *Dalla*, como la llamaría él en sus cartas), una muchacha de 17 años a la que había conocido —desvelada, despeinada y algo sucia— una mañana de invierno en la estación de trenes. Linda, la madre de *Tulitas*, no estaba conforme: no le bastaba un médico blanco canadiense, habría preferido que su hija desposara a un alemán. Por eso el noviazgo se prolongó durante más de un año. En el transcurso, hubo un pequeño escándalo que estuvo a punto de amargar la relación: en 1905 y en ocasión de un baile organizado por Federico y Linda Wulff, una pareja de mexicanos recién casados cooperó con parte de la bebida. El alcohol había sido adulterado, y algunos comensales empezaron a dar muestras de intoxicación. No tardaron en correr acusaciones: alguien trepó a una silla y gritó que los gringos querían acabar con los mexicanos, en tanto que un extranjero reclamaba lo contrario. Afortunadamente, no se registraron muertos. Al joven mexicano que había aportado los tragos (otro médico, por cierto) se le acusó formalmente de intento de homicidio en perjuicio de su suegro, con quien había tenido antes desavenencias graves. No faltaron los rumores de un evento subversivo: un ataque contra la burguesía emprendido por el pueblo llano. Las sospechas de intoxicación dolosa menudearon en la comarca durante años y tuvieron su peor secuela en 1911, cuando los maderistas acusaron a la colonia china de intentar envenenarlos con coñac.

Billee y *Tulitas* se casaron en 1906. Mientras vivían en La Laguna, procrearon dos hijas, la más pequeña de las cuales murió en 1910. En abril de 1911, ante la inminencia de un ataque a la ciudad, *Billee* escoltó a su esposa y a su pequeña Evelyn hasta San Antonio. Regresó a la comarca tras una accidentada travesía ferroviaria que le tomó 125 horas: más de cinco veces de lo que era habitual. A finales de mayo, Jamieson escribiría a su padre una larga carta que da cuenta de éstas y otras vicisitudes y también de su experiencia como voluntario de la Cruz Roja durante la primera toma de Torreón. Se trata de uno de los más entrañables testimonios que existen sobre el pequeño genocidio.

10

Herbert Ashley Cunard Cummins nació en Inglaterra en 1871. Pasó las primeras décadas del siglo XX en México y llegó a ser un diplomático importante a pesar del menosprecio y la mala leche con que obsequió no pocas veces al país. Timothy J. Henderson lo retrató así:

> Tenía 52 años en 1923. Era un hombre alto y rubicundo de calva incipiente, bigote blanco y una pomposa rigidez que lo acreditaba, según su particular código de conducta, como campeón de la propiedad privada y del incontestable sentido de justicia de todo aquello que fuese anglosajón. Se había graduado en el Christ College de Finchley. Adquirió el título de caballero de la Orden de St. George y de St. Michael, y después el de oficial de la Orden del Imperio Británico. El apasionado etnocentrismo de Rosalie Evans halló en Cummins una cordial resonancia: "Quiero ayudarla —le dijo él una vez—; es usted orgullo nuestro y un ejemplo de lo que puede hacer la buena sangre angloamericana".

Plutarco Elías Calles le dedicó una frase exagerada y lapidaria: "Cummins entiende de México lo que yo entiendo de una partida de *cricket*".

A su arribo a la capital, Cunard (como lo llamaban sus amigos) escandalizó a la sociedad burguesa al cohabitar abiertamente con la mujer que era su amante. Luego, al promediar los años 20, se convirtió en un solterón excéntrico que vivía resguardado por un formal mayordomo y tres sirvientes chinos en una casa con jardín llena de canarios, pavorreales y serpientes exóticas. Llegó a convertirse en un dolor de cabeza para las autoridades mexicanas a causa de un sonado conflicto diplomático: su apoyo oficial a las demandas de Rosalie Evans, una viuda inglesa notoriamente racista cuyas propiedades agrícolas habían sido enajenadas por un clan del zapatismo. Enemiga de la reforma agraria y determinada a no hacer concesiones al nuevo orden político, Evans terminaría trágicamente asesinada en un camino vecinal —es casi seguro que por elementos revolucionarios— en agosto de 1924.

En algunas encomiendas y también en privado, Cummins reservó a los gobiernos mexicanos y al país en general una opinión no muy lejana al insulto. Su actitud me parecería injustificable si no supiera que fue él —en ese entonces vicecónsul de la corona británica en Gómez Palacio— el improvisado sepulturero que se apiadó de los restos de la masacre mientras las tropas maderistas realizaban un desfile triunfal.

11

Existe una chula fotografía de cuando Urquizo debutó como revolucionario. Está fechada con plumón en 1910. Creo que el dato está mal: según su propio testimonio, el futuro novelista se sumó a la revuelta el 7 de febrero de 1911. De todos modos el retrato es una farsa impecable: tanto Urquizo como su compañero de pose, Manuel H. Reyes Iduñate —ambos, a la postre, habrían de ser generales— lucen recién bañados, limpiecitos. Pretenden estar parapetados tras una fuente, quizás en el centro de un patio urbano pues al fondo se ven una fachada de ladrillos, varias macetas y una alta bugambilia. Quien mejor delata la condición ficticia del retrato es el propio Urquizo: porta un bigote pantagruélico, sostiene el rifle con desgano y exhibe una vaciladora, mal actuada sonrisa; parece esforzarse por no mirar a la cámara. No me sorprendería que la foto hubiese sido tomada tras la victoria de Torreón.

Francisco Luis Urquizo Benavides nació en San Pedro de las Colonias. Era hijo de agricultores provenientes del lado durangués de la comarca y pasó una parte de su infancia en Torreón, lo que le dio una imagen nítida y cábula de la urbe; pocos autores la han descrito con tanta precisión. Quiso tomar desde niño la carrera de las armas pero su padre, hombre práctico, lo obligó a desistir y lo envió a la capital a estudiar comercio. Urquizo quedó huérfano y volvió a La Laguna con la intención de hacerse cargo de la parcela familiar, mas la falta de dinero y el sueño de aventura lo empujaron a sumarse a la revuelta. Tenía 20 años. Es seguro que participó en la primera toma de Torreón y es casi un hecho que habrá formado filas en el frente poniente bajo las órdenes de Orestes Pereyra.

La huella que Urquizo dejó del asedio no es castrense sino estética. Su novela *Tropa vieja* (1937) narra el suceso desde un punto de vista opuesto al testimonio: la voz en primera persona del ficticio soldado de leva Espiridión Sifuentes, defensor de la ciudad. Las escenas donde mejor luce el recurso son el combate por el Cerro de la Cruz y la retirada de las tropas federales a través del cañón del Huarache, dos momentos que expresan con sencillez y patetismo la compasión del novelista por los hombres contra quienes alguna vez abrió fuego. La prosa del general no es, ni de cerca, la mejor de su época; todos sabemos que ese privilegio le pertenece a Martín Luis Guzmán. Sin embargo, la focalización al final de la primera parte de *Tropa vieja* me parece un momento extraño y majestuoso del realismo literario en México.

12

Jesús Flores fue albañil; su vida transcurrió en el ámbito urbano. El periódico *The Torreon Enterprise* lo identifica como "encargado de asuntos públicos" (tal vez una suerte de alcalde interino) en Gómez Palacio durante mayo de 1911. Es probable que hubiera sido opositor desde años atrás, durante la época del anarquista PLM. Pese a su falta de educación formal era elocuente y tenía mando de tropa y autoridad política. Digo esto para matizar a Juan Puig y a Delfino Ríos, quienes presentan a Jesús como un ignorante trabajador fabril sin moral o sin ascendiente sobre las masas. El mero hecho de que su autoridad fugaz y su muerte en el frente de batalla hayan quedado registradas por periodistas e historiadores de diversa extracción denota que fue una figura revolucionaria con arraigo regional durante los días del asedio.

El 5 de mayo de 1911, los maderistas realizaron en Gómez Palacio un desfile militar y una ceremonia cívica para conmemorar la batalla de Puebla. Entre los discursos xenófobos de rigor (después de todo se trataba de conmemorar la mítica derrota de un ejército extranjero), hubo uno de Jesús Flores contra los chinos: los acusó de ocupar empleos que le correspondían a los mexicanos, de suplantar a las mexicanas en algunas de sus *naturales labores* —cocinar y lavar ropa— y planteó como una de las metas del maderismo la prohibición definitiva de la inmigración de orientales a México.

Semanas más tarde, en un artículo publicado por la prensa local, el profesor Delfino Ríos afirmaba que el discurso de Flores incitó al populacho a matar a los chinos. Pero Ríos no estuvo presente durante la ceremonia del 5 de mayo. En cambio Cunard Cummins, el vicecónsul británico, sí. Cunard afirmó ante Ramos Pedrueza que el discurso de Flores se limitó a aspectos políticos, sin lanzar nunca amenazas de índole guerrera.

13

La colonia china se sabía en peligro.

Un poco antes del asalto, el coronel Francisco del Palacio, jefe político de la ciudad, convocó a una asamblea de empresarios, comerciantes y extranjeros. La reunión se llevó a cabo en la Sociedad Reformista China. Juan Puig afirma que en el acto participaron Woo Lam Po y Foon-chuck. Yo no estoy muy convencido de la presencia del segundo: vivía en Piedras Negras y no hay testimonios ni rastros documentales de que estuviera en Torreón durante los días de combate.

El objetivo del coronel Del Palacio era pedir a empresarios y migrantes la integración de guardias blancas destinadas a cubrir la retaguardia del ejército federal y a hacer frente a la guerrilla infiltrada (que, como luego se vio, formaba un contingente de cierta importancia). La mayoría de los convocados se negó a participar en la defensa. Miguel Robledo —quien poseía una tienda de abarrotes frente a El Puerto de Shanghái y días más tarde habría de revelarse como maderista activo— se indignó ante la propuesta. Los líderes chinos guardaron silencio.

Es seguro que miembros de la burguesía local formaron cuadrillas en defensa del régimen. Existe al menos una imagen (consignada por Terán Lira) que muestra una barricada hecha de troncos en una de las calles. La mayoría de los presentes viste de paisano con sombreros de ala corta, algunos llevan traje y es posible reconocer en el extremo derecho la presencia de una mujer bien vestida tocada con un sombrero. Terán identifica al grupo como "la 'Defensa Social' compuesta por caballeros de la sociedad porfirista y encabezados por el coronel Carlos González". Otra imagen compilada por el médico muestra —en una quemadísima, casi indiscernible copia— una columna de jinetes. La nota al pie reza: "El coronel Carlos González formó un cuerpo de rurales llamado Chaquetas Amarillas con capataces y guardias blancas de los hacendados para pelear contra los maderistas en defensa de Porfirio Díaz".

El profesor Delfino Ríos es quizás el primero en identificar a este grupo como los Voluntarios de Nuevo León, también llamados *Amarillos de la Laguna*. Aparecen en la novela *Tropa vieja* de Francisco L. Urquizo, donde se les describe como un escuadrón de élite cuyo odio a los revolucionarios rebasaba el encono del ejército federal: no sólo enfrentaron al enemigo sino que lo cazaban, lo arrastraban a cabeza de silla entre las nopaleras, le pegaban decenas de tiros incluso estando muerto, lo desmembraban, lo colgaban de los postes del telégrafo junto a las vías del tren para que aprendiera a respetar... Sus prácticas no fueron muy distintas a las de los cuerpos paramilitares contemporáneos.

El hecho de que los *Amarillos* hayan participado como feroces combatientes en la defensa oriental de Torreón, donde se asentaban huertas chinas, pudo atizar la sinofobia de los maderistas: no sería la primera vez en que un equívoco lingüístico abona a una masacre. No existe, sin embargo, un solo dato positivo que permita afirmar que la comunidad china lagunera estuvo interesada en dar pelea a las tropas insurrectas. Por el contrario, tras la reunión con el jefe político Francisco del Palacio se dio a conocer la postura formal de Woo Lam Po respecto del vendaval que se aproximaba. El *lobbysta* mandó imprimir en caracteres chinos un volante que se distribuyó entre los miembros de la colonia oriental desde el 12 de mayo, y que en la traducción del inglés al español realizada por Puig dice así:

¡Hermanos, atención! ¡Atención! Esto es grave. Han ocurrido muchos sucesos injustos durante la revolución. Se nos ha informado que antes de las diez de la mañana de hoy los alzados unirán sus fuerzas para atacar la ciudad. Es muy probable que durante la refriega se desate una multitud que se dé a saquear las tiendas. Por esto aconsejamos a nuestra gente que, cuando las multitudes se junten, cierren sus puertas y se escondan, y bajo ninguna circunstancia abran sus negocios ni salgan a ver la pelea. Y, si forzaran algunas de sus tiendas, no opongan resistencia y déjenlos tomar lo que quieran, puesto que de otro modo sus vidas correrían peligro. ESTO ES IMPORTANTE. Una vez que termine el percance, trataremos de llegar a un acuerdo. / Firmado Sociedad de Comerciantes y Trabajadores Chinos de Torreón.

A contrapelo de su carácter profético, es probable que el volante llegara tarde a la zona de las huertas, donde los cadáveres de chinos menudearon a partir del crepúsculo del día siguiente.

TAXI (4)

Acabo de llegar,
no soy un extraño.

CHARLY GARCÍA

Tengo hecha la maleta. Reviso la habitación para confirmar que no me olvido nada. Los cuartos de hotel son entidades pasionales: puedes habitarlos durante seis horas o un fin de semana y disfrutar lo que tienen de oquedad, de novedad, de ardor o superficie. Pero, si encallas en su confort durante un par de semanas, es probable que las paredes comiencen a devorarte como si lo provisional fuera una mantis religiosa de la mente.

Cierro la cuenta en recepción, pido un taxi y le digo al chofer que me lleve a la terminal de autobuses. No voy demasiado lejos. Soy lo que se conoce como un partisano; alguien cercano, alguien capaz de amar a La Laguna a contraluz de una gotita de veneno. No soy un extraño.

Mientras el auto circula sobre Diagonal Reforma rumbo a Juárez, repaso mentalmente mi viaje. Huelo el café en casa de Adriana Luévano; toda la finca apestaba a caca de palomas porque una parvada se amarchantó en el patio sin invitación alguna, asumiendo su justo estatus de naturaleza expropiadora del mundo. Huelo la densa mezcla de aire puro y tufo a charco que cantan los conscriptos al amanecer por las pistas del bosque Venustiano Carranza: "Este pasito, chiquito de verdad, este pasito chiquito va a durar". Repaso de memoria los *malls* infinitos, las escaleras eléctricas, la sensación difusa del aire acondicionado como una asfixia ambulatoria. Paladeo la desabrida carne 100 por ciento Angus Black Imported del Tony Roma's y la exquisita arrachera de una fonda con mesas de plástico a la que me condujo el poeta Félix. Fumo felicidad que es nada: un cigarrito que me obsequió un desconocido en el interior de Revistas Juárez, como si no viviéramos en el regañón y reaccionario y saludable siglo XXI. Escucho la voz tipluda del ciclero que pregona gorditas de cuajada frente a la biblioteca García de Leona. Pierdo la conciencia en un diminuto y desierto bar fresa de la Plaza San Isidro donde me regalaron un par de *single malt* por el hecho de asistir en compañía de parroquianos ilustres.

El taxi pasa a un lado de la Central de Abastos.

Rememoro otros viajes: el antro *groovie* en el que una vez canté vistiendo una piyama como *frontman* de una banda de rock, los rápidos contratos verbales con dílers esquineros, el sotol de Jimulco y el mezcal de Nombre de Dios, los tugurios de La Alianza, la guapa cincuentona cuyo lento orgasmo me sacó sangre de las rodillas, la cancha de básquet donde fui humillado al 21 por el poeta y mago Carlos Reyes, el Hotel Palacio Real y sus putas de a 300, los camerinos del Teatro Nazas, las heladísimas cervezas que compartí en centros botaneros con Paco Amparán —que ahora está muerto—, la noche en que arribé sin previo aviso y en compañía de una rubia más alta que yo y cubierto de polvo de las dunas de Bilbao al hogar budista de Marco Antonio y Susana, las mejores librerías de viejo del norte del país, la chola virulencia de Miguel Morales, los partidos del Santos, las porras que cantaban "No ganamos pero cómo nos divertimos" mientras hacían percusión con botellas de pet, los goteros de opio líquido conocidos como meados de chango, las leyendas de aparecidos, el sexo, las drogas y la cumbia, el ensordecedor ruido de motores de antiquísimos camiones de ruta que llevan a San Pedro, a Madero antes Chávez, a Viesca y Matamoros, los comercios cerrados, los grafitis sin chiste, la alegría y la belleza tiradas en el suelo y agarradas a puntapiés por Lo Real...

Damos vuelta a la izquierda sobre Juárez. El taxista habla de algo que ni entiendo ni me importa: dice que es de Durango y que hubo allá una empresa minera que destruyó un cerro completo en apenas 10 años.

Le pregunto:

—¿Usted sabe algo de los chinos que mataron aquí?

Hace un gesto de negación con la cabeza. Luego de una pausa, me mira a través del espejo retrovisor.

—¿Y usted?

—¿Yo qué?

—¿Usted sabe algo?

LA CASA DEL DOLOR AJENO

Sábado 13 de mayo de 1911

Temprano en la mañana, Benjamín Argumedo se pasó un paliacate debajo del mentón. Lo apretó hacia arriba y se lo ató sobre la coronilla con doble nudo. Luego se caló el sombrero.

—¿Eso pa' qué? —preguntó uno de sus hombres.

—Pa' que no me entren las moscas.

Años más tarde Benjamín declararía, según la prosa victoriana —por huertista— de un ignoto secretario: "...le tengo mucho asco a las moscas, porque en muchos casos he visto con horror cómo a los cadáveres les hierven a su alrededor atraídas por las heridas y por el hedor, y luego les salen como enjambre por la boca".

Las tropas de Benjamín se plantaron al este y al sur de la ciudad, a pocas leguas de la alameda, junto a la Continental Rubber Co. y en los límites de las huertas chinas. Eran algunos centenares de jinetes entre los que quizá se contasen Sabino Flores y Plácido Orduña. Todos ellos le respondían a Sixto Ugalde.

Aunque Pablo Lavín se negó a combatir, es posible que elementos de su clan se incorporaran al asedio: ocupaban Lerdo, a escasos kilómetros de Torreón, y la autoridad de Jesús Agustín Castro cristalizaba poco a poco —aunada al deseo de rapiña— entre los miembros de otras fracciones. Cinco días después de la masacre, Sabino Flores afirmó ante J. Lim que los primeros soldados en ocupar las huertas provenían de Lerdo. No es imposible que entre ellos hubiera gente de Pablo.

El cuartel general del maderismo, donde casi con certeza despachaba el joven Castro, se afincó en una casa del rancho La Rosita. Tres banderas mexicanas ondeaban sobre el techo representando el triunvirato de Sixto, Jesús y *don Oreste*. Desde el límite poniente entre Durango y Coahuila, Pereyra hostigó la ventajosa posición del ejército federal (que se había fortificado en los cerros) esparciendo a cuentagotas a su gente. Sus objetivos eran flanquear la línea defensiva de Calabazas y el Cerro de la Cruz, ocupar el extremo sur de Torreón a través de las cañadas y trepar las colinas de La Constancia y La Fe. Esto le permitiría combatir al enemigo desde el interior de la ciudad, en igualdad de altura y tomándolo de espaldas.

No había un punto a las afueras de Torreón que no estuviera custodiado por efectivos rebeldes. Como determinarían después los vigías federales, el área menos fortificada era el cañón del Huarache. Esto pudo tener como razón que los indios ocuileños comandados por Calixto Contreras llegaron tarde al cerco: cuando el combate y la matanza ya se habían consumado.

En todos los frentes pululaban desgarbados batallones de infantería. Al fondo de éstos se mezclaban soldaderas, curiosos y no pocos delincuentes comunes; civiles pobres en busca de una oportunidad para saquear, descargar su rencor, hacer negocio. Eran los gorrones de la fiesta de las balas.

Desde Gómez Palacio, y a lo ancho de la retaguardia maderista, el racista confeso y vicecónsul británico Herbert Ashley Cunard Cummins se dio a la tarea —previo acuerdo con el joven comandante Castro— de organizar a médicos, enfermeras y voluntarios en el establecimiento de puestos de la Cruz Roja, remangándose la camisa y yendo él en persona a levantar a los caídos. Lo hizo con una discreción y una ética de amor propio que agigantan su retrato.

Todo indica que, mientras tanto, Emilio Madero permaneció cómodamente hospedado en un hotel de Gómez Palacio, ajeno a los sucesos.

El hervidero de preparativos no era menos intenso del lado de Torreón. El general Emiliano Lojero mandó a los *Amarillos* del coronel González Montes de Oca a la primera línea oriental. La mitad del escuadrón (parece que en total eran unos 60) se colocó pecho a tierra y carabina en guardia sobre el bordo de las vías del tren, de espaldas al hospital. Los demás se apostaron sobre el techo del granero de la huerta Do Sing Yuen, propiedad de Foon-chuck. Había más defensores parapetados en los jacales de otros campos de labranza y también en los canales de riego. Francotiradores fueron distribuidos en los techos más altos de la ciudad: el Casino de la Laguna, el Banco Chino, la Sociedad Reformista, los almacenes Lack y Buchenau y La Prueba, la Lavandería de Vapor Oriental…

Mientras soldados federales ocupaban los tejados, por los pisos bajos se deslizaba otra fuerza: era la guerrilla urbana, cuya labor consistió en hostigar las posiciones elevadas de la gente de Lojero.

Existen dos fotografías —Terán Lira consigna ambas— de la defensa federal al noroeste. En la primera, que corresponde al cerro Calabazas, es notoria la presencia de la artillería. Hay un corneta que se distingue de la tropa por ser inusitadamente alto y por su pose relajada: se nota fuera de lugar. A su lado se aprecia un malfajado oficial (es el único que lleva botas buenas) y a la derecha de éste se aglutinan soldados de leva, un cañón, conversaciones. En un segundo plano al centro de la foto hay una bestia poshistórica: un ingeniero topógrafo cuya imagen, desvaída entre el paisaje y los aperos de su oficio, semeja un arácnido *steampunk*.

La segunda fotografía es cruda: retrata a cuatro infantes federales que defienden el Cerro de la Cruz. Los dos más adelantados disparan al enemigo echando rodilla a tierra. El tercero está tumbado en el suelo y apunta con su rifle. El último apunta también, temerariamente de pie. Flota humo blanco al fondo. No es un momento ideológico sino morboso y trágico: ese minuto a medio camino entre Zolá y el periodismo amarillista en el que alguien va a morir.

Tal vez el hospital, cuya externa ubicación hacia el oriente habría sido un riesgo para los defensores heridos, fue desalojado antes del ataque. Se establecieron tres centros de atención médica: el del doctor Alfonso Mondragón, al este, sobre Morelos; el del doctor Salomé Garza Aldape, en el número 1615 de la avenida Hidalgo; y el del doctor José María Rodríguez, situado también en el centro pero un poco más al poniente y al sur.

A las 10 de la mañana, siete hombres a caballo —quizás uno de ellos fuera Benjamín Argumedo— se lanzaron a galope tronando máuseres y revólveres contra la línea férrea al oriente de Torreón. Al otro lado del terraplén, las guardias blancas respondieron ciegamente los plomazos. Desde una loma situada al sur, un vigía hizo señales a los atacantes precisando las posiciones enemigas. Los embates de la caballería maderista —ya no siete jinetes, sino cientos— continuaron hasta después de la una de la tarde. Las columnas cargaban de sureste a norte y abrían fuego a su derecha.

Desde los techos del centro de la ciudad, los francotiradores y las metralletas de Lojero hicieron mella entre los alzados. Los federales apuntaban mejor, estaban bien posicionados y contaban con unas cuantas piezas de mortero, pero les escaseaba el parque y eran pocos. La guerrilla urbana disparaba desde los pisos bajos de algunas casas céntricas, limitando la efectividad de los defensores.

Como a las tres de la tarde, unos 100 jinetes revolucionarios surgieron detrás del hospital. Se habían deslizado por un canal de riego, flanqueando a los *Amarillos*. Al mismo tiempo, desde el sur, junto a las oficinas de la Continental Rubber Co., y desde el noreste, partiendo de la casa en el rancho La Rosita que cumplía funciones de cuartel general, salieron dos bien coordinadas columnas a caballo que se lanzaron de frente, tomando a los defensores por sorpresa y obligándolos a montar y a replegarse. No se habían repuesto del asalto los *Amarillos* cuando a sus espaldas apareció el contingente de los 100 jinetes cargando desde el hospital.

En medio de una de esas polvaredas del Mayrán semejantes a la niebla pero con sabor a tos y asfixia, los Voluntarios de Nuevo León cabalgaron desconcertadamente hasta la ciudad, refugiándose en casas aledañas a la alameda.

El golpe, feroz y fulminante, conquistó posiciones a favor del ejército rebelde, que ocupó los terrenos hortelanos antes del crepúsculo. El miedo hizo desistir de la defensa a algunos voluntarios, como lo prueba el hallazgo ulterior de siete rifles abandonados dentro de una noria.

Un reducido grupo de alzados logró penetrar hasta la alameda y tomó entre dos fuegos a los *Amarillos*, a quienes la guerrilla urbana estaba puliendo a tiros. Pero los rurales eran pura cacha de venado: reordenaron filas, repelieron el fuego a sus espaldas y lograron expulsar hasta las huertas la avanzada de la caballería insurgente. Y aunque —a juzgar por su mediocre presencia en el resto de las crónicas— el ánimo castrense de los Voluntarios de Nuevo León sucumbió a este episodio, las tropas de Castro y Ugalde pagaron cara la victoria: al caer la tarde, las bajas maderistas superaban con creces a las de los defensores.

Desde el centro de Torreón, el primer día del asedio se vivió en forma bronca. Así lo narra *Billee* Jamieson:

"Viva Madero", "Viva Porfirio Díaz"; se desgañitaban las gargantas en su turno. Los disparos continuaron todo el día. Las balas zumbaban y habitaban las calles como piedras. Yo me encontraba en el hospital de emergencias en el centro del pueblo (en la farmacia de los Garza Aldape). Como era de esperarse, los heridos empezaron a llegar. El primero fue un *pelado* [un mexicano de clase social baja] al que, mientras cruzaba la calle Morelos, dos balas le habían entrado en la pierna y le despedazaron la tibia. El próximo fue un curioso que había asomado la cabeza en una esquina para observar qué estaba pasando. Se dio cuenta de los acontecimientos, aunque de una manera inesperada: la bala fulminante de un máuser lo tocó perforándole el cráneo. Trabajamos durante todo el día, y en la noche nos vimos forzados a esperar: los rebeldes habían tomado el generador eléctrico que estaba en las orillas del pueblo y habían cortado la corriente.

Nosotros no osamos movernos, pues las tropas federales disparaban a toda sombra que se movía. Aunque ellos habían prometido respetar a la Cruz Roja, algunas de sus balas nos pegaron cerca. Permanecimos toda la noche ahí en la farmacia. Éramos el doctor Gerkins, Lim, Garza Aldape, algunos trabajadores, el joven Carlos González y yo. Los mosquitos, el calor, los gritos de los heridos que no podíamos llevar al hospital, hicieron de aquella noche una despierta pesadilla.

A diferencia de *Billee*, Lim describe la jornada sobriamente. Dice que como a las cuatro de la tarde llegaron cuatro soldados y dos mexicanos heridos y que, como a las seis y media, él y Garza Aldape tuvieron que salir a la calle, a la esquina de Acuña y Matamoros, a recoger dos heridos más: un carpintero y un borracho. Según su recuerdo, estas ocho víctimas fueron las únicas que arribaron a la farmacia; al día siguiente, el dispensario cerró sus puertas.

Más o menos a la hora en que la gente de Castro flanqueó a los *Amarillos*, el cónsul Carothers estaba apostado detrás de uno de los ventanales del Casino de la Laguna. Observaba el combate del frente oriental con unos potentes binoculares y una excitación de cepa deportiva. Pronto vinieron a chismearle que se llevaban a un gringo a los puestos de socorro: una bala perdida le había mordido el abdomen. George se asustó. Se marchó enseguida a casa —que estaba ahí a un ladito, junto al Hotel Central— y se encerró a piedra y lodo durante 48 horas.

A partir de testimonios orales de primera y segunda mano, Terán Lira reconstruye así la experiencia del asedio desde el punto de vista de los pobres:

Absolutamente nadie quería salir de sus casas por miedo a ser herido o muerto por alguna bala perdida y quedar como la gran cantidad de cuerpos que permanecieron por varios días tirados en plena calle, donde nadie se atrevía a levantarlos, fueran federales, revolucionarios o gentes civiles que por imprudencia [...] fueron a quedar muertos, tirados en medio del arroyo, hasta que gentes piadosas llegaban y los tapaban con cal.

Se ha de pensar también que por aquellos tiempos la gran mayoría de las personas y sus familias tenían en sus hogares animales de corral, sacrificando primeramente las aves, gallinas y pollos, cóconos y palomas, echando a los puercos a la calle para que buscaran qué comer, ya que por la situación no había alimento ni para los humanos, por lo que por las calles se miraban a los pobres animales, perros y puercos hambrientos [...]

No existe crónica histórica de lo que sucedía al poniente. Hay testimonio indirecto: los capítulos XIII y XIV de la novela *Tropa vieja*. Si bien el personaje narrador es ficticio y el punto de vista no es el de Urquizo, la claridad de la exposición, la veracidad de las anécdotas y el hecho de que la participación del autor en la batalla sea indiscutible permiten dar crédito al relato. Según la novela, el combate en este sector empezó mucho más tarde: a la misma hora en que los maderistas flanquearon a los *Amarillos*. Antes de eso, los federales sólo veían pasar a la distancia esporádicos jinetes que, viniendo de Gómez Palacio o Lerdo, se internaban entre las cañadas rumbo al sur o se abrían paso rumbo a las huertas. Los porfiristas les disparaban, pero menos en plan de batalla franca que como práctica de tiro.

Cuando Pereyra hubo infiltrado a su gente en las colinas, los hombres de Lojero debieron romper filas, desmontaron la artillería y volvieron a colocar ésta de espaldas a su posición original; terminaron cañoneando la ciudad que defendían. Los comandos de Castro no buscaron dominar el río Nazas sino establecer una posición defensiva para bordear el cuerpo de agua hacia el oriente e integrarse a los escuadrones de El Pajonal. Es probable que tales estrategias hayan confundido a los defensores.

Una táctica que se empleó en el frente occidental y en sus posiciones conquistadas al sur fue esperar la noche para aterrorizar a tiros a los soldados de leva. De todos modos la puntería maderista iba a ser mala a plena luz, y de noche tenían al menos la ventaja de su número: "Era un mundo de gente la que iba a atacarnos", le hace decir Urquizo a Espiridión Sifuentes, el ficticio soldado raso con un mísero sueldo de 35 centavos diarios que protagoniza su relato. Urquizo pone en boca de Espiridión otro párrafo que, más que a fabulación, sabe a testimonio:

Había temorcillo; puede que hasta miedo: así sucede siempre en todos los combates cuando van a comenzar; las primeras balas son las que más enchinan el cuerpo. Pasado un rato, se ven venir las cosas más malas como si no tuvieran importancia y fueran las más naturales del mundo. El que diga que nunca ha tenido miedo en un combate, no dice la verdad; todos hemos sentido frío en el espinazo, aunque fuera al comenzar la pelea. Cuando silban las primeras balas, no hay uno que no se encoja y que no suma la cabeza entre los hombros. Dan ganas de orinar y algunos, impacientes, lo hacen hasta en sus mismos calzones. "El miedo es familia" y el que diga lo contrario, miente. Unos lo confiesan y otros se las dan de muy machos, pero todos lo sienten, aunque no lo digan. Esas balitas que pasan en lo alto y que hacen siempre ¡tzín, tzííín!, van ya de pasada, pero tienen el privilegio de arrugar el cuero de quien las oye. Esos fogonazos que ve uno a lo lejos salir de las carabinas, y que no se sabe todavía por dónde irá a ganar la bala que soltaron, y que bien puede ir a clavarse en el cuerpo de uno, enchinan el cuero, digan lo que quieran los que se las dan de lebrones o de muy baleados.

Una de las misiones de la fuerza maderista era sabotear la planta eléctrica. El encargado de volar las instalaciones fue el coronel Enrique Adame Macías, quien para el efecto había robado en compañía de su escuadra un cargamento de explosivos en (*of all places*) Dinamita, Durango. Ardió la luz: Torreón y Gómez Palacio se quedaron a oscuras antes del crepúsculo.

Consciente de su situación, el general Emiliano Lojero (el ficticio Espiridión Sifuentes lo llama *el viejito*) mandó colocar metralletas por todo el perímetro: había al menos dos en el Cerro de la Cruz, otra más en las inmediaciones de la alameda y una cuarta por el rumbo del cañón del Huarache. Es probable que no fueran las únicas. Para prevenir un ataque nocturno que podría haber resultado definitivo, Lojero dispuso que las máquinas dispararan andanadas de plomo contra la oscuridad de manera constante. Esto desalentó la incursión maderista pero también dilapidó una preciosa cantidad de parque, lo que a la larga se tradujo en derrota para los defensores.

De acuerdo con el testimonio indirecto contenido en *Tropa vieja*, los revolucionarios aprovecharon las sombras para meterse entre las casas de las faldas del Cerro de la Cruz, en plena ciudad, cortando a ese sector del resto del ejército. La empalizada —que más de 100 años después sigue siendo punto estratégico para la guerra entre bandas de narcotraficantes— era el bastión principal de la defensa, así que había que mantener su control a cualquier precio. Los federales se remunicionaron y descendieron la cuesta disparando a cuanta cosa les viniera por enfrente. Fue uno de los momentos más ríspidos de la batalla. La tropa de Lojero repelió al enemigo matando a muchos, pero no sin sufrir su propia cuota de muertos y causando un número importante de bajas civiles entre la gente más pobre del pueblo, que esa noche dormía en los jacales cercanos en compañía de sus niños.

Jesús Flores, el albañil y encargado de asuntos públicos de Gómez Palacio que pronunciara un discurso antichino una semana antes, decidió que sus cinco minutos de fama en el podio no bastaban: lo suyo tendría que ser el heroísmo en combate. Se lanzó —parece que en solitario— contra la metralleta del cañón del Huarache. Ahí lo hallaron: tendido en el polvo con seis agujeros de bala. No faltó quién, con toda ceremonia, condujera sus restos a Gómez Palacio.

Quizá por lo duro que había estado el tiroteo a lo largo del día, el frente oriental entró al anochecer en una vaga calma. Siguieron escuchándose disparos esporádicos, pero el fuego no era tan nutrido como al sur y al poniente. Las tropas de Castro y Ugalde ocuparon las huertas y los jacales de los chinos. Es seguro que en este primer contingente se contaban el capitán Benjamín Argumedo, el cabecilla Sabino Flores y el soldado raso Benito Mercado. Otros presentes pudieron ser Plácido Orduña, Cresencio y Manuel Soto y Lázaro Sifuentes. Algunos soldados se acuclillaron entre las hortalizas o a la orilla de los canales de riego y esperaron el arribo matutino de las soldaderas que les traerían desde la retaguardia durangués un taco y noticias y quién quita y hasta un apresurado alivio sexual. No podían prender fogata ni encender un cigarrito: estaban al alcance de los francotiradores, para quienes *bajar* enemigos en medio de la noche era menos un deber que un entretenimiento: un concurso de talento a oscuras.

El cielo se nubló. Las tinieblas adquirieron una pátina difusa. Así empezó la matanza.

Una arraigada tradición oral afirma que los chinos eran tan tontos que no sabían responder las contraseñas militares: *Viva el Supremo Gobierno* frente a los porfiristas y *Viva Madero* frente a los alzados. A la pregunta "¿Quién vive?" contestaban "¡Di tú plimelo!", respuesta cuyo descaro premiaban los contendientes con andanadas de máuser. La anécdota es reveladora si la situamos en contexto. La noche del 13 de mayo, espantados por la enjundia del combate, varios hortelanos intentaron desplazarse a pie hasta el área urbana de Torreón. "¡Viva Malelo!", exclamaron a veces. Quizá no llegaron a ver el volante impreso por Woo Lam Po, y aun: casi ninguno sabía leer. Es probable que en medio de la confusión se hayan identificado ante los centinelas de uno y otro bando, en un mocho español, como enemigos desarmados. De ser así, las primeras víctimas del pequeño genocidio se habrán despeñado entre las grietas del lenguaje.

Antes de medianoche comenzó a llover. Cayó un chubasco macizo, de esos que dieron a la comarca nombradía de laguna. Muchos revolucionarios demandaron agua potable, comida y abrigo a los jornaleros cantoneses. Es casi seguro que estos últimos reaccionaran dócilmente: nada en su comportamiento histórico permite inferir lo contrario. Además, estaban desarmados. La pasividad fomentó el abuso de algunos sitiadores, que se apropiaron de ahorros, aperos de labranza y efectos personales. Tanto los testimonios compilados por Ramos Pedrueza como los que provienen de la tradición oral coinciden en señalar que los campesinos asiáticos fueron asaltados al menos tres veces: llegaba una cuadrilla revolucionaria de Lerdo y les quitaba legumbres y herramientas, luego otra de Gómez Palacio y los despojaba de ropas y centavos, y al final venía una tercera columna procedente de Matamoros o Viesca o Mapimí y los encueraba, azotaba o apuñalaba porque ya no tenían nada que dar: porque se habían convertido en pocas horas en las personas más frágiles del País de la Laguna. Las más sencillas de matar.

No faltó quien opuso resistencia y cayó a tiros, pero a la mayoría de los súbditos celestes se les ejecutó porque sí: por odio racial, por envidia económica, por sevicia y para entretenimiento de la tropa. Varias decenas murieron esa noche. Sus cadáveres quedaron tendidos entre los surcos, agrupados en los graneros, descalzos a las puertas de sus cuartos de adobe...

Un par de días más tarde —y habida cuenta del problema político que se le avecinaba— el maderismo triunfante recolectó los cuerpos. Algunos fueron remitidos a una fosa común en las inmediaciones del cementerio. Otros terminarían semihundidos en las norias de El Pajonal.

Domingo 14 de mayo de 1911

A María Antonia Martínez le apodaban *la Urraca*. Era de Durango. Ni ella misma conocía su edad; Macrino J. Martínez le calculó treintaitantos. Andaba de soldadera. Llegó caminando al frente oriental el domingo en la mañana. Venía a traer comida a un par de amigos suyos. Al pasar por una de las huertas divisó a una partida maderista que, rifles en mano, circundaba a un grupo de chinos. Uno de los prisioneros estaba herido.

María Antonia se topó con el soldado raso Salvador García, quien la escoltó por El Pajonal y le mostró los restos del combate del día anterior. Había un montón de cadáveres cantoneses. *La Urraca* declaró ante Macrino que sólo en una habitación le tocó ver como 20. También contó que entre los *avances* de los que se apropió en las viviendas había una caja de puros.

Es probable que ya para esa tarde se hubiera esparcido por el frente la noticia de que, paralelamente a la batalla, algunos maderistas implementaban un *pogrom* en contra de los migrantes asiáticos. Es inverosímil que ni Jesús Agustín Castro ni Sixto Ugalde hayan oído siquiera un rumor al respecto.

La batalla no tardó en recomenzar. Quizá fuera menos intensa que la del día anterior: ambos ejércitos habían sufrido bajas y es seguro que la ausencia de parque comenzaba a afectar la resolución de los federales.

Billee Jamieson relata:

Temprano, por la mañana salí para conseguir comida. El tiroteo había cesado como a las tres de la mañana. No había caminado ni una cuadra cuando dos balazos de una máuser pasaron muy cerca de mí y me hicieron reconsiderar mi determinación por quebrar el ayuno. Regresé a mi lugar en la farmacia para mascar las migajas de mi reflexión y meditar sobre las consecuencias directas de la guerra en la digestión de un hombre, antes de que siquiera tenga algo qué digerir en el estómago. La reflexión no alcanzaba a sustituir la comida verdadera [...] Garza Aldape se fue a su casa porque tenía 24 horas de no ver a su familia; estaba muy ansioso. Vivía cerca de la alameda, centro de la batalla. Nos dejó a Gerkins y a mí en la esquina de Rodríguez y Morelos. Yo lo vi doblar en la calle Acuña. Entonces, de pronto, se regresó corriendo y nos dijo: "Muchas balas". La pelea se había reiniciado. De alguna manera o de otra, logró llegar a su casa, pero no pudo regresar.

Trabajé hasta las nueve de la mañana del domingo. Dormí hasta las cinco de la tarde.

De acuerdo con el testimonio indirecto vertido en *Tropa vieja*, el frente occidental entró durante la mañana en una calma chicha. Las faldas de los cerros blanqueaban de muertos y, esporádicamente, se escuchaba el zumbido de disparos aislados: eran los proyectiles de francotiradores y cazadores de venados de uno y otro bando, que para entretenerse hacían apuestas con sus colegas a ver si le atinaban a tal o cual blanco elegido al azar.

—Parecía el combate como oleada de viento que de rato en rato alborotara la jicotera —declaró el ficticio Espiridión Sifuentes.

Salvo el Cerro de la Cruz, todas las colinas y hondonadas pertenecían a la gente de Pereyra. La tropa de Castro ocupaba el Tajo del Coyote. La de Ugalde las huertas, donde la balacera siguió siendo cruda. Los *Amarillos* intentaron recuperar posiciones en El Pajonal pero fueron repelidos nuevamente hasta la alameda. Ahí se libró lo más álgido de la jornada hasta que promedió la tarde.

Un nuevo contingente maderista —Sabino Flores dijo a Lim que esta oleada venía de Gómez Palacio— ocupó El Pajonal. Igual que la noche anterior, los soldados se ensañaron con los chinos. Según testimonios de primera y segunda mano compilados por Macrino J. Martínez, Antonio Ramos Pedrueza, Owyang King y Delfino Ríos, esta vez las tropas no se conformaron con disparar al pecho o a la sien: hubo jinetes que decidieron arrastrar por el campo y a cabeza de silla a los súbditos celestes o, de plano, los descuartizaron atando sus extremidades a distintos caballos y saliendo a galope en direcciones opuestas. Otros combatientes agruparon en un descampado a los trabajadores de distintas huertas y comenzaron, por diversión, a abrir fuego sobre algunos de ellos, hiriéndolos. Pero el furor cundió y los orientales cayeron asesinados en masa. Sus verdugos caminaban alrededor de los agonizantes buscándoles el cráneo para rematarlos con tiros en la nuca. Un ranchero llamado Francisco Almaraz se indignó y reclamó decencia o cordura a los miembros del ejército maderista. Los elementos castrenses lo mataron y apilaron su cuerpo junto a los restos de los migrantes.

Las declaraciones que hablan de la mayor crueldad no provienen de testigos oculares sino de segunda mano, pero son tan abundantes y tempranas y coinciden en tantos detalles que sería irresponsable descalificarlas. Es probable que algunas exageren, pero es también indiscutible que muchos cantoneses fueron vejados y mutilados. Los documentos oficiales reconocen 84 homicidios cometidos en las huertas entre el sábado y el lunes. Treinta y cinco de las víctimas trabajaban en la huerta Do Sing Yuen; 19 en Luc Su Yuen. Otras tantas en Tay Sing Yuen, y al menos 11 en otras parcelas.

Todo el día esperaron los federales refuerzos de Monterrey. Infructuosamente: al atardecer vieron izarse polvareda por el oeste, lo que indicaba que eran los rebeldes quienes ganaban sangre fresca. Esto contribuyó a desmoralizar la defensa. Para acabarla, afirma *Billee* que el último cargamento de municiones salió falaz: su entraña no era de hierro sino de tronco. Los pertrechos podían durar esa noche, pero no alcanzarían para hacer frente al enemigo al amanecer. El general Emiliano Lojero, héroe juvenil del 5 de mayo y juez severo de un ingenuo emperador, pudo haber elegido entonces lo único honorable: rendir la plaza ante Emilio Madero y solicitar garantías para la población civil. No lo quiso así;

le ganó el pundonor. Ordenó a sus oficiales preparar a la tropa para evacuar Torreón. Los soldados porfiristas debieron cargar consigo cuanta munición el cuerpo soportara. Despojaron de equipamiento a los muertos. Dañaron la artillería, quitaron los cerrojos a carabinas sin dueño, sepultaron el escaso parque y, en general, practicaron cualquier hirigote que impidiera al enemigo cobrar gozo en la victoria.

El cansancio y la impaciencia comenzaban a hacer mella entre los jefes rebeldes. Sabían que la lucha no podría durar mucho más. Tal vez calculando (mal) la capitulación para el día siguiente, tanto Jesús Agustín Castro como Orestes Pereyra decidieron seguir el ejemplo de Emilio Madero y se retiraron a dormir a Gómez Palacio. Dejaron sin rienda a la tropa (que, de todos modos, había iniciado la masacre 24 horas atrás). El único jefe que permaneció en el frente fue Sixto Ugalde.

El desalojo del ejército federal comenzó durante los primeros minutos del lunes. El grueso de la tropa se desplazó con sigilo hacia el cañón del Huarache, en tanto sus aliados de la primera línea —rurales, *Amarillos*, infantes y artilleros del Cerro de la Cruz— lanzaban una nutrida cortina de fuego al rival. Urquizo imaginó así la ruptura del cerco desde el punto de vista de los vencidos:

En un momento bajamos hasta las casas y nos metimos por la calle larga y derecha que le dicen Avenida Hidalgo. Íbamos por las banquetas de la calle casi sin hacer ruido, sin disparar las armas, pero listos para repeler cualquier ataque; queríamos avanzar lo más posible sin que nos sintieran. El punto de salida era por La Metalúrgica, en donde se estaba oyendo muy fuerte el tiroteo [...]

En un momento llegamos a las orillas de Torreón y entramos en fuego para forzar la salida.

Nunca en mi vida he visto la muerte tan de cerca. Era aquello algo como un derrumbadero, en que caían los hombres como si de pronto se tropezaran para no levantarse. Una balacera como nunca lo hubiera podido pensar siquiera. Fuego nutridísimo por todas partes, un camino marcado por fogonazos en la oscuridad de la noche y los hombres doblándose o corriendo en ansias de salvación [...] Si alguna vez se acaba el mundo, lo que suceda ha de ser algo así como lo que pasamos entonces.

Cerca de las cuatro, unos policías tocaron a la puerta de George C. Carothers. El cónsul se asomó.

—El señor Villanueva quiere verlo.

Carothers les pidió que lo dejaran vestirse. Estaba en eso cuando volvieron a tocar: el propio Villanueva, recaudador de rentas y ex alcalde del pueblo, se apersonaba en su domicilio para contarle que los federales habían evacuado la plaza.

—¿Qué me aconseja?

No parece que el alcalde Escobar ni el jefe político Del Palacio estuvieran ya presentes en Torreón.

Sin responder a Villanueva, Carothers se volvió a los policías. Ordenó:

—Tiren esas armas y quítense esos uniformes si no quieren que los maten.

Luego ofreció refugio al recaudador de rentas e intentó convocar telefónicamente a una junta de personajes prominentes.

No hubo tiempo: las calles comenzaron a llenarse de galopes, gritos y tiros al aire.

Lunes 15 de mayo de 1911

A las cinco de la mañana irrumpieron los primeros contingentes. Lo hicieron con cautela y desenfreno: recorrían a galope unas pocas calles, echaban bala y gritaban el nombre de Madero, luego volvían sobre sus pasos hasta la alameda temiendo una andanada en contra. Pronto notaron que los únicos hombres armados que respondían a su voz eran correligionarios: la guerrilla urbana. Entonces cientos de jinetes —entre ellos Benjamín Argumedo, Sabino Flores y Plácido Orduña— se enfilaron rumbo a la plaza del 2 de Abril por las calles Matamoros, Morelos, Juárez e Hidalgo. Tras ellos venían los combatientes de a pie, las soldaderas y el pueblo llano.

Faltaba menos de una hora para el amanecer cuando la vanguardia incendió la presidencia municipal. Ardieron los archivos. Las tropas se trasladaron al edificio contiguo, que albergaba la cárcel, y soltaron a los cautivos. De las celdas salió, entre presos políticos y maleantes, el azorado profesor Manuel N. Oviedo, un hombre que seis meses atrás había albergado la ilusión de ser el primer caudillo militar de la Revolución Mexicana.

En la prisión estaba también el Segundo Juzgado de Letras y ahí, en una esquinita de la sala, yacían desde semanas atrás varias botellas de coñac que la policía incautó de un baile por saberlas adulteradas. Una cuadrilla rebelde abrió las botellas venenosas y se dio gusto con ellas. Al calor de los hidalgos ("se les calentó el hocico", diríamos hoy), algunos milicianos marcharon rumbo a las cavas del casino. Otros abrieron los bares de los hoteles: el del Ferrocarril, el Central, el Iberia, el Francés… Otros tumbaron a patadas las puertas de las cantinas en busca de un trago. De preferencia fuerte.

Antes de las seis comenzó a clarear. El ingeniero Fred Wulff subió al techo de la Casa del Cerro a informarse de cómo se desarrollaba la ocupación. Vio a un jinete que, rayando su caballo, se paseaba de un lado a otro junto a la vía del tren por el lado de la estación. Llevaba en la mano izquierda una bandera mexicana que hacía ondear gloriosamente. Gritaba:

—¡A matar chinos, muchachos!

Lo reconoció: era el yerbero José María Grajeda, dueño de un puesto en el parián.

Pasadas las seis, el doctor Lim salió de su domicilio rumbo a la farmacia de los Garza Aldape. La encontró cerrada. Estuvo tocando pero no le abrieron. Se dirigió entonces al dispensario del doctor José María Rodríguez. Lo encontró abierto y en pleno ajetreo, así que se dispuso a socorrer a los heridos. Permanecería ahí por más de dos horas.

Salió el sol. El coñac del Segundo Juzgado hacía estragos: quienes lo bebieron vomitaban y tenían fiebre. Varios torreonenses (entre ellos dos propietarios de puestos de verdura en el parián y quizás un restaurantero burgués de nombre Espiridión Cantú, cuya sinofobia fue denunciada por Lim en su momento) acusaron a los chinos de intentar envenenar a las tropas triunfantes.

Tanto los miembros de la guerrilla urbana como otros ciudadanos (principalmente los pobres) se incorporaron a la violenta verbena en que se convirtió el amanecer. Cuando la caballería de Sixto Ugalde preguntó desde qué tapias la habían tiroteado, los torreonenses señalaron no aquellos edificios que sirvieron de atalayas al ejército porfirista, sino simplemente los que deseaban saquear. Las denuncias estuvieron signadas por la avaricia pero también por el odio racial y la envidia; la mayor parte de los techos señalados pertenecían al comercio chino. Una de las primeras tiendas atacadas fue La Prueba, de Tomás Zertuche Treviño. Otra fue La Suiza, de Guillermo Peters. A éstas siguieron las de los orientales: la tienda de Yee Hop, la de Wing Hing Lung, El 2 de Abril, La Ciudad de Pekín, la Zaragoza, El Nuevo 5 de Mayo, El Vencedor, la tienda de Quong Shin y hasta un changarro muy jodido que se llamaba Las Quince Letras Chinas.

Un grupo armado irrumpió en el restaurante propiedad de Park Jan Long y, sin decir agua va, abrió fuego sobre el propietario y sus empleados, asesinándolos a todos. También fue atacado El Puerto de Ho Nam, que se situaba en un edificio de ladrillo de dos pisos (que aún existe; está en la esquina de Matamoros y Blanco). Los maderistas encañonaron a los empleados y los obligaron a subir a la segunda planta y es probable que los ejecutaran de manera expedita, de un tiro en la cabeza o al corazón. Luego saquearon la tienda. Otro establecimiento arrasado fue El Pabellón Mexicano, negocio de pieles de Mar Young: robaron los artículos y prendieron al dueño, al sobrino de éste y a sus empleados. Esta vez los cantoneses fueron sacados a golpes del local y se les masacró en medio de la calle. La turba se dirigió a la tienda de King Chaw; lograron destruirla pero la encontraron desierta: tanto el dueño como sus trabajadores habían huido. Tocó el turno a la tienda de Yee Hop, donde encontraron escondidos a 13 súbditos celestes. Los arrastraron a la calle y los destazaron con hachas y machetes.

Puig narra:

> Al tiempo que saqueaban, buscaban a los chinos y los mataban a tiros en sus escondites —y a algunos también, según parece, a machetazos: entre los cadáveres llegó a verse muchos mutilados— o los sacaban a la calle, a empellones, para abatirlos allí. Además de los efectos portátiles, en esos lugares se desencajó y extrajo los marcos y hojas de las ventanas, las puertas, los quinqués, las arañas de cristal de los techos, los muebles de baño y cocina, las duelas y aun otros objetos que no podrían considerarse mobiliario. Los cadáveres de los tenderos y empleados chinos eran arrastrados afuera o arrojados por encima de las bardas, y se los dejaba tendidos en la calle. Un testigo de la matanza [el comerciante Charles W. Enders] declaró haber visto incluso cómo unos niños pequeños, mexicanos, venían a patear en la cabeza dos de esos cadáveres.

Manuel Terán Lira consigna el testimonio de Apolinar Hernández Sifuentes, quien tenía nueve años en 1911. Apolinar afirma que el mayor saqueo se dio en el parián, y que en aquél iban a mano los soldados rebeldes con habitantes de Torreón y otros provenientes de Gómez o Lerdo, incluyendo niños y mujeres. Terán no lo dice abiertamente, pero trasluce que quizás Apolinar Hernández haya sido uno de los menores que participaron del genocidio.

Urquizo retrata con humorismo cruel la reacción de algunos torreonenses.

En aquella tienda [la García Hermanos, propiedad de españoles] estaba Benito como dependiente, cuando tomamos Torreón. Era algo alocado mi amigo Benito y en cuanto se dio cuenta de que amainaba la balacera, se echó a la calle y cogió un fusil del primer muerto que encontró y se dispuso a combatir. Ya no había federales, porque éstos habían huido, pero en cambio había varios cientos de chinos que se decía habían tomado parte en la defensa de la plaza y contra ellos fue [...]

Benito se declaró rebelde desde entonces, y cuando terminó la refriega se paseaba triunfante y satisfecho por las calles principales, haciendo alarde de su hazaña.

—¿Cuántos tiros disparaste? —le preguntaban a Benito sus numerosos amigos y conocidos, pues era muy popular en el pueblo.

—Diez tiros no más, pero no fallé uno... ¡A tiro por chino!...

Desde entonces se le quedó a Benito el apodo de "tiro por chino".

No eran aún las ocho de la mañana. El cónsul George C. Carothers continuaba encerrado a piedra y lodo en su casa, temeroso de salir. El doctor Lim seguía suturando heridos y aliviando dolores e infecciones en su puesto de la Cruz Roja; no se había enterado de nada.

Dice Juan Puig:

Alguien descubrió que muchos de los chinos llevaban dinero —seguramente el de sus ahorros— en billetes mexicanos y estadounidenses que escondían dentro de sus zapatos. Esa información se divulgó de inmediato y, al cabo de muy poco, conforme caían muertos los chinos, la gente se abalanzaba a sus pies para arrebatarles los zapatos y, por ende, su dinero, que a veces llegó a ser mucho.

Mientras la masacre urbana se agudizaba, un grupo de 50 insurgentes ocupó la casa de campo del doctor Walter J. Lim al oriente de la ciudad, a medio camino entre las huertas y la alameda: un *chalet* de tejados ondulantes y muros de ladrillo rojo intenso en cuyo jardín frontal crecían desde un par de años atrás dos pequeñas moreras que el propio Lim sembró en un arranque de *hybris* empresarial: el deseo de convertir en productora de seda a una comarca famosa por sus cultivos de algodón. El encargado de la finca era Ten Yen Tea, cuñado del médico. Pero Ten no estaba en casa cuando apareció el Ejército Libertador de la República; la ocupación lo había sorprendido en Torreón y tuvo que esconderse en un inmueble céntrico junto a 10 compatriotas suyos.

La gavilla que arribó al *chalet* se encontró con dos niños pequeños, la esposa del hortelano y la hija mayor del matrimonio: una chica de 14 años. Dice Lim que a su hermana "la vejaron horriblemente". Los narradores que han estudiado el caso coinciden en leer esta frase como eufemismo de una violación. Más difícil es precisar lo sucedido a la sobrina adolescente. En su testimonio, el médico chino afirma que los soldados le apuntaron a ésta con sus rifles y la obligaron a prometer que se casaría con ellos. Es imposible saber si también abusaron sexualmente de ella y la familia optó por ocultar el suceso o si los maderistas conservaban un resabio de humanidad y se conformaron con el maltrato psicológico. Después, la familia de Lim fue expulsada del edificio que un siglo más tarde habría de convertirse en el Museo de la Revolución.

¿Dónde estaban mientras tanto Emilio Madero, Jesús Agustín Castro y Orestes Pereyra, indiscutibles vencedores del día?… Me temo que se les pegaron las sábanas. Tampoco existe información sobre el paradero de Sixto Ugalde al momento en que sus tropas ultimaban a los colonos, aunque el hecho de que lo hayan interrogado después sugiere que estaba presente, ya, en Torreón. Nadie, nunca, acusaría de negligencia a estos cabecillas. Tampoco al general Emiliano Lojero. Todo fue, dice la versión preferida de los historiadores mexicanos, la aplicación de una "ley psicológica", una desgracia perpetrada por el "puro pueblo menesteroso".

El clímax llegó cuando distintas turbas (una versión reducida y salvaje de las numerosas bandas) se toparon frente a la plaza del 2 de Abril, centro neurálgico de Torreón. Unos marcharon sobre las oficinas provisionales del Banco de la Laguna (el edificio que actualmente se conoce, no sin dar pie a cierta confusión, como Banco Chino), lo saquearon e intentaron infructuosamente abrir su bóveda. Otros fueron contra la empresa Wah Yick y la sede de la Sociedad Reformista China, ambas ubicadas en un mismo edificio en el cruce de las calles Hidalgo y Cepeda. Es posible que en este grupo ya indistinguible de jinetes y soldados de a pie, pueblo llano, hombres, mujeres y niños, se contaran algunos de los maderistas posteriormente indiciados como responsables del crimen de odio: Cresencio y Manuel Soto, Lázaro Sifuentes y Plácido Orduña. Es indiscutible —así lo estableció la investigación de Macrino J. Martínez— que el capitán de caballería Benjamín Argumedo era uno de los que encabezaban a la multitud.

En la ciudad vivía un sastre suizo llamado Tyko Lindquist. Su casa —un lindo inmueble que aún existe— estaba en la esquina de Juárez y Colón, un par de calles al oeste de la alameda. Tyko y su esposa Eva ocultaron a Woo Lam Po —testaferro de Kang Youwei, secretario de la Asociación Reformista y miembro del consejo directivo del Banco Chino— durante las horas que duró la matanza. En la sede de Wah Yick permanecieron empleados que arrendaban alguno de los cuartos superiores en calidad de vivienda (por ejemplo Kah Shi Jock, cajero de la compañía, y Wong Ken Dai, encargado de comercializar los productos de la huerta Do Sing Yuen). Otras habitaciones del local estaban ocupadas por viajeros cuyo destino original era Chihuahua pero que se quedaron varados en Torreón a causa de la guerra. Había también empleados y huéspedes del Hotel del Ferrocarril que vinieron a refugiarse durante los días de asedio. Sumarían unas 25 personas. Es posible, aunque remoto, que contaran con un guardia armado. Lo más probable es que alguno de los viajeros tuviera una pistola. Cuando la turba empezó a romper las puertas y a lanzar amenazas racistas, alguien disparó contra la muchedumbre desde el interior del edificio: así lo consideró Ramos Pedrueza tras escuchar decenas de testimonios. Existe incluso la muy detallada tradición oral de que una bala se alojó en los cuartos traseros de un caballo. En su declaración ante el juez Martínez, Benjamín Argumedo describe aquellos secos disparos como "un nutrido tiroteo". Afirma que, en respuesta, ordenó a la tropa:

—Maten a los chinos.

Los soldados y la multitud derribaron la puerta, corrieron por las escaleras y ultimaron a tiros a los orientales en las mismas habitaciones donde los encontraron y sacaron los cadáveres a la calle por la puerta o arrojándolos por las ventanas. Cada vez que el cuerpo de un cantonés caía en medio de la avenida Hidalgo, la gente se arremolinaba a su alrededor para ver quién conseguía quedarse con el dinero que llevaba en los zapatos. Algunos de los restos, mutilados y quizá todavía agonizantes, fueron lazados del cuello o los pies y arrastrados varias cuadras por jinetes. Un mexicano se asomó por uno de los ventanales de Wah Yick y lanzó a la calle la cabeza de un chino.

Después la turba arremetió contra el edificio vecino: el almacén de géneros El Puerto de Shanghái, uno de los más lujosos. La escena se repitió: los colonos asiáticos fueron sacados a la calle y ejecutados a tiros, golpes y machetazos. Mientras esto ocurría, otro grupo sacó rodando la caja fuerte del banco Wah Yick. Estuvieron un rato dándole de tiros y hachazos a la cerradura, hasta que por fin la destrozaron. Dentro de la bóveda encontraron billetes nacionales y extranjeros y un montón de monedas de oro, todo lo cual sumaba —dijeron luego las estimaciones oficiales— 100 000 pesos: alrededor de cuatro siglos de salario de un jornalero en La Laguna.

Dice Juan Puig:

> En alguno de esos establecimientos —probablemente fue en uno de los balcones de la Asociación Reformista— ondeaba la abigarrada bandera imperial china: en campo amarillo [creo que más bien es dorado], un dragón azul, transversal, que tiende las garras hacia una luna roja. No faltaron quienes la arrancaran de su asta y la despedazaran en la calle.

Todo indica que el doctor William *Billee* Jamieson no estuvo presente en las inmediaciones de la plaza durante los asesinatos. Pero su testimonio, redactado apenas nueve días después de los hechos, trasmite con exactitud el horror de los sobrevivientes extranjeros. Un horror en el que la muerte y las pérdidas materiales trazan un palimpsesto riguroso.

> Golpearon a los niños contra las paredes y los fulminaron mientras ellos gritaban "no me maten". Las mujeres chinas fueron atacadas de la misma manera. Tropas a caballo hicieron una siega por el pueblo y luego acuchillaron a más chinos en la plaza. Algunos se refugiaron en el casino, el club que había costado 250 mil dólares. La masa enloquecida entró, y después de matar a los orientales, saqueó el lugar, dejándolo en ruinas. Yo mismo vi a un rebelde que utilizaba una cortina muy fina de seda como silla de montar.

Juan Puig se hace eco de esta consternación en un párrafo henchido de vértigo balzaciano:

> Así salieron también los escritorios, las alfombras, los lambrines de ebanistería, los tinteros de plata, los cartapacios de piel fina, las sillas, las máquinas de escribir, los sillones, las persianas, mucho papel impreso y manuscrito y mecanografiado, y las

puertas y casi todo lo que no fuera mero tabique, viga o riel. El río de gente que inundó el edificio [Wah Yick] fue saliendo con todos estos objetos a cuestas, más otros muchos que había tomado de las últimas habitaciones: ropa interior y de calle, "cajas chinas de escribir", ropa de cama, colchones, cabeceras, almohadas, frascos de "medicinas chinas", cuadros, retratos, marcos vacíos, zapatos y pantuflas, pañuelos y camisas y batas y pijamas de seda, libros en chino, sombreros de fieltro, estuches de anteojos...

No eran ni las nueve de la mañana.

J. Wong Lim (o Sam o Walter, como también se hacía llamar) salió a la puerta del puesto de la Cruz Roja de José María Rodríguez, donde había estado curando a los heridos. Vio con curiosidad a un grupo de revolucionarios por el rumbo de los almacenes de don Julián Lack; disparaban al aire y lanzaban aullidos. Los siguió con la mirada hasta que llegaron a la zapatería francesa y los vio desaparecer por la calle Juárez. Siguió parado en la puerta otros 20 minutos. Nadie le habló, durante todo ese rato, de la desgracia de su gente.

No lejos de ahí, las distintas partidas se habían reorganizado. Recorrían la ciudad con la consigna (garantizada ya a esa hora por una orden expresa de Benjamín Argumedo) de exterminar a los chinos y saquear sus posesiones. Uno de los grupos se dirigió al oeste, hacia la calle Zaragoza, donde estaba el restaurante de Chon Lee. Forzaron la cerradura. Dentro había siete trabajadores y los dos dueños (Puig especula que tal vez eran hermanos), además de otras cinco personas. Los 14 perecieron.

Otro contingente se dirigió al parián y atacó a los comerciantes de hortalizas, destrozando sus puestos y asesinando a tres verduleros cantoneses. Un tercer clan se encaminó a la Lavandería de Vapor Oriental, situada unas siete u ocho calles al oriente del Banco Chino.

La lavandería era propiedad de Foon-chuck. Era espléndida: tenía más de 20 empleados, una gran caldera y un comedor para el personal con su propio cocinero. Su barda trasera colindaba con la maderería La Vizcaína, de la que era dueño un profesor de edad incierta interesado en la educación comercial: don José Cadena.

Todos los empleados de la lavandería estaban ocultos en las instalaciones. El gerente Wong Nom Jung y cuatro dependientes se habían deslizado bajo los abundantes hatos de leña que empleaba la caldera. El cocinero se escondió en la cocina. El cajero del Hotel del Ferrocarril había venido a esconderse aquí también; se zambulló en la noria. El resto del personal corrió hacia el fondo del patio al descubrir lo que se les venía encima.

Los cazadores de chinos derribaron la puerta y recorrieron las habitaciones con el frenesí de un predador que ya probó la sangre. Lo primero que saquearon fue la leña.

—Huele a chino —dicen que dijo alguien. Luego alguien más—: ¡Aquí hay un chino!

Los arrastraron fuera de su escondite y los acribillaron. Echaron los cadáveres a la calle. Dos de los cuerpos fueron lazados y arrastrados a cabeza de silla por sendos jinetes.

Al cocinero lo encontró alguien que intentaba robar sus palanganas. Le dispararon.

Narra Juan Puig:

En todo el edificio no quedó prácticamente nada que se pudiera tomar o arrancar. Samuel Graham, un viejo comerciante estadounidense que llevaba casi 25 años de residir en México y tres en Torreón, pudo ver el asesinato de dos lavanderos: preguntó entonces, a los que pasaban llevando su parte del saqueo, por qué los mataban: "no los queremos", fue la respuesta de uno de ellos. [Graham] También pudo ver el botín que alcanzó su mozo de faenas: una carretilla, un perol, la hoja de una celosía de ventana y mucha leña. La mujer de este individuo acompañaba a su marido, pero con los brazos vacíos y llorando: había visto morir a otros dos lavanderos chinos.

Existe una fotografía tomada por Gustavo G. Fernández: al fondo aparecen un muro y lo que semeja ser un gran porche, hay jinetes recortados contra esa superficie, se nota que el suelo está lodoso y, por todas partes, hay esparcidas chunches: varillas, buróes, hatillos de ropa, sartenes... En primer plano, a la izquierda, cruza una mujer cubierta con un rebozo blanco. La figura más notoria es otra mujer de largas y ondulantes enaguas oscuras que camina hacia la lente cargando sobre el hombro izquierdo una inmensa caja llena de *avances*.

Aterrados, los sobrevivientes de la lavandería escalaron la barda al fondo de la finca y saltaron a La Vizcaína, el negocio de junto. Lograron escapar antes de que los maderistas exploraran el patio. El cajero del Hotel del Ferrocarril no corrió con tanta suerte: un mexicano lo descubrió en el fondo de la noria y lo mató a balazos. No por quitarle nada que no fuera la vida: así nomás. Por lujo.

Al otro lado del muro, en el taller carpintero, los lavanderos y planchadores se toparon con un mozo de nombre más que apropiado: Clemente. Clemente llamó a su patrón, don José Cadena, y le mostró a los prófugos. Ninguno de ellos hablaba español. Parece que uno logró darse a entender apenas pero, como bien dice Puig, las explicaciones estaban de más: bastaba con salir a la calle y ver lo que estaba ocurriendo para entender las tinieblas de su pánico. José Cadena se convirtió en uno de los héroes de la primera toma de Torreón, uno a cuya valentía se suma el silencio: ningún museo o nombre de calle lo recuerda. Fue un profe de pueblo que, arriesgando su vida y la de su familia, salvó a 20 migrantes ocultándolos del odio.

Como a las nueve de la mañana, el vicecónsul británico y caballero de la Orden de St. George y de St. Michael, Herbert Ashley Cunard Cummins, recibió en Gómez Palacio la noticia de que las tropas maderistas habían entrado en Torreón desde la madrugada. Se caló el distintivo de la Cruz Roja y tomó un automóvil hacia allá. A medio trayecto fue alcanzado por un hombre que se presentó como secretario de Emilio Madero y explicó que el mencionado líder conminaba al vicecónsul a hacer lo que de todos modos estaba haciendo: apersonarse en Torreón, donde —según criterio de don Emilio— hacían mucha falta los servicios de socorro. Infiero de esta declaración que, para entonces, Madero estaba enterado de la masacre. Lo que no me explico es cómo se las ingenió para arribar a la ciudad casi una hora después que Cummins.

Mientras Cunard proseguía su camino desde Gómez Palacio, el cónsul George C. Carothers continuaba encerrado a piedra y lodo en su casa.

También como a las nueve, o quizás un poco antes, Walter J. Lim (o Wong, o Sam) vio pasar frente a su puesto de socorro a gente del pueblo cargando en brazos "muchos efectos de ropa y abarrotes".

—¿De dónde traes eso? —preguntó a uno.

—Me lo dio un maderista de una tienda de chinos.

Un automóvil se detuvo frente al médico. Del vehículo descendió un colaborador de la Cruz Roja.

—Hay muchos muertos y heridos chinos en la calle —le dijo al fin a Wong luego de tres horas de ejecuciones.

—¿Por qué?

—No lo sé.

Subieron dos camillas al vehículo y se dirigieron a la plaza de armas, que estaba a pocas calles de ahí. Al llegar, el médico chino bajó del auto —imagino que un poco atontado por la impresión— y notó lo que se pretendía contra su persona, según declararía ante Ramos Pedrueza:

En esos momentos muchos maderistas que me vieron, comenzaron a gritar que me mataran, y con este motivo el individuo que iba conmigo en el coche, se apeó y huyó dejándome solo, y a pesar de portar yo el distintivo de la Cruz Roja en el brazo izquierdo y traer aún puesta la gabardina por haber estado curando heridos, no se me respetó, y los maderistas comenzaron a exigirme que me apeara del coche para matarme, y otros maderistas de a caballo a defenderme; en ese estado, caminamos hasta llegar a la esquina del Hotel Central, donde varios maderistas insistían en matarme apuntándome con sus armas, y otros a defenderme, hasta que por fin, varios particulares me salvaron [...]

(La imagen de Lim encerrado en un automóvil en marcha mientras una partida escala los estribos y el cofre y el parabrisas mostrando sus rifles y hombres a caballo rodean la máquina en movimiento, unos con la intención de rescatar al conductor y otros queriendo asesinarlo, es una de las primeras estampas de la masacre que se grabaron en mi memoria. Escribí este libro como quien intenta restaurar una antigua pieza cinematográfica para entender de qué se trata un fotograma.)

Entonces apareció un jinete que debía tener alguna autoridad sobre la muchedumbre, porque logró abrirse paso en medio de ésta, sacó a Lim del vehículo y, escudándolo con su cuerpo, lo trepó a su caballo y lo puso a resguardo para presentarlo más tarde ante Jesús Agustín Castro.

Deben haber transcurrido nada más que minutos entre el rescate de Lim y el arribo de Cunard a la plaza de armas. Cummins narra lo que vio; probablemente lo mismo que Lim: "...los cadáveres de nueve chinos, dos de ellos mutilados. En la calle, pisoteados por los caballos que en aquel momento la llenaban, estaban los cadáveres de otros dos chinos, cubiertos de lodo".

Cuenta el vicecónsul que se notaba ya la presencia de tropas disciplinadas y bien armadas que patrullaban la ciudad sin involucrarse en los asesinatos, pero sin intentar detenerlos. Uno de estos escuadrones pasó junto a una casa muy pobre decorada al frente con ideogramas orientales cuya puerta intentaba volar con dinamita un grupo de saqueadores. La tropa se detuvo un momento, luego continuó su marcha sin prestar mayor atención al evento.

Iban a dar las 10 y lo que menudeaba en la ciudad era una mezcla de violencia y consternación. Samuel Graham y Delfino Ríos atestiguan que muchas mujeres del pueblo lloraban por las calles al contemplar los restos de los migrantes asesinados. Por el contrario, otras mujeres salían dando gritos para advertir a la tropa de que en sus casas se había refugiado algún chino. Los fugitivos eran arrastrados a la calle y acribillados a mansalva para beneplácito de las denunciantes.

Había también, y en esto coinciden todos los relatos, sangre de niños derramada en la calle: la historia del soldado que toma a un pequeño de 12 años por los pies y le estrella la cabeza contra un poste tiene decenas de fuentes orales.

Es probable que existiera ya la orden de frenar los crímenes, y se sabía que los líderes del movimiento —Madero, Castro, Pereyra— llegarían a la ciudad en cualquier minuto. Sin embargo, el pequeño genocidio continuó.

Erico Notholt, cónsul de Bélgica en Torreón, vivía en la esquina de Morelos y Jiménez, tres o cuatro calles al poniente de la alameda. Frente a su domicilio había una tienda de chinos con cuatro empleados. Sostiene Notholt que estos cuatro cantoneses no solamente se mantuvieron al margen de la defensa porfirista, sino que apoyaron desde el sábado 13 a la guerrilla, proporcionándole agua y alimentos. Sostiene Notholt que nada de esto les valió a los orientales: como a las 10 de la mañana la tienda fue saqueada y posteriormente llegaron hombres a caballo, sacaron a dos de los dependientes y los trasladaron a unas calles de ahí. Sostiene Notholt que no vio las ejecuciones, sólo escuchó a la distancia los disparos. Sostiene también que un rato después se entrevistó con Leonides González, jefe del puesto maderista más cercano, y que el combatiente le confirmó el asesinato de los cuatro cantoneses de la tienda. Sostiene por último Notholt que Leonides le confesó que había intentado salvar a dos de los chinos ocultándolos a uno en un baño y a otro en una estufa, pero fracasó: sus propios elementos se insubordinaron y requisaron el puesto de combate hasta encontrar a los orientales, a quienes mataron en medio de la calle.

Una de las instrucciones del todavía ausente Emilio Madero fue trasladar al centro de Torreón a los cantoneses de las huertas, de seguro con la intención de protegerlos. El problema —uno que en México cobraría con el paso del siglo visos de tradición— es que encargó la misión humanitaria a los propios verdugos. Los cantoneses iban atados a sogas y caminaban a paso veloz junto a los caballos de los maderistas. Había estado lloviendo y el suelo se hallaba lodoso. Si alguno de los hortelanos resbalaba y caía, ahí mismo era ejecutado. Existe el testimonio —publicado por el doctor Sergio Corona Páez— de una señora Brígida Cumpián de García que vio cómo "dos muchachos que son hijos de un señor Eusebio Casiano, dueño de un molino de maíz cerca de El Palomar" traían de las huertas a 14 chinos atados y guiándolos como si de un rebaño se tratase. En un momento dado, los cantoneses intentaron refugiarse en casa de la testigo, por lo que los jóvenes fueron tras ellos. Se armó un pequeño escándalo y Atanasio Sánchez, vecino de la mujer, salió a ver qué pasaba. Doña Brígida le explicó (y en esto se percibe la clase de amor que algunos torreonenses de la época sentían por los orientales) "que esos jóvenes traían a los chinos, que no sabía lo que iban a hacer con ellos, y que si algo querían hacerles, que los llevaran por otro lado y no allí a su casa". Atanasio habló con los chicos y los ayudó a conducir a sus prisioneros hasta un descampado cercano. Dos minutos más tarde, Brígida Cumpián de García escuchó disparos pero no salió. Un poco después, cuando por fin se asomó, divisó los cadáveres de los 14 inmigrantes a unos 30 pasos de su casa.

No se sabe cuántos chinos fueron "rescatados" así; al centro sólo llegaron vivos 11.

Algo semejante ocurrió en la ciudad. Ten Yen Tea le contó después a Lim que su grupo de 10 sobrevivientes fue tiroteado por la espalda mientras los trasladaban al Hotel Salvador. Siete de los prisioneros murieron. No se sabe por qué o cómo los maderistas eligieron a quiénes asesinar y a quién dejar vivir.

Con la fresca de las 10 de la mañana, Emilio Madero, Jesús Agustín Castro y Orestes Pereyra entraron por fin en la ciudad. Sentaron su cuartel en el Hotel Salvador, un bonito edificio que se conserva en pie (aunque prácticamente en ruinas) en la esquina de Zaragoza e Hidalgo, y que fue diseñado por Federico Wulff. Mientras Emilio se instalaba, Jesús Agustín despachó el primer asunto del día: le presentaron a los 11 cantoneses traídos de las huertas (ya se les acusaba de haber disparado contra los maderistas desde el combate del sábado) y al doctor Lim, recién rescatado de la turba. Sin hacer distinción ni averiguaciones, Castro ordenó que los 12 hombres fueran remitidos a Gómez Palacio en calidad de prisioneros.

El profesor José Cadena intentó entrevistarse con alguno de los comandantes para confiarle que tenía escondidos en su negocio a unos 20 sobrevivientes de la masacre y que temía por la vida de éstos y por la suya propia. Nadie lo recibió.

Mientras tanto, el cónsul estadounidense George C. Carothers supo del arribo de los principales jefes maderistas. Decidió esperar encerrado en su casa otro ratito antes de contactarlos, no fuera a ser el diablo.

Algunos testimonios confirman que la masacre continuó hasta las cuatro de la tarde. Creo —como Puig— que ya para las 10 de la mañana había muerto la mayoría de las víctimas. Seguramente hubo ejecuciones aisladas, mismas que los maderistas recién llegados (la gente de Castro y de Pereyra) intentaban frenar mediante persuasión y de vez en cuando con el uso de las armas (dice Delfino Ríos que con sables; yo diría que más bien a machetazos). Los chinos estaban escondidos o muertos y Emilio Madero acababa de ordenar que los sobrevivientes fueran trasladados a un improvisado refugio (que, en términos prácticos, funcionó como campo de concentración): la maderería Arce. El cabecilla nombrado por Emilio como protector de la colonia oriental fue Plácido Orduña, un hombre al que en agosto de 1912 se le giraría orden de aprehensión por haber participado de los asesinatos.

Además de proteger a Woo Lam Po, los Lindquist (Tyko y Eva) resguardaron durante toda la mañana a unos 14 o 16 cantoneses que trabajaban en un restaurante situado frente a su casa. Lo hicieron con un ardid: pusieron frente a su puerta una mesa con cervezas y dulces atendida por una bella joven mexicana. Durante el tiempo que duró la masacre, los maderistas acudieron seis veces a exigir que los chinos les fueran entregados. Eva se negó con amabilidad ofreciendo cervezas y dulces a cada emisario y diciendo que esperaría al comandante. Más tarde, cuando el odio amainó, el doctor *Billee* Jamieson fue elegido por la señora Lindquist para escoltar a los refugiados hasta la maderería Arce. El médico canadiense cumplió con este encargo sudando frío y temiendo a cada paso, mientras cruzaba la ciudad, que la gente de Torreón se le echaría encima para despedazarlo junto a los cantoneses.

En las ruinas de un restaurante, sin comida ni agua, estaban escondidos unos 70 orientales; entre ellos había un niño llamado Wong. Ahí pasaron la noche.

Antes del mediodía, Emilio Madero hizo su primera aparición pública —no sé dónde, pero tiene lógica imaginar que en la plaza del 2 de Abril— leyendo una proclama en la que declaraba la ley marcial, ordenaba la suspensión de los ataques contra los chinos bajo pena de muerte y daba un plazo de 24 horas para la devolución de los bienes robados. Estableció también que, contadas 48 horas a partir de ese momento, quien fuera encontrado en posesión de propiedades ajenas sería fusilado. Dice *Tulitas* Jamieson: "...la gente empezó a regresar las cosas que había robado. Un canal de irrigación estaba lleno de máquinas de escribir [...]"

A las afueras de la ciudad, un jinete con "órdenes superiores" (supongo que de Madero) alcanzó a la gavilla que llevaba presos a J. Wong Lim y a los 11 sobrevivientes de las huertas. Informó a sus correligionarios que podían llevarse a los 11 pero debían liberar de inmediato al médico chino por ser miembro de la Cruz Roja; se solicitó un vehículo para trasladarlo de vuelta a Torreón en compañía del soldado que portaba su salvoconducto. Apenas habían iniciado el regreso cuando un grupo de amigos de Sam o Wong o Walter les salió al encuentro recomendándoles no volver: Torreón seguía siendo extremadamente peligrosa para un chino. Autorizado por los maderistas, Lim reemprendió el viaje a Gómez Palacio y se refugió en la sede de la Cruz Roja, donde pasó la noche.

Parece que a Carothers le llegaban los chismes a través del Hotel Central, que colindaba con su casa. A mediodía tuvo conocimiento de la masacre, pero fue sólo hasta las tres de la tarde, cuando su compatriota W. S. Conduit pasó en automóvil por su casa, que se atrevió a actuar. Tenía informes de que Emilio Madero estaba comiendo en el restaurante del Hotel Sterneau. Sin decidirse a salir, George envió a Conduit con un mensaje para el jefe revolucionario. Emilio vino de inmediato a la casa del cónsul para darle garantías personales y salvoconductos para la gente que tenía refugiada (entre ellos el recaudador Villanueva) y manifestarse "consternado" por los sucesos antichinos y asegurarle que ya había controlado a su gente. Dicho esto, se marchó.

Madero no mentía pero habrá que matizarlo.

Los chinos ya no eran asesinados: entre 180 y 200 de ellos terminaron en la maderería Arce donde, más que como víctimas, se les trató como prisioneros. Su traslado estuvo a cargo de Sabino Flores, uno de los cabecillas que mintieron todo el tiempo y ante cualquier instancia oficial acerca de la participación de los colonos en la defensa de la ciudad. La temprana investigación conducida por Sixto Ugalde terminó esa misma tarde con el arresto del yerbero José María Grajeda como único responsable de más de 200 homicidios. El infundio de que los chinos murieron en calidad de combatientes porfiristas fue dado por auténtico en todo momento y lugar por las fuerzas revolucionarias. Incluso se intentó conseguir confesiones forzadas desde el martes 16 de mayo.

Y estaban, claro, los cadáveres: el de Wong Pack Cuiy, el de Wong Chew Yong, el de Fang Hong Mow, el de Leong Ping Toy y los de otros ocho. El cuerpo de Kang Shai Jack, gerente del banco Wah Yick, y el de Ching Mon King, abarrotero. Los cuerpos de Ching Pin Con y Ching Pin Quon, probablemente hermanos y propietarios de La Plaza de Armas. Las muertes, en El Puerto de Ho Nam, de Tang Cong, Lio Tong Lon y Lio Tack Toy. El asesinato del cocinero Low Son y los de los comerciantes Pack Tin Chong y Pack Tin Suy en el restaurante de Chon Lee. La desaparición de Mar Tu Lean y Mar Young en El Pabellón Mexicano. La desaparición del maquinista Wong Hong Quong. La desaparición de Wong Ken Hing, secretario de la Asociación Reformista China. Los cráneos destrozados de Woo Kim Young y Wong Yong... Los muertos: nombres que en México no han tenido, por parecernos exóticos, ni siquiera derecho a la memoria.

Sergio Corona Páez ha publicado en su *Crónica de Torreón* un fragmento de una declaración hecha por la señorita Dolores Ramírez, originaria de Fresnillo, Zacatecas, y jefa de enfermeras del hospital de Torreón el 15 de mayo de 1911. La señorita Ramírez afirmó haber revisado personalmente 130 de los 206 cadáveres de súbditos celestes de los que tuvo conocimiento. Dice:

> ...que los cadáveres de chinos recogidos presentaban heridas diversas, unas por arma de fuego, y en otras se notaban los machetazos, encontrándose algunos que tenían fracturado y aún dividido completamente el cráneo, pero en la mayoría estaban con un tiro en el corazón o en la frente.

Cuando lo interrogué al respecto, Corona Páez respondió:
—Esta declaración es un testimonio forense de que los chinos estaban indefensos cuando los masacraron. Ningún ejér-

cito tiene puntería suficiente como para atinarles a la mayoría de los soldados enemigos en el corazón y en la cabeza. Y hace falta un ángulo particular para partirle en dos el cráneo a alguien con un machete: me refiero a la ventaja que da atacar desde la altura de un caballo a un hombre desarmado que está de pie.

Por la tarde, Jesús Agustín Castro (después de todo tenía 23 años: no dejaba de ser un niño con juguete nuevo) organizó un desfile triunfal de sus tropas sin importarle que las calles estuvieran tapizadas de muertos (y aun, de muertos civiles pertenecientes a una raza en particular). Había 69 cadáveres sobre la calle Hidalgo, otros 14 en Zaragoza, 11 más en Juárez, seis en Abasolo, cuatro en Morelos y 36 en Valdez Carrillo. Al lado de estos cuerpos pasó a caballo el Ejército Libertador de la República en su primera muestra de talento cívico. El único que notó la ferocidad (o por lo menos la lastimosa falta de elegancia) del desfile, digno quizá de Gengis Khan pero no de un ejército que acababa de batirse en nombre de la democracia, fue un xenófobo más experimentado que cualquier mestizo: el vicecónsul Cummins. A la mitad del acto se aproximó al comandante muchacho de la barba moruna y —quiero imaginar que con toda cortesía y discreción— le indicó que quizás "era tiempo de que se principiara a enterrar". De nuevo Castro sacó a relucir la intemperancia de su juventud: le proporcionó a Herbert Ashley el mando de 20 maderistas y lo señaló para hacerse cargo de los restos del pequeño genocidio con la acritud de quien responde "¿Yo por qué?" o "Hazlo tú".

Cummins dirigió a la tropa que se le había encomendado hasta los límites de la Ciudad de los Muertos y ordenó que se cavara una fosa común en el perímetro exterior. Me parece obvio que su elección del lugar es de índole —muy inglesa— pragmática y puritana: lo más cerca posible de donde deben descansar los muertos pero no en tierra consagrada, puesto que no eran cristianos.

Dice Puig:

El administrador del cementerio puso a su disposición a tres carretoneros —uno de ellos era español— para que, en otros
tantos coches de mulas, fuera trayendo los cadáveres. A estos
fúnebres trajineros se sumaron dos enfermeras del Hospital
Civil que se llamaban Elena y María; entre los cinco fueron
levantando a los chinos muertos y llevándolos por montones
junto al socavón, y los hombres de Agustín Castro los fueron
echando en él: llegaron a quedar unos sobre otros. La gran
mayoría estaban ya desnudos y a algunos se los veía mutilados.

Antes del anochecer, el empresario y fotógrafo aficionado —así se describía él— Hartford Harold Miller Cook
plantó su cámara junto al camino que conducía al cementerio
y tomó una placa del ángulo trasero de uno de los coches de
mulas cargados de muertos. Una parte del *guayín* se refleja
en un gran charco, como si el agua quisiera enfatizar la enor-
midad o lo ilusorio de cualquier destrucción.

Cuenta Bernabé Miranda, testigo presencial cuyo testimonio compiló décadas más tarde Terán Lira:

> Cuando se fueron llenando los primeros carretones con los
> muertos apilados unos arriba de otros y que se echaron a
> andar rumbo a La Alianza, muchos chamacos nos fuimos
> detrás de ellos [...] y luego que nos asomamos [a la fosa co-
> mún] vamos viendo que andaban unos abajo, pisando sobre
> los chinitos, a los que iban esculcando de las bolsas y de las
> pantuflas, de donde les sacaban monedas de oro, sueltas y en
> costalitos que traían en la cintura o en el pecho [...]

Cunard arrancó las tareas, verificó que éstas se cumplie-
ran con celeridad y, a las seis de la tarde, se lavó las manos;
dejó que los mexicanos enterraran a sus chinos. El administrador del panteón (cuyo nombre no aparece en los archivos)
se quedó hasta el final, por eso pudo atestiguar después que
entre los cadáveres había varios en estado de descomposi-
ción. Es probable que los carretoneros se hayan tomado la

molestia de acudir hasta la zona de las huertas a recoger los restos. Los trabajos de excavación, recolección, acomodo y sepultura debieron prolongarse hasta entrada la noche. Eso significa que al menos una parte de la faena se cumplió a oscuras. El administrador contó hasta 205 cadáveres de chinos sepultados en esa, la principal de las fosas comunes.

(Luego se supo de la existencia de otras dos más pequeñas, amén del hallazgo de 70 cadáveres en las norias de El Pajonal.)

El profesor José Cadena tuvo un día difícil en La Vizcaína. Lidió con el terror de los chinos a los que había salvado, cuyo idioma le resultaba incomprensible y cuyo impulso era correr a la calle y largarse cuanto antes de Torreón. Le preocupaba además ser afectado en su patrimonio por la ola de saqueos. A la noche, cuando los ánimos se calmaron, volvió al Hotel Salvador y pidió por segunda vez una cita. Fue recibido por Orestes Pereyra. Don José expuso su dilema y el guerrillero cincuentón accedió a facilitarle una guardia armada de dos hombres para La Vizcaína. Luego, como a las diez y media, Orestes mandó a una cuadrilla armada y la veintena de cantoneses fue remitida con escolta al campo de concentración de la maderería Arce.

Escribe Juan Puig, y no se refiere nada más a los chinos de Cadena sino a la mayoría de los sobrevivientes:

> Allí los tuvieron tres días, sin dejarlos salir y sin darles de comer ni de beber. A la medianoche de uno de esos días, "varios maderistas" —denunció Lim tres meses después— golpearon "cruelmente" a algunos de los chinos, luego "esculcaron" a todos y los despojaron del dinero que cada cual llevaba consigo, con lo que reunieron "una regular cantidad".

Al final de la declaración que rindió ante Basset y Ramos el 12 de agosto de 1911, el cónsul belga Erico Notholt menciona a quien tal vez haya sido la última víctima del pequeño genocidio.

—¿Tiene usted algunos otros informes? —le preguntó Basset.

—En la noche de lunes a martes —respondió Erico—, hacia las 11, un chino fue muerto precisamente enfrente de nuestra ventana por cuatro maderistas que estaban allí en el momento a caballo. El chino no hizo uso de armas.

—¿Cómo se le dio muerte?

—Tenía la frente enteramente partida desde la nariz hasta el templo.

—¿Con machete?

—Creo que fue balazo. El cadáver se dejó allí en la calle hasta la mañana siguiente, hacia las 11. Aquella noche, cuando mataron a este chino, pretendí salir a la calle para ver lo que pasaba. Me dijeron que cuatro maderistas estaban matando a un chino. Los soldados estaban hablando en alta voz y les pregunté por qué había tanto ruido. Se me dijo que estaban discutiendo cuál de ellos había matado al chino.

—¿Tiene usted conocimiento de algún revolucionario muerto por los chinos?

—No. Yo solamente los vi sacarlos.

Del martes 16 al viernes 19 de mayo de 1911

El martes amanecieron sin agua los 70 chinos que estaban ocultos en un céntrico y desolado restaurante de Torreón. Sin agua ni alimento pero a salvo de los tiros. Decidieron permanecer así un día más, no fuera a ser el diablo.

Un tal Cristino Hernández se enteró de la penosa circunstancia en la que se hallaban los cerca de 200 prisioneros asiáticos de Orduña en la maderería Arce. Tampoco a ellos se les había dado de comer ni de beber. Cristino fue a visitarlos y llevó lo que pudo: agua, pan, café, cigarros. (No conozco un gesto más humanitario que el de proporcionar tabaco a los cautivos: lejos de pretender salvarlos, les inocula un goce frívolo; les recuerda la existencia de esa alforja huidiza e inhábil que llamamos dignidad.) Mientras fumaban a su lado, algunos cantoneses describieron ante Cristino en su medio español los abusos de los que fueron objeto a lo largo de la noche.

A las tres de la tarde, J. Wong Lim abandonó las instalaciones de la Cruz Roja en Gómez Palacio. Se dirigió al cuartel que regenteaba un tal Juan Ramírez; ahí estaban detenidos los 11 hortelanos que el maderismo aprehendió junto con él. Lim pidió audiencia al cabecilla e intercedió en favor de sus compatriotas, pero Ramírez se negó a liberarlos: dijo que seis de ellos habían disparado contra las tropas insurgentes durante el sitio. Sam pidió que los 11 hombres fueran traídos a su presencia; los interrogó en cantonés. Todos negaron la acusación. Juan Ramírez los devolvió a su celda y, en un alarde de perspicacia policial, ordenó al médico chino que entrara a verlos nuevamente y convenciera en privado a seis de ellos —los que fueran— de declararse culpables. Lim ingresó al área de confinamiento y los interrogó uno por uno. Salió de ahí con la convicción de que los 11 eran inocentes.

—¿Quién los acusa? —preguntó.

Juan Ramírez mandó llamar a un soldado que dijo que otro soldado (al que no pudo identificar ni por su nombre de pila) le aseguró que los chinos habían disparado en las huertas contra la tropa maderista.

Tras mucha insistencia, Walter J. o Sam o JW logró que los hortelanos fueran liberados bajo su personal fianza y firma.

***

El miércoles por la mañana, un niño cantonés llamado Wong se apersonó ante Carothers. Se presentó como ex colaborador del doctor Lim en la Cruz Roja durante los días del asedio y solicitó a George, más que garantías, agua potable para los 70 sobrevivientes a los que representaba: los refugiados del restaurante en ruinas. El cónsul organizó una colecta entre la comunidad extranjera para proveer de víveres al grupo. Fue el gesto que reactivó el humanitarismo en La Laguna.

Lim se trasladó de Gómez Palacio a Torreón. No hay registro de que se haya reunido con Woo Lam Po o Foonchuck, los otros líderes de la comunidad china local, pero se sabe que tuvo una entrevista con Emilio Madero, a quien exigió garantías para su pueblo. Tras convencer al médico de que estaba de su lado, el moroso Emilio aportó una perla más al collar de inconsecuencias con el que su facción indagó la masacre: comisionó a Sabino Flores como representante del Ejército Libertador para que, en compañía de Lim, recorriera las huertas.

Los prisioneros de la maderería Arce fueron liberados el jueves. Pronto hubo colectas para alimentarlos y vestirlos.

Como dispuso Emilio Madero, Walter J. y Sabino Flores recorrieron El Pajonal. Lo encontraron desierto. Acudieron a la casa de campo de Lim —un *chalet* de tejados color verde y muros de ladrillo rojo intenso—, donde los testimonios de la hermana y los sobrinos terminaron de quebrantar el espíritu del doctor. "Una vez que recorrí todas las casas, comercios, fincas de campo, y en general todas las residencias chinas, con verdadero dolor, que no puede transcribirse a la pluma, encontré una verdadera desolación."

El viernes Lim se entrevistó con George C. Carothers. "Parecía estar atontado y no saber lo que había de hacer", dijo el cónsul de Estados Unidos meses después. Fue así como el médico chino abandonó esta historia: noqueado por la realidad. Su liderazgo se desvaneció en 1911.

La noche del viernes, o quizás un día antes —*Billee* Jamieson no lo recuerda con claridad—, los maderistas laguneros organizaron un gran baile en las habitaciones de la Lavandería de Vapor Oriental. Fue su versión de un símbolo más hondo: danzar sobre los cráneos de los muertos.

UN CURSO DE MONSTRUOS

En noviembre de 2014, el Fondo de Cultura Económica me invitó a hacer un taller de lectura en el Conalep de Apatzingán. El acto formaba parte de un proyecto de atención cultural a niños y jóvenes que habían sido víctimas de la violencia generada por los enfrentamientos en la región Tierra Caliente entre los cárteles del narcotráfico y las autodefensas civiles. Acepté. Lo titulamos *Un curso de monstruos*.

Iniciamos nuestras charlas con la lectura de "El ramo azul", ese cuento de Octavio Paz donde un turista es acechado por un hombre que pretende recolectar un ramo de ojos azules para regalárselo a su novia. Al finalizar hice dos preguntas a los chicos: ¿qué monstruo serías si acecharas a alguien?, y ¿por qué razón —como sucede en el cuento de Paz— le perdonarías la vida? Es más fácil imaginarte como verdugo que como víctima. Casi todas las niñas se vieron vampiresas o fantasmas. Casi todos los niños fueron licántropos o zombis. Una muchacha muy tímida decidió ser un dragón. El más viejo del grupo, un chavo de 18 o 19 años (además de cursar el bachillerato técnico era reportero y luego supe que durante un par de años trabajó para los cárteles) prefirió ser un *serial killer*; adujo que los monstruos realistas son más poderosos. Naturalmente, yo me declaré un ogro. Experimentamos durante tres días con estos avatares. Realizamos cuentos, poemas, lecturas y cuatro cortometrajes. El lector puede consultar los materiales que creamos en la página web monstruos.org.

Nuestra condición sobrenatural me permitió conocer algunas de sus historias. Supe que el anterior director del Conalep, un militante de Los Caballeros Templarios, estaba encargado de reclutar halconcillos y vendedores de droga al menudeo entre sus propios alumnos. Conocí a un quinceañero que había pasado semanas en el hospital después de la madriza que le dieron los soldados de la patria tras hallarlo en posesión de un bonche de metanfetamina. Almorcé con una chica cuya aspiración era ser escritora, cantante y comediante, y cuyo padre fue primero expulsado de Apatzingán por La Familia Michoacana (el hombre, la esposa y sus hijos emigraron a Tijuana), después fue aprehendido y condenado a 30 años de prisión, y finalmente fue exonerado por las autoridades y la delincuencia organizada a cambio de su fortuna.

Me siento un poco mal al escribir estas anécdotas: pensaba reservármelas. Por eso no menciono los nombres de los involucrados. Pero sin ellas no podría dar testimonio de que en Apatzingán hay un puñado de chicos maravillosos intentando subsistir a contracorriente de ríos de mierda.

Fueron tres días emocionalmente extenuantes. Luego de impartir el taller por las mañanas, pasaba las tardes (y parte de las noches) recorriendo la ciudad. No era tan sencillo: el FCE me había puesto a dos promotoras de la lectura como chaperonas; ellas procuraban llevarme a todas partes y cuidaban de que no acudiera a los barrios bajos, las piqueras, las esquinas donde despachan cocaína y cristal. Un par de veces logré escapármeles, pero lo cierto es que el Apatzingán que vi nunca fue el verdadero: apenas la versión turismo extremo custodiada por la cultura institucional mexicana. Me llevaron a la casa de la cultura, que estaba siendo remodelada, y de ahí pasamos a una marisquería aledaña que, según mis anfitrionas, había sido el gran centro de poder primero de La Familia Michoacana y después de Los Caballeros Templarios, y ahora era un restaurante emblemático de la Tierra Liberada, con música en vivo y niñitos sonrientes y todo.

Había en la ciudad una sensación de fiesta tensa: sí, las auto-defensas y el gobierno federal habían triunfado, sin hacerse demasiado daño mutuamente, sobre los cárteles. Pero estaba cantado que ese equilibrio no podía durar. No pocas personas con las que conversé (adultos y muchachos) insistían en que tanto la infiltración entre las autodefensas del grupo delictivo Los Viagras (fue la primera vez que escuché ese nombre) como la intransigencia e impunidad del ejército y la policía federal presagiaban un recrudecimiento de la guerra.

Con todo, y mientras paseaba de madrugada por los alrededores de la plaza principal —arriesgando la vida, como quedó claro tras la masacre del 6 de enero— yo me hacía ilusiones: "Podría ser —me decía, tratando de convencerme de que el gobierno mexicano es algo más que una fábrica de sinsabores—. Tal vez haber venido hasta acá a hacer *Un curso de monstruos* haya significado algo. Algo chiquito. Algo chiquito que quizá vale la pena".

★★★

El domingo 16 de abril de 2015 me encontré en internet con un reportaje de Laura Castellanos: "Fueron los federales". El documento, basado en 39 testimonios registrados en audio, fotografías, declaraciones anónimas y un par de videos, reconstruye una masacre acaecida el 6 de enero de 2015 (dos meses después de *Un curso de monstruos*) en Apatzingán.

La versión oficial hecha pública el 12 de enero por Alfredo Castillo, en ese momento comisionado de seguridad en la región, señala que un grupo armado ocupó el palacio municipal y, al ser evacuado el edificio durante la madrugada, se registró la muerte por atropellamiento de un civil junto con la aprehensión de 44 hombres armados. Castillo declaró asimismo que, horas más tarde, ya de día, un contingente paramilitar emboscó a un convoy de la Policía Federal y que, en el enfrentamiento, ocho delincuentes murieron a causa del fuego cruzado: los habrían acribillado (principal aunque no exclusivamente) sus correligionarios.

La versión que ofrece Laura Castellanos es muy distinta. De acuerdo con testimonios compilados en audio por la reportera —que incluyen (además de las voces de personas directamente involucradas) a un ciclista, un taquero, vecinos y viandantes, etcétera—, se establece que el primer ataque afectó a guardias rurales desarmados y personas que hacían compras para el Día de Reyes y empleados de distintos comercios situados alrededor de la plaza de armas (frente a la cual está el hotel donde me hospedara yo en noviembre): civiles. Es imposible saber con exactitud cuántas personas murieron esa noche. Según los testimonios, la comunidad local se negó a denunciar la desaparición de sus seres queridos por temor a represalias del gobierno de México.

Los declarantes informan que, en la segunda fase de la masacre, la Policía Federal utilizó armamento antiblindaje para repeler a jóvenes que portaban palos y piedras y que intentaban rescatar a los detenidos de la madrugada anterior. Se dice también que algunos de estos últimos estaban desangrándose mientras se les trasladaba, y ni así les fue suministrada atención médica por parte de la autoridad. Se muestra luego una fotografía de los restos de un líder comunitario y los de su familia (una mujer y dos niños); yacen sobre el pavimento, cubiertos de sangre y con varios proyectiles en el cuerpo. El cadáver del padre tiene un disparo en la cabeza estilo ejecución. La evidencia fotográfica sugiere que el hombre estaba desarmado, e incluso un testimonio señala que se levantó la camiseta para demostrar este hecho a los agentes federales, lo que no evitó que se le ejecutara. Existe el audio de una comunicación radial en la que los propios miembros de las autodefensas declaran ante sus compañeros estar siendo tiroteados por la policía federal. Se presentan informes médicos que describen residuos de pólvora en el cráneo de otras víctimas, dato que constituye una prueba forense de que murieron ejecutadas. Varios testigos —de cuyas identidades Castellanos afirma guardar el anonimato por temor a represalias— identifican en las grabaciones al menos 16 ejecuciones extrajudiciales: dicen que los miembros de las autodefensas estaban hincados y con las manos en alto cuando los agentes policiacos les dispararon a la cabeza. Finalmente, un video muestra a un joven agonizante que yace en medio de la calle. Se desangra a causa de lo que parecen heridas de bala. Su cuerpo sufre espasmos. Al fondo del encuadre se distinguen personas uniformadas que, a pesar de no encontrarse bajo fuego, eluden la responsabilidad —ya no legal: humana— de socorrer al herido.

No me entretengo —aunque podría— en más descripciones; mi intención no es denunciar un hecho sino una sintaxis. O, dicho de manera más justa y humilde, me interesa trazar una doble analogía. Primero, entre lo que informaron las autoridades mexicanas sobre Apatzingán y el *Extracto* de Macrino J. Martínez acerca de la matanza de chinos de Torreón. Segundo, entre el *Informe* de Antonio Ramos Pedrueza y el reportaje de Laura Castellanos.

Tanto en el caso del comisionado Castillo en 2015 como en el del juez militar Macrino J. Martínez en 1911, hay una postura política que pretende erigirse como "verdad histórica" (la frase no es mía sino del ex procurador Jesús Murillo Karam; la usó para referirse a otro caso emblemático: el de los 43 normalistas desaparecidos en Ayotzinapa). Ni Castillo ni Macrino ofrecen bases de índole criminalística, testimonial o forense; apenas la perversión de un silogismo: *la verdad tiene autoridad; la autoridad tiene poder; por lo tanto, quien tiene el poder tiene la verdad.*

En términos técnicos (*técnicos* y no políticos), el reportaje de Laura Castellanos está más cerca de la metodología de investigación seguida por Antonio Ramos Pedrueza: aporta voces de distinta extracción; ofrece datos forenses; exhibe documentos que fundamentan sus dichos; presenta una estructura cronológica: la temporalidad del relato se alterna con el desahogo de pruebas.

DESPUÉS

Who by fire?
Who by water?
Who in the sunshine?
Who in the night time?
Who by high ordeal?
Who by common trial?
Who in your merry merry month of May?
Who by very slow decay?
And who should I say is calling?

LEONARD COHEN

El lunes 22 de mayo de 1911, el secretario de Relaciones
Exteriores de México, Francisco León de la Barra, recibió
un telegrama de Shung Ai Süne, encargado de negocios
del imperio chino: "Ruego a vuestra excelencia se sirva
decirme si son ciertas estas noticias". El documento incluía
una copia de otro telegrama enviado desde Piedras Negras
por el empresario Wong Chan Kin: "He recibido mensaje
de mi representante [en] Torreón Coahuila México infor-
mándome que fueron muertos 224 de nuestros paisanos
en el reciente disturbio allí". León de la Barra escribió al
gobernador de Coahuila, Jesús de Valle, interrogándolo
sobre los hechos. Al mismo tiempo, respondió al funcionario oriental que las noticias "se juzgan exageradas". Esa fue
la primera frase de una novela que iría escribiéndose a lo

largo de 100 años: la ficción nacional sobre el pequeño genocidio.

Si la primera reacción de León de la Barra fue emitir una opinión sin fundamento, lo cierto es que indagó el asunto con diplomática seriedad tras ser nombrado presidente interino el 25 de mayo y después de recibir un telegrama desde Coahuila que confirmaba el evento. El gobernador De Valle no pudo ocuparse de la investigación: primero, porque carecía de contacto telegráfico con (y de autoridad en) La Laguna, regida por rebeldes. Y segundo, porque él mismo sería relevado de sus funciones por el maderista Venustiano Carranza. Quien se hizo cargo fue Emilio Madero: el 20 de mayo asentó una oficina encargada de registrar denuncias y reclamaciones por pérdidas materiales; estaba a disposición no solamente de los súbditos celestes sino de cualquier habitante de Torreón. Enseguida, Madero nombró juez militar a Macrino J. Martínez, autor principal del segundo capítulo de ficción en torno a la masacre. La negación dio paso a la calumnia. Macrino afirmó en sus conclusiones que los chinos habían muerto por atentar contra el Ejército Libertador de la República. Para sostener su fallo, privilegió las declaraciones de los soldados, falsificó y mutiló testimonios de extranjeros, periodistas y civiles, invocó documentos que nunca existieron (por ejemplo, una supuesta declaración jurada de Lim en la que 11 hortelanos habían "confesado" su crimen ante el cabecilla Juan Rodríguez durante su detención en Gómez Palacio) y, en general, procuró establecer como verdad histórica lo que era una postura política: la de los maderistas.

El *Extracto* (así lo llamó) de Macrino fue entregado a Emilio Madero el 15 de julio. Muy pronto llegó a manos de León de la Barra. Incluía joyas como ésta: "Como un simple ciudadano, y con el fin patriótico de evitar que nuestro Gobierno sea obligado a pagar al Imperio Chino la cuantiosa reclamación que ese gobierno exige [...]"

Presionado por León de la Barra y preocupado por *la dignidad de la nación*, el subsecretario de relaciones exteriores encargado del despacho, Victoriano Salado Álvarez, pidió al subsecretario de justicia Jesús Flores Magón que emprendiera otra indagatoria. Ésta fue al mismo tiempo apresurada y pachorruda: se hizo desde la ciudad de México y sólo vio la luz a finales de diciembre. El documento cita los nombres de 10 individuos a los que se les había dictado auto de formal prisión: Jesús María Grajeda, Gonzalo Torres, Anastasio Saucedo, Benito Bradley, Anastasio Rosales (se le acusaba de haber matado a 19 cantoneses él solito), Estrada Baca, Benigno Escajea, Aureliano Villa y Florencio Menchaca. Los tres primeros habían sido encarcelados, los siete restantes se encontraban prófugos en diciembre de 1911 y parece que nunca fueron detenidos. Otra investigación realizada al año siguiente por el gobierno de Coahuila giró órdenes de aprehensión en contra de Benjamín Argumedo, los hermanos Casiano, los hermanos Soto y Plácido Orduña, entre otros. Tampoco este segundo grupo pisó la cárcel jamás.

Los movimientos diplomáticos internacionales y la reacción en consecuencia de la prensa revelaron otro escenario de lo que se volvería un circo político de tres pistas. El encargado de negocios Shung envió un telegrama a Ching Yi Kuang, ministro chino del exterior, con el siguiente texto: "En la revolución mexicana se mata y pilla de la manera más arbitraria. Ayer en Tsai Yüan fueron heridos y muertos más de 200 chinos, las circunstancias son muy deplorables". El documento fue publicado y editorializado en los principales periódicos de Pekín y también en Japón, Europa y América.

Narra Juan Puig:

El príncipe Ching mandó entonces a sus emisarios para entregar en la Legación de México en China una lista de exigencias formuladas de modo extraoficial y en términos muy corteses, pero claros. Allí se pedía que el gobierno mexicano expresara sus condolencias, que se desagraviara a la bandera china, que se indemnizara a los deudos de los muertos y a los sobrevivientes, que se protegiera la vida y la propiedad de los chinos en México y que se castigara a los culpables.

Quien recibió este comunicado en una casa diplomática de Pekín fue un personaje mitad intrépido y mitad obtuso del que pronto habrá ocasión de platicar: el encargado de negocios Pablo Herrera de Huerta. El 26 de mayo, Herrera se condolió de parte del pueblo mexicano con el pueblo chino, pero cuidándose de no incluir disculpas ni pésames de Estado. Esta sutileza es el tercer capítulo de la novela antichina y marcó el camino de la recepción nacional de la masacre: hasta la fecha, jamás el gobierno de México ha admitido responsabilidad en los sucesos.

En junio comenzó a debatirse el principal tema ulterior a la matanza: la indemnización. China solicitaba 60 millones de pesos mexicanos en oro por pérdidas materiales y humanas. Un tono humorístico y racista que no provenía del maderismo sino de la tradición porfiriana predominó entonces en la prensa nacional alrededor de la siguiente pregunta: ¿cuánto vale un chino?... Cuarto capítulo de la novela: a la negación, la calumnia y el ninguneo se sumó el menosprecio.

El 17 de junio de 1911 —a un mes apenas de la tragedia— apareció en *El Ahuizote* un texto favorable al genocidio:

La China no sigue en la cotización de sus súbditos ley económica alguna: si aplicamos la ley de la oferta y la demanda, teniendo en cuenta los millones [de] chinos sobrantes en el Celeste Imperio y en otras partes, en vez de cobrarnos a cien mil pesos por chino, deberían pagarnos por su destrucción, pero haciendo grandes concesiones a los sentimientos humanitarios de los celestiales, accederíamos a pagar a razón de cien mil chinos por un peso, no cien mil pesos por un chino.

El 29 de junio se publicaron tres textos jocosos en la revista *Multicolor*. Uno, firmado por Karkabel y titulado "Entrevista con un Chin-chun-chan", concluye entre otras cosas que lo más prominente a lo que puede aspirar un chino es ser planchador de camisas, los chinos no se bañan ni aunque se acaben de bañar en mierda, los chinos merecen morir como ratas porque cocinan ratas, los chinos osaron ponerse con Sansón a las patadas al disparar (se supone) contra los maderistas, las mujeres chinas son putas gratuitas ("las lan lalas"), los migrantes chinos son esclavos que ya se habían vendido (o al menos "empeñado"), razón por la cual su existencia tiene un precio exiguo, y, ¡alto ahí!: no sean igualados, la vida de un chino no vale lo mismo que la de un mexicano puesto que un mexicano no usa trenza, ni siquiera coleta.

Actitud semejante denota el texto firmado por "V." y publicado junto al anterior en el mismo número de *Revista Multicolor*.

Como a todo bicho viviente, a mí me visita dos veces por semana un *chale* de los que se dedican al saludable lavado.

¡Y pensar que al tal *chale* lo miraba yo como una *cosa* de poco valor...!

Creía que con 75 centavos podría comprarse media docena, y resulta que, según la reclamación famosa, cada uno vale la friolera de 100 mil pesos, libre de flete, porque los causantes de la reclamación ya están fletados.

¿Dónde tendrá un chino los 100 mil del ala?

¿En la coleta? No es posible: para que una coleta valga 100 mil *machacantes* tiene que portarla un Gaona o un *Machaco*.

¿Puede un chino ganar 100 mil *locos* en su lavandera existencia?

Sólo de una manera: lavando toda la ropa sucia de nuestros políticos, para lo cual se necesitaban varios millones de *celestes* y muchos millones de años.

Del único modo que un chino podría alcanzar precios fabulosos, sería dedicándose al exterminio de las ratas, y no sé yo que hasta la fecha se haya conocido un ratonero de tanta valía.

El caso es que reclaman 100 mil *gongos* por cada hijo de Confucio.

Razón tenía Chole (una tapatía dislocante) cuando al obsequiarme un rizo me decía: guarda ese *chino*, que vale muchísimo.

El tercer texto es un romance y apareció sin firma. Entre sus gracejadas dice que China ha enviado a las costas mexicanas un crucero militar llamado *El Telol*, afirma que el imperio reclama la devolución de las coletas de sus súbditos y compara el precio de los chinos muertos con un mercado de suegras donde no hay clientes y que ha sido instalado por el propietario con el solo pretexto de obsequiar a la suya.

Lo del crucero no era broma. Por aquellas fechas había salido de China rumbo a la coronación de Jorge V de Inglaterra el buque *Hai-Chi*,

Dice Puig al respecto:

>...una de las más caras prendas de la armada imperial china: de construcción inglesa, con 452 tripulantes, 4 300 toneladas de desplazamiento, una velocidad de 21 nudos y armado con dos grandes cañones de torreta, 10 medianos, 15 pequeños, seis ametralladoras y cinco lanzatorpedos.

El navío viajó desde Europa hasta la Costa Este de América y ancló en La Habana el 2 de octubre de 1911, pero no se dirigió al litoral mexicano.

En Asia, la reacción de México en torno a la indemnización y la crisis de imagen internacional fue manejada por dos funcionarios: Ramón Pacheco, embajador ante China y Japón avecindado en Tokio y su subalterno, el ya citado responsable de negocios en Pekín.

Pablo Herrera de Huerta nació en Tacubaya. No creo que haya sido el burócrata más listo del porfiriato, o al menos nunca tuvo las relaciones adecuadas para hacer demasiado con su vida. Era, eso sí, un funcionario dedicadísimo: un *godínez* de altura. A la edad de 30 años realizó su primera pasantía ante una delegación italiana. Después trabajó en el Archivo

General de la Nación. En 1901 se le admitió en la Secretaría de Relaciones Exteriores con un puesto sin salario en el departamento de Europa, Asia y Oceanía. Arribó a China en 1904 en calidad de tercer secretario (ya con sueldo) y llegó a ser encargado de negocios —con cuatro intermitencias, la última de ellas suplida por Alfonso Reyes— durante 17 años. Pasó tremendas apreturas económicas cuando Venustiano Carranza, con su acritud habitual, cesó a funcionarios de todas las embajadas por haber colaborado en el gobierno de Victoriano Huerta. Pablo se reincorporó al servicio en 1919. En 1923 abandonó China, fue enviado a Guatemala y, a partir de entonces y hasta 1934 (año en el que, supongo, se jubiló tras 30 años de servicio), ocupó el puesto de encargado de negocios (nunca el de embajador) en distintas misiones de América, incluyendo Washington. Murió en 1940. Sus comunicaciones en torno a la matanza (tenía 43 años cuando ésta sucedió) dejan entrever la ansiedad de un mando medio que quiere quedar patrióticamente bien y ascender en la cadena alimenticia de la cancillería.

Cuando más caldeados estaban los ánimos y la prensa asiática atacaba diariamente a México, Herrera envió al subsecretario Carbajal una carta que linda la vileza:

> Fácil sería refutar los escritos en cuestión, contestando que pasa grandísima diferencia entre los hechos que se nos reprochan y los verdaderamente bárbaros acontecimientos que tuvieron lugar aquí en 1900. Aquéllos son inherentes a un estado de guerra en todos los países del mundo […] mientras que el sitio de las Legaciones y el asesinato de Agentes Diplomáticos (entre los que se encontraba un Ministro de Alemania), llevados a cabo por orden del gobierno chino y por tropas de éste, son actos de salvajismo sin ejemplo en la historia de todos los pueblos […]

Luego, en la misma carta, Pablo se matiza y contradice: aclara que decir estas cosas en público resultaría ofensivo para el imperio celeste, y que en realidad los chinos lo han tratado con gran cortesía últimamente. También confiesa entre líneas que teme por su seguridad, pues desde la matanza la policía imperial vigila su casa. Concluye que tal vez no sea el mejor momento para acusar de salvajismo a los chinos, pero que más adelante,

> cuando terminen las investigaciones y tengamos en nuestro poder datos fehacientes, [si Usted estimare] que haga yo rectificaciones y refute de una buena vez los insulsos artículos de la prensa china con el recuerdo de los sucesos de 1900 y otros que abundan, no será el temor el que me impida cumplir con las instrucciones que se sirva impartirme, porque bastante se ha abusado ya de nuestra prudencia…

La carta revela un bies, una similitud entre México y China: el exceso de cortesía como máscara del menosprecio hacia el otro.

El embajador Ramón Pacheco no se quedaba atrás. El 29 de junio instruyó a Herrera para que investigara cuánto se pagaba por indemnizaciones a súbditos chinos afectados por extranjeros dentro del propio imperio celeste. Su objetivo era abaratar costos al gobierno. Incluso se ofreció a cubrir de su peculio un viaje al continente para encargarse de la investigación, pues estaba convencido de que "la vida del chino tiene un valor *minimum* de 10 o 20 pesos y *maximum* de 150 a 200 por persona". El viaje fue aprobado pero no concluyó bien: el tren en el que Pacheco viajaba hacia la costa oeste de Japón descarriló y el funcionario sufrió una fractura. Quien estableció para México el precio unitario por cantonés muerto fue, de nuevo, Herrera de Huerta. Lo hizo con diligencia y sinsabor: había (tanto en el imperio como en otros países) cantidad de precedentes que apoyaban las demandas de la nación oriental.

Ese mismo julio, el encargado chino de negocios en México, Shung, fue relevado de su cargo. En su lugar arribó Chang Yin Tang, Enviado Extraordinario y Ministro Plenipotenciario de Su Majestad del Imperio Chino en los Estados Unidos, México, Cuba y Perú. El alto nombramiento del personaje y el hecho de que se avecindara en la ciudad de México y no en Washington, como de costumbre, constituía una presión diplomática. En respuesta, León de la Barra movió también sus piezas y colocó a Bartolomé Carbajal y Rosas como subsecretario de Relaciones Exteriores encargado del despacho.

La nueva legación china formó una comisión investigadora internacional integrada por el propio Chang, su secretario particular Owyang King, el abogado W. Arthur Basset y, extraoficialmente, el juez Lebbeus R. Wilfley, quien estaba familiarizado con el contexto asiático por haber sido procurador en Filipinas y magistrado del tribunal estadounidense en China. A principios de agosto, el secretario Owyang King y el litigante Basset se prepararon para viajar a Torreón a realizar entrevistas y recabar testimonios. Atento a lo que era ya una partida mundial de ajedrez, y consciente de que las investigaciones realizadas hasta entonces resultaban pedestres, Francisco León de la Barra movió uno de sus caballos: nombró al diputado y litigante José Mónico Antonio Ramos Pedrueza como fiscal de los hechos.

Nacido en Parral en 1864, pero emigrado a la capital a los 10 años, Ramos Pedrueza era hijo de un abogado y su mundo fue siempre el de las leyes. Se graduó a los 22 y desde entonces ejerció diversos oficios del ámbito jurídico: secretario en un juzgado, agente del ministerio público, juez y, por supuesto, profesor de derecho. Se casó a los 28 con Luz Mariscal y Piña, descendiente de una familia de letrados. La pareja asentó su residencia en el pueblo de Tacuba.

Ramos fue varias veces diputado durante los gobiernos de Porfirio Díaz, la última de las cuales lo llevó a la XXV Legislatura. Juan Puig lo reputa como simpatizante del maderismo. Puede que sea cierto pero, en la práctica cotidiana, era un jurisconsulto conservador. Es lo que demuestran sus opiniones sobre criminalística.

Escribe Robert F. Buffington en *Criminales y ciudadanos en el México moderno*:

Antonio Ramos Pedrueza inició uno de sus cursos de derecho penal en los años de la Revolución con un detallado examen de los méritos relativos de la criminología clásica y la positivista, que suponía la impugnación de las premisas básicas del derecho penal del país. Inspirado en el criminólogo italiano Enrico Ferri, concluyó que el delincuente racional, fundamento de la criminología clásica, no había existido jamás. "La realidad observada en prisiones y reclusorios confirma que los delincuentes son anormales —anotó— si bien muy diferentes entre sí, y que el paso del tipo criminal avezado al tipo humano normal no es una transición brusca, sino una serie de gradaciones, tal como ocurre en la especie animal".

Aunque el argumento tiene pertinencia (atisba la noción de que existen sociópatas y psicópatas), su carácter absoluto es insostenible: niega la injerencia de la sociedad en el delito. Esta perspectiva teórica debió influir en el veredicto final acerca de la masacre.

Ramos Pedrueza tenía 47 años cuando fue nombrado investigador por León de la Barra. Era un ciudadano recto, enjuto y elegante de gran mostacho entrecano y calvicie incipiente. Pidió 400 pesos de viáticos y 3 000 pesos de honorarios (que cobraría al final de su desempeño) y se marchó a Torreón durante 12 días contados a partir del 10 de agosto.

También los representantes internacionales (a los que el gobierno delabarrista nunca admitió con ese rango: siempre se consideró que los estadounidenses eran meros consultores particulares del gobierno chino) viajaron a La Laguna en esas fechas. Al principio parecía que los tres —Owyang, Basset y Ramos— conformaban una sola comisión investigadora, e incluso hicieron las entrevistas de manera conjunta, como lo demuestran las transcripciones presentadas por el mexicano en su informe final. Sin embargo, cada equipo (Owyang y Basset por una parte; Ramos Pedrueza por la otra) redactó sendos veredictos. Esto dio lugar a discusiones cuya fineza jurídica sería oneroso consignar aquí: corresponden más a una lectura cuasibíblica del derecho internacional que a las dimensiones de una crónica. Me conformaré con narrar, *grosso modo*, las coincidencias y diferencias entre ambos resultados.

Tanto los documentos de la comisión imperial como el informe de Ramos Pedrueza, entregado el 13 de septiembre de 1911 (aquí hay que elogiar la celeridad con la que trabajó el fiscal mexicano; ojalá hubiera más como él), coinciden en negar la provocación por parte de los colonos cantoneses. La evidencia es aplastante: no sólo apoyan esta versión los testimonios de extranjeros avecindados en La Laguna —Cunard Cummins, George Carothers, el doctor Lim, Erico Notholt, Federico Wulff y Charles W. Enders—; están también el hecho de que la ciudad se perdiera por falta de parque, la tradición pacífica de la comunidad china torreonense, el volante publicado por Woo Lam Po y la afirmación de Ramos Pedrueza de haber recabado más de 100 testimonios orales de meseros, empleados, funcionarios y burgueses que desmentían a los maderistas. Uno de los documentos de la comisión imperial afirma que el profesor Delfino Ríos, editor del periódico *Diógenes*, tenía autorización del general Emiliano Lojero para negar la especie de que los chinos participaron en la defensa.

(Así y todo, aún quedan torreonenses ilustrados que afirman que los chinos dispararon contra los revolucionarios.)

Otro acuerdo entre ambas comisiones fue demoler el informe de Macrino J. Martínez, cuya ingenuidad para hacer trampa no deja margen a duda. También coincidieron en que la matanza se llevó a cabo con extremada crueldad, aunque en este punto empiezan los matices: el informe chino abunda en ejemplos gráficos, en tanto Ramos Pedrueza se conforma con una versión más abstracta de los hechos.

Luego están las diferencias. En primer lugar, la comisión extranjera fija la cifra de muertos en 303; Ramos Pedrueza dice que fueron 205, ateniéndose exclusivamente al número de cadáveres sepultados en la fosa común cavada bajo las órdenes de Cummins junto al cementerio. Y mientras la versión oriental responsabiliza en primera instancia a los maderistas, y en consecuencia al gobierno de México, la versión nacional exculpa a las autoridades federales, justifica a los soldados revolucionarios y achaca el suceso a una "ley psicológica". Escribe Ramos Pedrueza:

> La muchedumbre es siempre peligrosa, pero cuando ésta entra armada y se siente apoyada por un populacho sediento de saqueo y cuando las circunstancias la hacen durante tres o cuatro horas dueña de sus actos, consciente de su omnipotencia y sin autoridades ningunas, constituyéndose en juez y en verdugo, el crimen tiene que ser la consecuencia fatal: esto aconteció en Torreón.

Ése fue el quinto capítulo (tal vez el más duradero e insidioso) de la ficción mexicana en torno al pequeño genocidio de La Laguna. Tras la negación, la calumnia, el ninguneo y el menosprecio, se instituyó la verdad a medias: la manipulación intelectual de los hechos.

La principal debilidad de la tesis de Ramos Pedrueza es ésta: la masacre no duró cuatro o cinco horas sino dos días (a partir de la noche del 13 de mayo, según múltiples testimonios, y hasta la noche del 15, según Erico Notholt). Durante la mayor parte de ese tiempo, los líderes maderistas *estaban* en el frente de batalla. Tampoco es lógico exculpar a los soldados rebeldes: la masacre inició la noche del 13 en las huertas de El Pajonal, y en ese momento no había "muchedumbres" presentes en ese sitio; estaban nada más los combatientes. Es cierto que el clima de violencia se recrudeció durante las primeras horas del 15 de mayo, pero no se originó en ese momento: al menos la quinta parte de las ejecuciones (cerca de 60) tuvo lugar antes de eso, y fue la negligencia de las autoridades locales (porfiristas y maderistas) lo que facilitó la escalada.

La segunda debilidad de la tesis de Ramos estriba en la negación del contexto. Es fácil afirmar que una turba de miserables es responsable única de un crimen cuando se prescinde de la historia cultural; cuando se cree que la delincuencia es una anormalidad y, por lo tanto, se pasa por alto el efecto criminal del racismo expresado verbalmente y ejercido de manera pragmática durante décadas por miembros de la burguesía algodonera de La Laguna.

Cuchillito de palo, Chang Yin Tang hizo llegar al gobierno mexicano un listado con los nombres de los 303 súbditos muertos (la cifra sigue discutiéndose hasta hoy pero logró establecer su carácter oficial). Envió luego un *Memorando* donde Wilfley y Basset presentaban un informe preliminar. Finalmente, la comisión extranjera imprimió un cuadernillo que detalla las pesquisas de Owyang y Basset en La Laguna.

Las negociaciones se enredaron tras el arribo del crucero *Hai-Chi* al puerto de La Habana, la insistencia del gobierno chino en cobrar una indemnización fijada primero en 30 y luego en seis millones de pesos en oro, las indiscreciones de Sown Nai Sown, cónsul chino en Veracruz y partidario de la solución armada (y a quien Chang parece haber destituido de inmediato), y la negativa del régimen delabarrista a aceptar la mediación de Estados Unidos y a reconocer la responsabilidad directa de maderistas o porfirianos en la tragedia.

Así y todo, hacia finales de octubre parecía que se llegaba a un acuerdo: México estaba dispuesto a pagar una indemnización de tres millones de pesos. Lo que volvió a poner en *stand by* la situación fue la democracia: el 6 de noviembre hubo elecciones y Francisco I. Madero se elevó al rango de presidente constitucional. Los cabilderos Basset y Wilfley enviaron a Manuel Calero, nuevo secretario de relaciones, una enésima andanada de jerga jurídica intentando agregar intereses moratorios a la deuda. Calero, por su parte, intentó reducir los costes mediante argucias jurídicas, antecedentes geopolíticos y el rastreo de precedentes exculpatorios en los linchamientos de mexicanos en Estados Unidos…

Tuvo que aparecer el presidente en persona para mediar entre la voracidad y la tacañería. En una reunión con los representantes de la comisión internacional, Francisco I. Madero vio el monto de la demanda y ordenó que se agregaran 100 000 pesos a la cantidad previamente acordada. Así, la indemnización por el pequeño genocidio quedó establecida en tres millones cien mil pesos en oro. El éxito que Manuel Calero obtuvo a cambio fue la aceptación, por parte de la legación china, de que el pago tuviera carácter *gracioso*; es decir, dictado por la generosidad y simpatía del régimen maderista, y no *obligatorio*. Con esto se protegía inherentemente al Estado de cualquier implicación histórica en la masacre. Así se consolidó la visión de Antonio Ramos Pedrueza.

El 16 de diciembre de 1911 fue redactado un Protocolo de Indemnización. El documento establecía como fecha para saldar la deuda el 1 de julio de 1912.

Naturalmente, el compromiso se incumplió. Primero, porque el triunfo de la república china hizo que los demandantes intentaran retrasar el cobro. Y segundo, porque en México el general Victoriano Huerta encabezó en febrero de 1913 un golpe de Estado. Fueron los días de la Decena Trágica, de la muerte por plomo en pleno zócalo del general Bernardo Reyes —"el último romántico", lo llamó su hijo Alfonso en uno de los venablos más fluidos de la prosa en castellano—, del arresto de Felipe Ángeles, del magnicidio del presidente y el vicepresidente de la República, de la tortura, la mutilación y el asesinato de Gustavo Madero en la Ciudadela por parte de la soldadesca mientras un fonógrafo reproducía "Cuando cobre el pagaré, el pagaré, qué gusto te vas a dar, mujer…"

Deudas y cadáveres fluyendo como pus.

***

En 1924, *Billee* Jamieson hizo un viaje de negocios a Chicago. Recorría una avenida cuando alguien lo llamó por su nombre. Se volvió; frente a él había un desconocido de rasgos orientales que se presentó como sobreviviente de la masacre de chinos de Torreón: dependiente del restaurante que existió alguna vez al otro lado de la calle de los Lundquist. Era uno de los cantoneses a los que Jamieson escoltó el 15 de mayo, arriesgando su vida, hasta la presencia de Emilio Madero. El chino invitó a *Billee* a un restaurante de su propiedad. Descorcharon una botella de vino y hablaron por un rato de los oscuros viejos tiempos. Hacía más de una década que el doctor y su familia habían dejado México.

(Sin embargo, *Tulitas*, su mujer, seguía refiriéndose a Torreón como "nuestro pueblo".)

Torreón, la próspera, había cambiado mientras tanto. No perdió su talante pero sí la inocencia. Fue violada por los ejércitos de Pancho Villa —a quien los torreonenses aman u odian: no hay medias tintas— en tres ocasiones. La colonia china siguió existiendo pero no era lo mismo: no era la misma. Los cónsules se marcharon. La comunidad española fue expulsada. Muchos hombres ricos se arruinaron, otros siguieron prosperando; algunos a fuer de cambiar de lealtades. Tal fue el caso de Lauro de la Garza, quien se transformó en banquero de la División del Norte e instruyó a Villa sobre las formas idóneas de extorsionar a la casta algodonera.

Foon-chuck, el muchacho de 24 años que llegó a La Laguna a finales del siglo XIX con los primeros trenes, no volvería a gozar de la prosperidad que tuvo antes de la matanza. La Lavandería de Vapor Oriental cerró sus puertas. La huerta Do Sing Yuen producía muy apenas. Los tranvías Wah Yick se convirtieron en una curiosidad histórica. El edificio del Banco Chino quedó en propiedad del Banco de la Laguna, luego se le abandonó. Todavía en los años treinta, un funcionario regiomontano de apellido Castillón —dice Silvia Castro que hasta tiene una calle con su nombre en Monterrey— intentó apropiarse del inmueble sin mayor derecho que el de sus pistolas. También un tal general Ríos Zertuche se adueñó de otro terreno que pertenecía a Foon-chuck y fundó ahí el campo militar de Torreón. Foon-chuck, el amigo personal del gobernador Miguel Cárdenas, el súbdito celeste más exitoso de Coahuila, el que fundó en Monclova una escuela donde se estudiaba el cantonés, mudó su residencia a un pequeño rancho que poseía en Tamaulipas: El Limón. Todavía intentó trabajar con el régimen revolucionario: dice Bernardo Chuck que tenía el proyecto de hacer una presa con el apoyo del gobierno federal cuando le mataron a Venustiano Carranza. Parece que ahí se desilusionó. Era fuerte: vivió para ver el triunfo de la república china, el regreso de la paz a México, dos guerras mundiales y el arribo de Mao Zedong al poder de su tierra natal. Murió en 1955 a los 87 años, 75 de los cuales había vivido en América.

El 17 de septiembre de 1911, el periódico *El Criterio de Durango* reseñó un nuevo ataque contra los chinos de El Pajonal. El 26 de enero de 1912 se fundó la Liga de Propietarios de Torreón, consagrada a proteger y recuperar las posesiones afectadas por los revolucionarios; ningún chino fue invitado a formar parte de ella.

Casi todos los antiguos comercios cantoneses eran edificios abandonados. De acuerdo con la oficina que abrió Emilio Madero, las pérdidas materiales de la colonia sumaban más de un millón 300 mil pesos.

El 20 de febrero de 1912, los chinos de Torreón pidieron garantías a las autoridades locales pues temían ser víctimas de renovados ataques. En julio se restableció la Cámara de Comercio; tampoco a este organismo se les invitó. Algunos sobrevivientes —por ejemplo el doctor Lim— intentaron olvidar la matanza y seguir con su vida en La Laguna. Otros salieron huyendo. Y una nueva ola de migrantes —entre ellos Manuel Lee Tang, padre del actual presidente de la Unión Fraternal China— arribó. Me pregunto qué habrá representado para estos nuevos colonos cantoneses el pequeño genocidio. ¿Un rumor lejano? ¿Resignación retroactiva? ¿Algo que nunca les incumbió?

Todavía en los años cuarenta, los chinos de Torreón mantenían su fama de excelentes hortelanos, aunque su giro principal era, ya, el pequeño comercio citadino. Eran muchísimo más pobres que antes de la masacre.

En el verano de 1911, *Billee* Jamieson le vendió a Harmon Cole, su primo, lo poco que quedaba de su consulta médica en La Laguna. William, su hija Evelyn y *Tulitas* se establecieron en El Paso, donde pasaron el resto de sus vidas. Federico Wulff, en cambio, decidió permanecer en la ciudad que él personalmente había dibujado sobre un trozo de papel.

Tulitas contó después:

> Evelyn regresó por unos días a Torreón y a Tlahualilo en 1927 o 1928, y se dio cuenta de que nuestro pueblo había crecido considerablemente [...] En cada intersección había una estatua; éstas eran de índole heroica, patriótica, y algunas, francamente, de índole amatoria: una estatua, por ejemplo, eran dos cuerpos desnudos envueltos en un encuentro muy apasionado.

Federico Wulff atravesó la Revolución, sobrevivió a los embates de Villa, sobrevivió a la muerte de su esposa en 1921 y finalmente, en 1930, se decidió a vender sus propiedades en La Laguna. Se radicó en El Paso, después en San Antonio. Compró un automóvil en el que se desplazaba a 25 kilómetros por hora, poniendo en riesgo a los otros conductores. Vendió el auto. En 1945 empezó a quedarse sordo. Murió cuatro años después, a los 93 años. Tenía la dentadura intacta.

Dijo *Tulitas* en 1969:

> El *chalet* Wulff sigue de pie en la cima del cerro y en la historia de Torreón. Por algún tiempo fue un cuartel militar, pero ahora está vacío [...] Es la última evidencia tangible de una vida que se fue para siempre. Aunque su sabor, diluido por el tiempo y los acontecimientos, continúa aquí dentro todavía.

Tulitas Jamieson murió en El Paso, Texas, el 1 de septiembre de 1971: 60 años después de haberse despedido de la ciudad que amó. Tenía 85 años. La memoria es una señorita de edad engañosa.

★★★

El imperio chino sabía de indemnizaciones. Durante el siglo XIX pagó luengas sumas a Inglaterra, Francia y Japón por la cortesía de que invadieran su territorio, vendieran drogas en él, hicieran la guerra a su antojo y le mataran cientos de miles de súbditos. El 16 de enero de 1901 conquistó un récord: contrajo —debido a la rebelión *boxer*— una deuda con Japón que ascendía a 980 millones de onzas de plata; era tanto como hipotecar el siglo XX. Ya para entonces había aparecido en el horizonte político la figura de Sun Yat Set, un médico rural decidido a derrocar a los manchúes y a convertir al país en una república. Sun promovió rebeliones armadas en 1895 y 1900. Fracasó en ambas ocasiones.

Luego de los desastres diplomáticos de 1901, la emperatriz Cixí accedió —sin liberar a su sobrino imperial y sin reconciliarse con Kang Youwei, el filósofo y especulador inmobiliario que enriqueció a los chinos de La Laguna— a poner en práctica algunas de las reformas que ella misma había proscrito en 1898. Los exámenes burocráticos fueron abolidos y, entre 1905 y 1909, se crearon más de 100 000 escuelas modernas. En 1906 se aprobó un remedo de Constitución a semejanza de la que regía el imperio japonés. Dos años más tarde, tanto Cixí como Kuang Su, el emperador cautivo, murieron con un día de diferencia; el poder quedó en manos de los cabilderos de la corte manchú.

Suang Tung —mejor conocido como Puyi o *el Último Emperador*— accedió al trono en 1908. Tenía dos años de edad. Cuatro años más tarde, a los seis, sería nombrado por la diplomacia celeste Principal Ofendido ante la masacre de Torreón. Ese mismo año fue arrojado del poder —que no de la Ciudad Prohibida— a causa del triunfo de la república. Inició el camino (la *Via Dolorosa*) que, al paso de medio siglo, habría de convertirlo en un jardinero excelso: un héroe del desengaño.

En 1909 se realizaron las primeras elecciones legislativas del imperio. Se suponía que el Congreso sería un mero órgano consultivo. Aun así, en su elección participaron exclusivamente los eruditos y notables de cada provincia: menos del 0.5 por ciento de la población.

En mayo de 1911, mientras la comunidad cantonesa de Torreón era masacrada, los regentes de Puyi expropiaron los ferrocarriles chinos. Esto fue percibido por los —cada vez más poderosos— caciques provinciales como un atentado a su autonomía. En agosto (mientras Ramos Pedrueza, Owyang King y Arthur Basset entrevistaban a los testigos del pequeño genocidio de La Laguna), la población de Chengtú cerró instituciones y comercios y se negó a pagar tributos imperiales. El 10 de octubre (mientras en México se temía un ataque del buque de guerra *Hai-Chi*, anclado en La Habana), una revuelta estalló en Wuchang, capital de la provincia de Jupéi. Li Yuang Jung fue proclamado jefe del gobierno provisional militar de la República China y Tang Hualong, terrateniente de 37 años (quien años más tarde figuraría en los gobiernos republicanos como ministro de Educación y del Interior para luego morir asesinado en 1918 a manos de un barbero) fue designado primer ministro. Tang convocó a las provincias a desconocer la monarquía; casi todas ellas lo secundaron. Mientras el plenipotenciario Chang Yin Tang negociaba dineros en México a nombre de la dinastía Qing, el imperio celeste agonizaba. Para cuando Madero fue electo presidente y aprobó los tres millones cien mil pesos en oro de la indemnización, en China había estallado una guerra civil.

La primera reacción provino del imperio: Yuan Shi Kai, general veterano con gran ascendiente entre las tropas y que había sido cesado tiempo atrás, fue llamado por la corte que, con la cola entre las patas —Yuan había sido tratado como rival político por el príncipe regente—, le obsequió lo que quiso: nomás de entrada se le nombró primer ministro. El ejército Peiyang avanzó sobre las provincias rebeldes. Hubo una cruenta batalla entre el 10 y el 18 de noviembre que favoreció a los monárquicos. Parecía que Yuan Shi Kai iba a marchar enseguida sobre la ciudad de Wuchang, capital de la recién creada república. Para sorpresa de todos, prefirió negociar. Todavía se discute si lo hizo por falta de reservas militares o por cálculo político: a sabiendas de que le beneficiaba abandonar a su suerte a la dinastía Qing. El caso es que, el 1 de diciembre (cuando las negociaciones de la indemnización mexicana por causa de la masacre torreonense parecían a punto de concluir), Yuan estableció una alianza con la república.

No tardaron los partidarios de Sun Yat Sen en proclamar también a su caudillo como primer ministro. Fue en la ciudad de Nankín. Casi al mismo tiempo, otro gobierno republicano fue creado en Shanghái. Para evitar que el país se partiera, un cónclave de los tres proyectos antimperiales se celebró en Nankín, casa de Sun y antigua capital de los taipines. El 10 de enero de 1912, Sun Yat Sen fue proclamado presidente de la República China.

Alrededor de esas fechas, el plenipotenciario Chang Yin Tang abandonó por fin su domicilio en México y se trasladó a Washington; consideró que su misión había sido un éxito. Se designó un nuevo encargado de negocios chinos: Woo Chung Yen. No había acabado este funcionario de ocupar su escritorio cuando debió hacerse cargo de una nueva crisis: el 19 de febrero de 1912, el canciller Manuel Calero recibió desde el país asiático un comunicado de Wang Chung Hui, quien se presentaba como ministro del exterior. La misiva solicitaba *por favor* la suspensión del pago de la indemnización hasta nuevo aviso. Ése fue el primer contacto entre el gobierno mexicano y la flamante República China.

Las cosas se pusieron violentas en Pekín. A finales de febrero hubo un motín de la guarnición militar local, seguramente en apoyo del general Yuan y contra el presidente Sun. Hubo incendios y saqueos en varios distritos, entre ellos el que ocupaba la legación mexicana. Pablo Herrera de Huerta manifestó al embajador italiano temer por su vida y no contar con ninguna clase de apoyo armado dentro de la sede de negocios. El funcionario europeo puso a disposición del mexicano una guardia de cinco marineros y un cabo que, durante varios días, se alojaron en la casa de Herrera. Pablo intentó pagarles, pero los italianos se rehusaron a tomar su dinero. Les obsequió entonces "algunos objetos de plata" como muestra de agradecimiento.

En marzo, Sun Yat Sen renunció: su ascendiente político había mermado y el peligro de una guerra civil era evidente. El general Yuan Shi Kai ocupó el poder.

En mayo, un nuevo secretario de relaciones exteriores fue nombrado en México: Pedro Lascuráin, quien a la postre establecería el impresionante récord de haber sido presidente de la República durante 45 minutos. Lascuráin retomó las negociaciones de la famosa indemnización añadiendo un detallito: el pago se efectuaría no en oro sino en bonos de la deuda pública.

La república china carecía de reconocimiento oficial en México (y en Estados Unidos); eso contribuyó a que el Senado se negara a ratificar el protocolo de indemnización. A partir de junio se multiplicaron las quejas del país asiático. Llegó a sugerirse (por parte del encargado de negocios Woo y del propio Lascuráin) que se cubriera un adelanto de 500 000 pesos. La alta jerarquía republicana china se negó: solicitaba la indemnización completa.

En diciembre, León de la Barra reapareció en el escenario político como presidente de la XXVI Legislatura. El Congreso aprobó por fin el protocolo y se fijó una nueva fecha de pago: 15 de febrero de 1913.

Ese día, Madero afrontaba la Decena Trágica. Una semana después fue asesinado.

Al ocupar el poder, Victoriano Huerta colocó en la Secretaría de Relaciones Exteriores al otrora presidente gris:

León de la Barra, quien hizo malabares para agilizar los trámites de la pachorruda burocracia mexicana mientras procuraba mantener el decoro ante una ya muy impaciente diplomacia china. La comunicación se mantuvo hasta julio de 1913, cuando un conflicto de sensibilidades mandó el protocolo a la congeladora.

En mayo, el juez Wilfley había sugerido que China hiciera un descuento del 10 por ciento para agilizar el pago. Tanto Woo Chung Yuen como León de la Barra coincidieron en principio. Como la respuesta mexicana continuaba demorándose, Woo cometió el error de escribir directamente a Victoriano Huerta el 14 de julio quejándose de la impericia de León de la Barra y acusando a éste de tacañería al pretender una rebaja en la deuda. Nunca lo hubiera hecho: el ex presidente gris, uno de los pocos mexicanos sinceramente comprometidos con las postrimerías diplomáticas de la masacre, abandonó el tema para siempre.

El 10 de octubre de 1913, Huerta disolvió el Congreso. Diez meses más tarde, derrotado por la revolución constitucionalista, salió rumbo al exilio. El protocolo de indemnización quedó varado en esa zona de esplendor kafkiano en la que México llegó a tener, simultáneamente, dos presidentes de la República y un Primer Jefe, todos ellos coahuilenses.

***

Las aventuras posteriores de Jesús Agustín Castro son muy entretenidas. Fue general primero con Lucio Blanco (terminaron de pleito) y después con Pablo González Garza, a cuyas órdenes militó en Tamaulipas y Nuevo León. Combatió al orozquismo, a la Convención de Aguascalientes y a los ejércitos postreros de Francisco Villa. Como constitucionalista metió en cintura a los hacendados y reprimió campesinos en Chiapas y Guerrero. Fue gobernador de Durango y secretario de Guerra. Rompió con Obregón no cuando el líder sonorense mandó asesinar a Carranza sino cuando, trasgrediendo el máximo tabú del maderismo, se reeligió presidente. Castro vivió, como Foon-chuck, hasta mediados de los 50. Antes de brillar en el cielo político, protagonizó un acto bello e ignorado: la marcha del Batallón 21.

Jesús Agustín fue uno de los pocos comandantes irregulares que se integraron al ejército y acudieron a la ciudad de México con gobierno de tropas tras el triunfo revolucionario. Estaba en Tlalnepantla en febrero de 1913, al mando del Vigésimo Primer Batallón de Rurales, cuando se produjo el golpe de Estado. Consciente de que nada podía hacer contra las fuerzas de la capital, dio a su tropa la orden de marchar rumbo a Querétaro. Después los guio a través de medio país sin asistencia, bastimentos, retaguardia o logística, a veces escabulléndose de noche y a veces confrontando a las tropas huertistas (que lo superaban por miles) en escaramuzas de antemano perdidas, hasta cruzar el Bajío y después la Huasteca y recorrer los territorios de Tamaulipas, Nuevo León y Coahuila y llegar a la querencia: *¡el desierto, el desierto y el desierto!…* Siempre me ha atraído la humilde semejanza entre esta historia y la que narra Jenofonte en *Anábasis* o *Expedición de los Diez Mil*. El Batallón 21 —hambriento, hecho polvo, desarmado— arribó a Coahuila el 30 de marzo de 1913: cuatro días después de que Venustiano Carranza lanzara el Plan de Guadalupe. Pronto sería un regimiento y después una brigada. Se incorporó al recién creado Ejército Constitucionalista con un nuevo nombre tatuado en la leyenda: Los Leales de Tlalnepantla.

Luego de su breve paso por el maderismo, Orestes Pereyra se incorporaría a las huestes de Francisco Villa. Al lado de éstas combatió sucesivamente a Pascual Orozco, Victoriano Huerta y Venustiano Carranza. Permaneció en el movimiento hasta 1915, año en el que fue hecho prisionero junto a sus dos hijos y lugartenientes. Murieron fusilados. Urquizo, que para entonces era enemigo de *don Oreste*, le dedicó una semblanza generosa inspirada quizás en el afán de librarlo de la sombra de la masacre de Torreón:

...revolucionario puro, sin mancha alguna; sus manos no se mancharon nunca con el asesinato ni con el hurto, ni su conciencia debe haberse manchado tampoco con ningún crimen. La misma vida y costumbres que llevó siempre siendo un simple obrero, fueron las que siguió observando ya de general [...] Aquel hombre bueno, el primer jefe militar que tuve, aquel revolucionario puritano, había sido fusilado por los nuestros [...]

Enrique Adame Macías, el joven dinamitero, fue junto con Jesús Agustín uno de los pocos maderistas de La Laguna que se incorporaron al ejército nacional. Se le encerró durante la Decena Trágica pero fue puesto en libertad casi enseguida. Intentó, al igual que Castro, marchar hacia el norte para unirse a Carranza. Volvieron a aprehenderlo en León, Guanajuato. Ahí se acabó su suerte: murió fusilado a los 29 años.

Andando el tiempo, el gordo capataz Sixto Ugalde —en mi opinión uno de los responsables directos de la masacre de chinos— llegaría a ostentar el grado de general dentro de la División del Norte de Francisco Villa. Está sepultado en Matamoros, Coahuila, su pueblo natal. En Torreón existe un callejoncito con su nombre.

Emilio Madero se unió a Villa en 1913. Mientras estuvo en servicio activo, mantuvo el rango de teniente coronel. Se sumó a la Convención de Aguascalientes y, al ser derrotada ésta, se exilió en Estados Unidos. Pasó su carrera militar en un limbo burocrático. Alcanzó el grado de general de división en 1961 y murió al año siguiente. Su mayor gracia es haberse apellidado Madero: salvo por su desatroso protagonismo en la primera toma de Torreón, su biografía es irrelevante para la historia de México.

Pablo Lavín no tardó en abandonar el maderismo. En 1912 se sumó al levantamiento orozquista junto al administrador de hacienda y líder regional *Cheché* Campos. Terminó de coronel irregular en las fuerzas golpistas de Victoriano Huerta. No llegaría muy lejos: el 16 de julio de 1913 atestiguó en Gómez Palacio una áspera discusión entre Luis Caro, uno de los lugartenientes de *Cheché*, y el jefe militar de la ciudad: el capitán Marco Hernández. Los ánimos se caldearon. Caro sacó su arma y disparó contra el capitán, asesinándolo. Este evento colmó la paciencia de los dirigentes del ejército regular en La Laguna, pues desde meses atrás menudeaban las denuncias contra los abusos, la violencia extrema y la indisciplina de la gente de *Cheché*. Al día siguiente, el estado mayor del jefe orozquista fue pasado por las armas. Al coronel Lavín le tocó ser el segundo. Lo ejecutaron a las diez y media de la mañana del 17 de julio.

La historia tiene un colofón del todo ajeno a la matanza de chinos. *Cheché* huyó del ejército huertista acantonado en Torreón y se refugió en la vecina Ciudad Lerdo, donde pidió audiencia con Venustiano Carranza; pretendía ofrecerle sus servicios. Con su habitual laconismo —es quizás el mejor autor de telegramas de la Revolución Mexicana—, Carranza dijo:

—Yo de nada tengo que hablar con un desertor. Que se le forme Consejo de Guerra.

Cheché fue ejecutado en agosto de 1913. La tradición oral dice que su último deseo fue marchar hacia el paredón seguido por una banda de música.

***

Durante años, la República China facilitó que México se asentara a su aire y guardó en un archivero el Protocolo de Indemnización. Es probable que esta política se debiera a la urgencia de proteger a los migrantes cantoneses. En vez de cesar tras la masacre, las persecuciones antichinas se recrudecieron durante los primeros gobiernos revolucionarios y, aunque nunca más involucraron tantas muertes, el clima racista se incrementó en los medios de información, la vida cotidiana y las leyes. Mientras en el país asiático la diplomacia mexicana seguía afirmando con candor (o cinismo, no sé) que en todo México los cantoneses eran bienvenidos y contaban con la protección de las autoridades, en varios estados de la República (señaladamente en Sonora y Sinaloa) los chinos fueron confinados en guetos, se les prohibió casarse con mexicanas, se obstaculizó su desarrollo empresarial, se les humilló y ridiculizó. Esta política (pues política era: no sólo empresarios y pequeños comerciantes la practicaban sino, junto a ellos, un montón de alcaldes y gobernadores y al menos dos presidentes de la República: Obregón y Calles) se extendió hasta 1936.

En febrero de 1921 y a través de su nuevo encargado de negocios, T. K. Fong, el gobierno asiático retomó el tema de la indemnización. Un año más tarde, Fong hizo una visita oficial a Alberto J. Pani, secretario de Relaciones Exteriores, para tratar el asunto. No hubo respuesta.

Después tocó el turno a Yo Tsao Yeu, un nuevo funcionario que, en abril de 1924, volvió a presentar la solicitud esta vez ante el secretario Aarón Sáenz. El requerimiento fue trasmitido a Pani, ahora secretario de Hacienda. No hubo respuesta. Yo Tsao Yeu visitó a Pani en 1927 e insistió. Pani dijo que a lo mejor podría pagarle una cantidad muchísimo menor a la originalmente estipulada: entre 300 000 y 500 000 pesos. El representante oriental aceptó como quien dice: "de lo perdido, lo que aparezca".

Pasaron tres años de silencio mexicano. A instancia de Sáenz, un especialista en derecho internacional revisó nuevamente el convenio para ver si había modo de zafarse de él. La conclusión del perito fue que México tenía la obligación de pagar.

En 1933, un nuevo representante chino, Samuel Sung Young, se dirigió de la manera más respetuosa al secretario de relaciones Fernando Torreblanca solicitando que se honrara el acuerdo; habían transcurrido 22 años desde la masacre. La respuesta definitiva llegó en enero de 1934: el secretario Torreblanca manifestó *tener la honra* de informar que el país no estaba en condiciones de cubrir el adeudo. Ésa fue la última comunicación al respecto. Nunca más un diplomático de la nación oriental trajo a colación el tema frente al gobierno de México.

Ése fue el sexto y último episodio de la novela nacional en torno al pequeño genocidio: a la negación, la calumnia, el ninguneo, el menosprecio y la verdad a medias se sumó la traición de la palabra empeñada. La indemnización jamás se pagó.

★★★

La migración china a Coahuila no volvió a ser tan copiosa como antes de la masacre. Si en 1910 había 759 cantoneses en el estado, en 1921 vivían 506; 564 en 1930; 371 en 1950 y 264 en 1960. En Torreón siguieron siendo la segunda comunidad extranjera más numerosa entre 1926 y 1966, sólo detrás de los españoles, seguidos de cerca por los estadounidenses y muy por encima de libaneses (145), alemanes (131) o palestinos (94).

Es probable que la sinofobia haya remitido entre 1913 y 1919, pero volvió por sus fueros durante la década siguiente. A mediados de 1921, Jesús Garza Cabello, secretario del gobierno provincial, envió una circular al alcalde de Torreón ordenándole abstenerse de proporcionar cualquier documento oficial a inmigrantes asiáticos. Ese mismo año, la CROM (de filiación posmagonista) se unió al boicot negándose a incluirlos entre sus agremiados. Se creó un comité antichino y una filial de la Liga Pro Raza cuyo primer presidente sería Efraín López, comerciante y futuro edil. Otros miembros de esta liga y comité fueron un señor de apellido Méndez y Filemón Garza Cavazos, fundador del emblemático diario *El Siglo de Torreón*.

La xenofobia se concentró en el ámbito urbano y era ejercida por burgueses, comerciantes y obreros. Los propios miembros del comité antichino se quejaron de que los campesinos de La Laguna no apoyaban su proyecto.

En 1922, el comerciante Juan Wong fue el primero en denunciar formalmente las actividades gangsteriles del comité antichino. Las agresiones, los insultos y ataques (sin muertos de por medio) continuaban en 1924, según consta en la denuncia hecha por Patricio Chang. Ese mismo año, los miembros de la colonia cantonesa "pidieron permiso a las autoridades municipales para portar armas, con el compromiso de usarlas exclusivamente en defensa de su vida", dice el doctor Sergio Corona Páez. Dos años más tarde, el 9 de junio de 1926, *El Siglo de Torreón* publicó una nota sobre la fundación del club antichino. Quien escribió no oculta su simpatía hacia el proyecto:

> El repórter pudo darse cuenta del entusiasmo que reina entre comerciantes y ferrocarrileros, por formar el Comité Antichino, y del todavía más grande con que sumarán sus esfuerzos en bien de los ideales pro-raza que animan a las agrupaciones antichinistas, para librar a nuestro país del peligro de los chinos que pacíficamente lo han invadido en son de explotación, con menoscabo de los intereses de los mexicanos.

Meses más tarde, el 20 de diciembre de 1926, *El Siglo de Torreón* regresó con entusiasmo al tema desde su primera plana: "Se elogia la labor antichina. El Sr. Presidente de la República manifestó a los nacionalistas su opinión favorable a la campaña [...] el señor general Calles se expresó en términos muy encomiásticos respecto a la labor que se está desarrollando en toda la república en contra de la inmigración china".

Los cantoneses laguneros aprendieron a defenderse. No sólo pidieron permiso de portar armas, también se autodefinieron como *la colonia china,* "una alteridad", apunta Carlos Castañón Cuadros: un estamento de la sociedad que resistió el ninguneo mediante la cohesión interna: *no somos parte pero estamos aquí.* Esa alteridad cobró carácter abierto cuando se creó, en pleno gobierno de Calles, la Unión Fraternal, organismo sustituto de la Asociación Reformista. Y, aunque las ofensas racistas se prolongaron hasta bien entrado el siglo xx, a la larga los chinos consiguieron adaptarse, abrirse un nicho y sobrevivir; como buenos migrantes.

Sin embargo, debieron ceder a cambio un aspecto medular de su existencia: la memoria. Para ellos, como para la mayoría de los torreonenses, la masacre de 1911 se convirtió en tabú.

★★★

Durante un año intenté entrevistar a Manuel Lee Soriano, presidente de la Unión Fraternal China de Torreón. Al principio —con un candor del que no me arrepiento— le expliqué a su secretaria:

—Escribo un libro sobre la matanza de 1911 y quisiera conocer la opinión del señor Lee al respecto.

Luego, nada: don Manuel está enfermo, se jubiló, no tiene tiempo, deje recado y yo le informo…

Había iniciado el borrador de este último capítulo de *La casa del dolor ajeno* y estaba resignado a prescindir del personaje cuando Mónica propuso:

—Déjame hablar con su esposa.

Fue una breve y cortés llamada telefónica. La escuché desde la habitación de junto. Mónica dijo que yo escribía un libro sobre la historia de la comunidad china de Torreón, que ya sólo me faltaba el testimonio de don Manuel, que sin él mi historia tendría un final previsible y que a su marido —es decir yo— los finales previsibles lo deprimían durante meses.

(No sé de dónde sacó eso.)

Para apretar las fechas y endulzar el escenario Mónica precisó que teníamos un hijo de cinco años, que ese fin de semana habíamos planeado llevarlo a conocer el puente de Ojuela en Mapimí y que ésa podría ser una excelente oportunidad para celebrar el encuentro; Torreón nos quedaba de paso. Aseguró que la charla no tomaría más de una hora.

Colgaron.

Diez minutos después, el teléfono sonó. Manuel Lee Soriano accedía a recibirme.

Supe que debía honrar lo que mi mujer dijo en la línea: no iba a quitarle al hombre más de una hora de su vida y, puesto que no se mencionó la masacre, no lo interrogaría sobre ella a menos de que él lo provocara. Mónica sugirió que aprovecháramos el viaje para hacer real el pretexto dado a los Lee: visitar el legendario puente de Ojuela, ese actor secundario de decenas de *westerns* y una obra maestra de la ingeniería y la germanofilia decimonónicas.

Salimos de Saltillo a las nueve de la mañana. Mónica condujo el auto. Hacía un poco de frío. Leonardo estaba entre nervioso e impaciente; no paró de hablar durante todo el camino, especialmente después de divisar un coyote que trotaba a la orilla de la carretera. Tuvimos que inventar una trama de aventuras: el coyote escalaba una montaña de fuego, atravesaba un puente de adamantio, luchaba con Darth Vader y era rescatado de un abismo por Ben Tennyson. Eso lo relajó.

Manuel Lee Soriano y su esposa nos recibieron en el comedor de una casa neutra y quizá más modesta de lo que yo hubiera esperado. Lo que el anciano hizo al verme por primera vez fue sujetar mis manos. Dijo en medio de una ligera reverencia:

—Qué bueno que está usted escribiendo la historia de Torreón.

Así dijo. Ni siquiera "la historia de los chinos". Añadió:

—Hay un viejo proverbio que dice que, por más cerca del cielo que esté la copa de un árbol, su corazón será siempre una raíz. Mi raíz es La Laguna.

Me ofreció una silla. Le pregunté si podía encender la grabadora. Asintió. Mientras tanto, su señora se perdió dentro de una de las habitaciones y reapareció después con una caja de juguetes *vintage* que puso en las manos de mi hijo.

—La historia de los chinos de Torreón ha sido rica —dijo don Manuel sin que yo le preguntara—. Muy sufrida también. Muchos de ellos no sabían el idioma, y el que lo sabía tenía miedo a equivocarse y decir barbaridades ofensivas. Como eran respetuosos, prefirieron callar. Sólo a través de otros expresaban lo que sentían.

Así de sutilmente me advirtió que no pensaba hablar de la masacre.

Manuel Lee Soriano tiene 80 años. Sufrió una embolia en 2013. Sus movimientos son torpes: arrastra los pies, conserva los brazos pegados al tórax, sus palabras se articulan con dificultad, sus ademanes son temblorosos. Su mente en cambio es el palacio del Khan Kubla: *a miracle of rare device.*

—Hábleme de su padre —le pedí.

—Se llamaba Manuel Lee Tang. Vino de Taisan con su hermano en 1895, pero no a La Laguna: pretendían cruzar a Estados Unidos. Llegaron a Jiménez, Parral y Delicias buscando trabajo. Luego se fueron hasta Ciudad Juárez y allá andaba de revolucionario Francisco Villa. Mi papá lo oyó y dijo: "Este señor habla bien, habla por los mexicanos". Pero Villa tenía fama de perseguir extranjeros.

"Volvió a encontrárselo en Jiménez. La familia González empleaba a mi papá como cocinero; lo escondía debajo de un montón de leña cada vez que Villa los visitaba. Tenía miedo, mi papá. Hasta que una vez una muchacha de la familia, la que le enseñó el catecismo, dijo:

"—Ven. Te voy a presentar al general.

"Mi papá salió todo tembloroso de debajo de la leña y se plantó ante Villa.

"—¿Cómo te llamas?

"—Manuel.

"—¿Manuel?

"—Así me pusieron.

"—No tengas miedo, Manuel. Yo no mato. Yo respeto a los chinos. Tú hiciste esta comida, ¿verdad?

"—Me dijeron que hiciera para el general.

"—De ahora en adelante, cada vez que yo venga tú me vas a cocinar.

"A mi papá lo ocupó luego Juan Abusaíd como mozo en una tienda de abarrotes, pero Villa llegó y le dijo:

"—No. Tú te vienes conmigo.

"—¿Y yo qué voy a hacer, mi general? Yo no agarro armas.

"—Te vas a encargar del carro-tienda con los víveres.

"Entró a trabajar ahí, donde muchos guerrilleros se llevaban las cosas sin pagar. Pensando que Villa iba a creer que era él quien robaba, mi padre decidió contarlo todo.

"Villa formó a los soldados.

"—Aquí Manuelito me está reportando que algunos de ustedes comen y toman y luego no pagan… Manuel: tú me vas a decir quiénes son.

"—No, mi general. Cómo cree.

"Villa ordenó a los soldados que dieran un paso al frente si alguna vez habían robado. Amenazó con fusilarlos de no ser honestos. Casi toda la tropa dio el paso, y Villa los mandó azotar a todos.

"Mi papá siguió con la División del Norte hasta que, en Bachimba, un cañonazo destruyó el carro-tienda. Fue entonces cuando se vino a Torreón. Aquí lo ocuparon unos paisanos que después lo hicieron socio cuando fundaron la compañía Kuan & Co. en la avenida Iturbide, esa que ahora se llama Carranza. Ahí fue socio por muchos años y luego en otra, hasta que se retiró por enfermedades del corazón y no volvió a trabajar en nada."

Aunque le era difícil articular debido a las secuelas de su embolia, noté que don Manuel poseía un gusto natural por la conversación. Decidí interferir lo menos posible en su discurso ("darle sedal", decían los reporteros de endenantes) para ver si la deriva lo empujaba a comentar la masacre de 1911.

Mientras tanto, su esposa y Mónica y Leonardo armaban un rompecabezas en la sala.

—¿Y su tío?

—Es una historia triste. Mi tío vino también a vivir a Torreón y le tocó ganar un premio mayor de la Lotería Nacional en… ¿1925?… No: yo creo que fue en 1938. Invitó a papá a que fueran juntos a China a visitar a los parientes, pero afortunadamente papá no pudo ir porque tenía en ese momento una enfadosa cantidad de trabajo. Entonces mi tío se fue con todo su dinero y, cuando quiso regresar, ya no pudo:

había entrado en vigor la Cortina de Bambú, que es como llamábamos al régimen de Mao Zedong.

—¿Se llevó a sus hijos?

—¿Quién? ¿Mi tío?

—Sí.

—Tengo dos sobrinas a las que educó el gobierno. Una fue bióloga y la otra, médico. No pudieron escoger sus carreras ni dónde trabajar ni nada: eso lo decidía el Estado. Es lo que pasó con la Cortina de Bambú.

Añadió sin transición:

—Yo nací en los años treinta. Fuimos cuatro hermanos. Mi papá se casó con una mexicana descendiente de españoles venidos de Soria. Por eso me apellido Soriano.

Conversamos de otros temas: ELLA ("El Estado de La Laguna"), asociación chauvinista y derechista con la que don Manuel simpatiza. La inseguridad en Torreón. La pequeña fábrica de placas metálicas conmemorativas de la que es propietario. La Unión Fraternal China.

—La mayoría de los miembros eran masones cantoneses pero no se metían en política. Yo llegué a asistir a algunas de sus obras. Mi papá nunca se enteró.

Hablamos, finalmente, de las persecuciones antichinas de los años veinte. Fue él quien trajo el tema a colación. Lo dejé quejarse de Obregón y de Calles.

Dije:

—Usted conoce *Entre el río Perla y el Nazas*.

No era una pregunta: sé de buena fuente que don Manuel es amigo personal del autor del libro. Era mi oportunidad para hacerlo hablar de la masacre.

Lee Soriano hizo un mohín de desprecio.

—Lo conozco. Es un libro excelente escrito por Juan Puig. Pero aquí no cayó bien que lo reeditaran.

—¿Por qué?

—Porque esa historia es de nosotros los laguneros. No es asunto que le incumba a nadie más.

—Es que de entre todas las campañas antichinas…

Don Manuel me interrumpió:

—Yo viví las campañas antichinas. Todavía en 1938 a nosotros, los descendientes, nos hacían pelear entre hermanos. Les gustaba vernos pelear. Mi hermano y yo estábamos en el mismo colegio y a la salida nos buscaban, nos juntaban y decían: "Ándale, pégale tú primero". Yo estaba en primaria. Los que nos juntaban eran compañeros de colegio. Mi hermano y yo nunca nos lastimamos, nomás *hacíamos* como que nos peleábamos: nos rasguñábamos tantito, nos dábamos manazos que no dolieran mucho. Lo hacíamos para que ellos no nos golpearan peor.

"Íbamos en bicicleta y nos aventaban para tumbarnos. Todavía nos tocaron esas cosas. Había una cancioncita que cantaban siempre: *chino cambú cambá, come flijoleh y no noh da*. Imitaban el modo de hablar de nuestros padres. Nosotros nomás los oíamos y no decíamos nada. Llegábamos a la casa y nos preguntaban cómo nos había ido. 'Bien —decíamos—: nomás nos hicieron pelear y nos andaban cantando la cancioncita esa'. 'No les hagan caso —nos decían nuestros padres—, ustedes no peleen. Respeten a los ancianos y a los niños y a las autoridades'."

Hubo un silencio.

—Yo viví las campañas antichinas —insistió Manuel Lee Soriano— y así es como mis padres me enseñaron a responder: sin ofensa para nadie. "Si ustedes piensan que pueden ofender, mejor no hablen. Mejor cállense."

Apagué la grabadora y di las gracias. Don Manuel y su esposa nos acompañaron a la puerta. Concluimos la charla con un doble apretón de manos y una reverencia mutua.

★★★

La antigua casa de campo del doctor Walter J. Lim es un chalet de tejados color verde y muros de ladrillo rojo intenso. Los ladrillos adquieren una tonalidad profunda porque las juntas fueron delineadas con empaste blanco. El techo es curvo y parece derramarse como una ola esmeralda sobre un jardín en el que habitan, al lado de naranjos y toronjos más jóvenes, dos moreras centenarias.

Mónica detuvo el Ecosport frente al Museo de la Revolución y preguntó:

—¿Quieres que me estacione?

Estos árboles, tal vez emparentados con otros de la misma especie que hay en el bosque Venustiano Carranza, dan testimonio de un anhelo empresarial: la intención de convertir en productora de seda a una comarca famosa por sus cultivos de algodón.

—No.

No hubo tiempo de hacerlo. Seis meses después de iniciada la Revolución Mexicana, los maderistas entraron en esta finca y violaron a la mujer encargada de cuidarla. Luego una turba intentó linchar a Lim frente a la plaza del 2 de Abril pese a que el médico portaba en el antebrazo izquierdo un distintivo de la Cruz Roja. Walter J. (o Sam o Wong) logró salvarse para narrar, meses después, su versión de la matanza perpetrada en Torreón entre el 13 y el 15 de mayo de 1911. No todos sus compatriotas corrieron con la misma suerte: tres centenares fueron exterminados.

Me repetí de memoria el primer párrafo de esta crónica de un pequeño genocidio en La Laguna mientras contemplaba la verja color verde bandera que limita la casa de Lim. Imaginé los espectros de 303 chinos que recorren —con los pies desnudos, quemados por el asfalto— las calles de una ciudad que ni siquiera los conoce. El olvido está más cerca de la naturaleza que nosotros.

Visto de espaldas, el edificio tiene un aura sombría. Así ha de verse la parte trasera de cualquier construcción histórica: será una zona de obscenidad elemental.

Pasamos largo rato parqueados en doble fila frente al Museo de la Revolución con el motor del carro en ascuas.

Mónica insistió:

—¿Quieres que me estacione?

—No —dije—. Vámonos.

Siempre me cuesta trabajo despedirme de una historia.

Enfilamos rumbo a Gómez Palacio, tomamos la carretera a Jiménez, llegamos a Bermejillo y doblamos a la izquierda sobre el bordo del tren, hacia las montañas. Luego de un rato apareció frente a nosotros el Cerro de la India. Subimos el largo y sinuoso camino de tierra que conduce, bien en lo alto en la cordillera, al pueblo fantasma de Ojuela. Conforme nos elevábamos, una niebla rodeó la Ecosport. Una niebla pesada pero hecha jirones; flotaba como tela y permitía ver entre sus pliegues, allá abajo, un mar quemado: el Bolsón de Mapimí.

"Esto es un *western*", pensé.

Hasta mediados del siglo xx, Ojuela fue un importante pueblo minero. Llegó a tener 5 000 habitantes. Aún se conservan los restos de ladrillo de lo que fueran las fincas de los ingenieros y también un casino, una casa club con cancha de tenis y las oficinas. Algunas de las tapias están incrustadas en las rocas y han sido cubiertas por vegetación, lo que les da un curioso *look* de vestigio arqueológico adolescente. Del barrio de los trabajadores, construido originalmente con madera, no queda nada.

Santa Rita fue alguna vez la segunda mina multimetálica del mundo. Posee más de 400 kilómetros de túneles en decenas de niveles. Está ubicada frente al Cerro de la India, al otro lado de Ojuela y de cara a un barranco de 95 metros de profundidad. Para explotar sus vetas y trasladar el mineral al pueblo, la empresa Peñoles contrató en 1892 (otros dicen que en el 98) al ingeniero alemán Santiago Minguín y le pidió que diseñara un puente colgante. El resultado fue una pieza de cables de acero y guías de madera que mide 305 metros de largo y menos de tres metros de ancho. La tradición popular afirma que el propio Minguín se inspiró en este diseño para realizar, 40 años después, el Golden Gate de San Francisco.

(Lo cierto es que la única referencia que conozco de "Santiago Minguín" es el puente de Ojuela y proviene de la voz de los mineros de Mapimí. El ingeniero en jefe durante la construcción del Golden Gate se llamaba en realidad Joseph Strauss).

En los años cuarenta del siglo xx, Santa Rita se inundó. La empresa calculó que era más barato detener las labores que extraer el agua. El mineral fue abandonado y Ojuela dejó de existir rápidamente. Luego, al notar que era posible seguir explotando la mina a un bajo costo, los directivos de Peñoles concesionaron la propiedad a un prestanombres —o al menos eso es lo que afirman los gambusinos— que contrató gente a destajo. Actualmente se les paga un peso con 80 centavos por cada kilo de material multimetálico que sacan de los tiros. Un hombre tendría que trabajar 14 horas en Santa Rita arriesgando su vida con un abismo de 1 000 metros bajo sus pies y cargar 100 kilos de roca sobre su espalda para ganar 180 pesos diarios. Sin seguro médico. Sin prestaciones. Hay empresarios que nunca aprendieron un carajo de historia.

Algunos habitantes de Mapimí complementan su labor de gambusinos con el turismo regional. Administran el acceso al puente colgante y a Santa Rita. Dan visitas guiadas, venden rocas hermosas, han montado un par de tiendas de artesanías...

Mónica, Leonardo y yo estacionamos el auto y recorrimos la explanada que conducía al desfiladero. El puente estaba ahí, majestuoso entre la niebla. Nos recordó un capítulo de *Samurai Jack* en el que el protagonista lucha durante días y noches contra un guerrero escocés mientras atraviesa un puente colgante tan largo como una nación.

Nos tomamos de la mano y trepamos al vacío: una caminata de 305 metros. Sentí la madera crujir bajo mis zapatos. El vértigo —padezco vértigo desde joven: empezó como una vaga sensación que se ha ido agudizando con los años— casi me obliga a tenderme sobre los tablones. La cabeza de Leonardo era más bajita que la baranda, así que mi sensación fue, a cada paso, más aguda: creí que mi hijo se desbarrancaba. Tuve que hacer un esfuerzo para no fracturarle la mano de lo fuerte que lo sujeté.

Leo parecía nervioso pero alegre. Dijo:

—¡Me encanta esto que hacemos, papá! ¿Qué es?

Disimulé mi malestar intentando pensar en las películas de vaqueros que han usado como locación el puente de Ojuela: *El topo*, *Gringo viejo*, un par de *videohomes* estelarizados por Julio Alemán...

Llegamos al otro lado.

El paseo por los túneles de la mina Santa Rita fue muy entretenido. Vimos la momia perfectamente conservada de una mula, vimos una fotografía de Pancho Villa en traje de baño, vimos un par de dibujos originales de Federico Wulff que los obreros de Mapimí atesoran como si fueran reliquias medievales.

Leonardo lucía extasiado con su casco de minero y su lámpara de carburo. En algún momento, en medio de la oscuridad, Mónica me abrazó.

El problema con el puente de Ojuela es que uno tiene que cruzarlo por lo menos dos veces: de ida y de regreso. Volvimos a plantarnos sobre los viejos tablones. Me sujeté de la baranda. Creí que vomitaba. Intenté ver el vacío entre la niebla farragosa. Intenté olvidarme de las ganas de saltar. "Esto es un *western*", repetí en mi cabeza y fingí ser Clint Eastwood y sujeté a mi niño con todas mis fuerzas.

—Papá —dijo Leonardo entre dientes—, me-estás-estrujando-la-mano.

—Suéltalo —dijo Mónica—. Yo lo llevo.

Es mío: no lo solté hasta que se acabó el vértigo y regresamos al extremo original. Liberé la mano de Leo temiendo haberlo lastimado pero no: lo vi correr como si nada hacia la tienda. Pidió permiso a su madre de comprar una paleta de caramelo azul fosforescente.

Sentí cómo se ataba en mi interior el primer nudo.

Escribir este libro y entrevistar a Manuel Lee Soriano y viajar a Ojuela comenzaron a enredarse y me trenzaron las tripas y se enlazaron como la estatua de los dos amantes que Evelyn Jamieson vio una vez en Torreón y se convirtieron en una sola cosa. Todo está en todo como quería Pitágoras, como un océano quemado en medio de la niebla, como el encuentro entre una utopía recién nacida y un filósofo condenado a muerte, como una fosa común cavada por un inglés junto al muro exterior del cementerio: como la luz de los deshielos. Esto es un *western*. Esta es la casa del dolor ajeno. Tomados de la mano, Mónica, Leonardo y yo cruzamos ese día no una ciudad, no La Laguna, no un pequeño genocidio, no el puente de Ojuela: el puente del horror. México, le llaman.

Saltillo-D. F.-Torreón,
marzo de 2014 a 31 de mayo de 2015

SILENCIO

[Edgar Lee Masters. Versión de Salvador Novo]

He conocido el silencio de las estrellas y del mar
y el silencio de la ciudad cuando pausa
y el silencio de un hombre y una mujer
y el silencio del enfermo
cuando sus ojos vagan por el cuarto.
Y pregunto: ¿para qué profundos usos
sirve el lenguaje?
Una bestia del campo se queja un poco
cuando la muerte se lleva a su cachorrillo.
Y nosotros nos quedamos sin voz en presencia de
                                        [las realidades.
Nosotros no podemos hablar.

Un muchacho curioso pregunta a un veterano
sentado frente al almacén:
"¿Cómo perdió usted su pierna?"
Y el silencio aturde al viejo soldado
y su mente vuela
porque no puede concentrarla en Gettysburg.
Vuelve jocosamente
y dice: "Un oso me la arrancó".
Y el muchacho duda, mientras el viejo soldado,
mudo, vuelve a vivir débilmente
los fogonazos, y el estruendo del cañón,

los gritos de la matanza
y él tirado en el pasto
y los cirujanos del hospital, los cuchillos
y los largos días en cama.
Pero si él pudiera describir todo esto,
sería un artista.
Mas si fuera un artista,
habría heridas más hondas que no podría describir.

Hay el silencio de un gran odio
y el silencio de un gran amor,
y el silencio de una profunda paz espiritual
y el silencio de una amistad amargada.
Hay el silencio de una crisis espiritual
en que el alma, exquisitamente torturada,
entra, con visiones inexpresables,
en un reino de vida más alta
y el silencio de los dioses, que se comprenden entre sí,
[sin hablar.
Hay el silencio de la derrota,
hay el silencio de los castigados injustamente;
y el silencio de los moribundos, cuya mano
ase repentinamente la vuestra.

Hay el silencio entre padre e hijo
cuando el padre no puede explicar su vida
aunque por ello se le malcomprenda.
Hay el silencio que surge entre esposo y esposa;
hay el silencio de los que han fracasado;
y el vasto silencio que cubre
a las naciones rotas y a los apóstoles vencidos.

Hay el silencio de Lincoln
al meditar en la pobreza de su juventud
y el silencio de Napoleón
después de Waterloo

y el silencio de Jeanne d'Arc
que entre las llamas dice: ¡Jesús bendito!
y en dos palabras revela Dolor y Esperanza.

Y hay el silencio de la vejez
demasiado sabia para que la lengua lo exprese
con palabras inteligibles a los que no han vivido
el gran dolor de la vida.

Y hay el silencio de los muertos.
Si los que estamos en la vida no podemos hablar
de experiencias profundas
¿por qué maravillarse de que los muertos
no hablen de la muerte?
Interpretaremos su silencio
Cuando nos acerquemos a ellos.

AGRADECIMIENTOS

Gracias por permitirme consultar sus acervos al Archivo Genaro Estrada de la Secretaría de Relaciones Exteriores y a su director, el licenciado Jorge Fuentes; a la Hemeroteca Nacional; al Archivo de la Universidad Iberoamericana Campus Torreón y a su director, el doctor Sergio Corona Páez; al Archivo Municipal de Torreón Eduardo Guerra y a su director, el doctor Rodolfo Esparza Cárdenas; al Instituto Estatal de Documentación de Coahuila y a todo su personal.

En Torreón, gracias a la maestra Silvia Castro y a Ilhuicamina Rico Maciel, a Manuel Terán Lira, a José León Robles de la Torre y a Jesús G. Sotomayor Garza: historiadores que me permitieron entrevistarlos, me orientaron en la búsqueda de bibliografía y me descubrieron aspectos esenciales de La Laguna. Gracias en particular —otra vez— al doctor Sergio Corona Páez; mi deuda intelectual es impagable. Gracias a Gerardo Moscoso, Julio César Félix, Daniel Herrera, Daniel Maldonado, *Piti* Ramos, Salvador Álvarez, Adriana Luévano y Paco Cázares: extraordinarios anfitriones. Gracias al fantasma de Francisco José Amparán: nunca pisaré Torreón sin acordarme de él. Gracias a Jaime Muñoz Vargas por su camaradería de siempre y por hacerme llegar por correo esa joya de la microhistoria titulada *Tulitas de Torreón*. Gracias a Fernando Fabio Sánchez, traductor al español de *Tulitas*. Gracias a mi *hommie* Nazul Aramayo, que me enseñó a escuchar a los Chicos de Barrio con giribilla. Gracias a Carlos Castañón Cuadros porque, aunque nunca nos vimos, su inteligencia recorre (o al menos eso espero) este libro. Gracias a los taxistas a los que entrevisté.

En Saltillo, gracias a Armando J. Guerra, Carlos Manuel Valdés y Martha Rodríguez, quienes me asesoraron en la búsqueda de bibliografía y me pusieron en contacto con personas que conocen del tema. Gracias a Bernardo Chuck por acceder a hablarme de su abuelo. Gracias a Rubén Moreira Valdez, amante de la historia, por su amistad y su conversación.

En la ciudad de México, gracias a Martí Torrens, Hélene Meunier, Dottor Fetuso y el taxista Arturo, la revista *Arquine* y la embajada de Francia y Nathalie Ferreira, que me invitaron al proyecto *(D)escribir la ciudad*. Gracias a Fernando García Ramírez, consejero editorial de *Letras Libres* y primer interlocutor de este libro. Gracias a Leonardo Iván Martínez, quien me hospedó en Tlatelolco. Gracias inmensas al maestro Juan Puig: su voz resuena en cada una de las palabras anteriores.

Fuera de México, gracias a Laurent Portejoie (Je t'aime, bordelaise!). Gracias a mi hermano Timo Berger que me ayudó a traducir del alemán una rara biografía de Pablo Herrera de Huerta. Gracias a Aurelio Asiain, cuya conversación sobre Asia (o sobre lo que sea) es uno de los territorios más gratificantes que conozco.

Dentro del libro, gracias a la antropóloga Lourdes Herrasti Maciá quien, además de prestarme botellas de tequila o de ginebra los domingos para que yo me dedicara nada más a escribir, recolectó la información de la Hemeroteca Nacional. (Ojalá todas las suegras fueran así.) Gracias a Jorge Rangel, quien revisó el manuscrito, redactó las citas, me auxilió en la investigación e hizo varias de las traducciones; gracias también por la amistad, el mezcal y la música. Gracias a Andrés Ramírez, mi compa y editor, por su fe y su paciencia.

Gracias al Club Santos Laguna por coronarse campeón del futbol mexicano el mero día en que terminé de escribir esta historia.

Gracias a Mónica y Leonardo: vínculos: puentes.

NOTAS (SIN PIE)

La casa de Lim

La noción de que la colonia china intentaba crear una industria textil de la seda proviene de la tradición oral. Me fue narrada por uno de los policías que cuidan el Museo de la Revolución.

El anuncio de periódico en el que Lim promueve su consulta fue publicado el 17 de junio de 1911 en el periódico *The Torreon Enterprise*.

El telegrama enviado a Piedras Negras es citado en "La terrible matanza de chinos", en *El Imparcial*, México, 23 de mayo de 1911.

La referencia a las batallas de Ciudad Juárez, Torreón y Cuautla en mayo de 1911 fue tomada de Wikipedia.

La nota del *New York Times* que hace referencia al supuesto linchamiento de Lim es "Killed in Torreon Number Hundreds. Over 200 Chinese Slain by Rebels After the Federals Evacuated the Town", 23 de mayo de 1911.

El expediente del Archivo Genaro Estrada de la Secretaría de Relaciones Exteriores dedicado a la matanza de chinos de Torreón es el 13-2-34.

El texto de Leo M. Dambourges Jacques se publicó en Roger Daniels, *Anti-Chinese Violence in North America*, Nueva York, Arno Press, 1978, pp. 233-246. El resto de los libros que se enumeran aparecen en la bibliografía que prosigue a estas notas.

El párrafo que cito de Manuel Terán Lira ("Todavía por los años de 1946...") aparece en *La matanza de chinos (Torreón 1911)*, México, Editorial Macondo, 1999, p. 28.

La anécdota del libro de texto gratuito de historia regional de Coahuila para tercer año de primaria me fue narrada de viva voz por el autor del volumen: el Doctor en Historia por la Universidad de Perpiñán Carlos Manuel Valdés. Hasta donde recuerdo, en el Museo del Desierto de Saltillo hay una ficha museográfica que señala a Benito Juárez como responsable directo del envenenamiento de pozos de agua potable que culminó en el exterminio de los grupos nómadas de mi región pero, al ayudarme a revisar un pequeño pasaje de las galeras, Carlos Valdés me advirtió vía mail de lo siguiente: "El que mandó una orden y dos bidones de veneno para envenenar los aguajes del desierto no fue Benito Juárez sino Santiago Vidaurri. A no ser que tú hayas descubierto un documento que sea de Juárez y proponga esto. Sería una noticia terrible, pero si es cierta debes publicarla. Pero de Vidaurri sí estoy seguro: está en el Archivo General del Estado de Nuevo León. La carta se la envía a Jesús Carranza a Cuatro Ciénegas".

La tesis de Marco Antonio Pérez Jiménez, *Raza nación y revolución: La matanza de chinos en Torreón, Coahuila, mayo de 1911*, inédita, puede consultarse en http://catarina.udlap.mx/u_dl_a/tales/documentos/lhi/perez_j_ma/portada.html

La carta de Antonio de Pío Araujo a Ricardo Flores Magón del 18 de mayo de 1907 se encuentra en http://archivomagon.net/obras-completas/correspondencia-1899-1922/c-1907/cor181/

La referencia al robo de los zapatos de los chinos aparece en la contraportada de Juan Puig, *Entre el río Perla y el Nazas. La china decimonónica y sus braceros emigrantes, la colonia china en Torreón y la matanza de 1911*, México, Secretaría de Cultura de Coahuila, 2012.

El país de la laguna

Las fuentes generales utilizadas para narrar la historia de Torreón son: Eduardo Guerra, *Historia de Torreón. Su origen y sus fundadores*, México, Secretaría de Cultura de Coahuila, 2012; e Ilhuicamina Rico Maciel, *Mi cuna, el ferrocarril. Efemérides de Torreón*, México, edición del autor, 2012.

Sobre la venta del latifundio de Luisa Ibarra viuda de Zuloaga, *cfr.* Juan Puig, *op. cit.*, pp. 155-157 e Ilhuicamina Rico Maciel, *op. cit.*, p. 16.

Sobre el racismo antichino, el indigenismo y la eurofilia del régimen porfiriano puede consultarse Juan Puig, *op. cit.*; Robert Chao Romero, *The Chinese in Mexico. 1882-1940*, Estados Unidos de América: The University of Arizona Press, 2010; y Grace Peña Delgado, *Making the Chinese Mexican: Global Migration, Localism, and Exclusion in the U.S.-Mexico borderlands*, Estados Unidos de América, Stanford University Press, 2012.

Los datos biográficos de Andrés Eppen Ashenborn provienen de Rosa María Lack, "Los hombres pasan, pero sus obras perduran: don Andrés Eppen Ashenborn", en Jaime Muñoz Vargas (editor), *Panorama desde el cerro de las Noas. Siete ensayos de aproximación a la historia torreonense*, México, Comisión de Historia de Torreón, 2007, pp. 85-110.

Sobre el gobernador Gómez Palacio y el establecimiento del Ferrocarril Central Mexicano en el rancho del Torreón, *cfr.* Juan Puig, *op. cit.*, pp. 157-159.

La nota del *Diario del Hogar* es citada por Ilhuicamina Rico Maciel, *op. cit.*, p. 22.

La anécdota del convoy de Jimulco y el vagón que funcionaba como cárcel preventiva es narrada por Juan Puig, *op. cit.*, p. 162. Puig menciona como alcalde a Santos Coy pero, de acuerdo con Ilhuicamina Rico (*op. cit.*, p. 24) para esas fechas quien detentaba el puesto era el coronel Carlos González Montes de Oca.

El cuento de Daniel Sada ("La cárcel posma") forma parte de la colección *Registro de causantes*, México, Joaquín Mortiz, 1990.

La especulación sobre la identidad de la amante de Othón que inspiró "Idilio salvaje" ha llenado muchas páginas. Aparece, entre otros libros, en José Joaquín Blanco, *Crónica de la Poesía Mexicana*, México, Posada, 1987. Las versiones que se citan aquí provienen de "Manuel José Othón en La Laguna (tercera parte de una serie aumentada a cuatro)", *El Siglo de Torreón*, 12 de julio de 2012, http://www.elsiglodetorreon.com.mx/noticia/769537.siglos-de-historia.html

La versión del fragmento de "Idilio salvaje" que se cita proviene de José Emilio Pacheco, *Antología del modernismo (1884–1921)*, México, UNAM / Ediciones Era, 1999, p. 93.

Sobre el arribo de la imprenta a Torreón, *cfr.* Ilhuicamina Rico Maciel, *op. cit.*, p. 31.

La información industrial y de transportes en Torreón está también en Ilhuicamina Rico Maciel, *op. cit.*, pp. 31-47.

Sobre el salario en La Laguna: *cfr.* William K. Meyers, "La segunda División del Norte: formación y fragmentación del movimiento popular de La Laguna, 1910-1911", en Friedrich Katz (compilador), *Revuelta, rebelión y revolución. La lucha rural en México del siglo XVI al siglo XX*, dos tomos, México, Ediciones Era, 1990, pp. 113-148. También Jesús G. Sotomayor Garza, *Benjamín Argumedo: El Tigre de La Laguna*, México, edición del autor, 2010, p. 28.

Para la epidemia de viruela entre los jornaleros negros ver Juan Puig, *op. cit.*, p. 163, e Ilhuicamina Rico Maciel, *op. cit.*, pp. 24-25.

Sobre la identidad regional de La Laguna y algunos aspectos de su fundación, *cfr.* Sergio Corona, *El País de La Laguna. Impacto hispano-tlaxcalteca en la forja de la Comarca Lagunera*, México, Parque España de la Laguna, S. A. de C. V. / Club Deportivo Hispano Lagunero, A. C. / Consejería de Trabajo de la Embajada de España en México / Grupo Peñoles / Grupo Soriana / Grupo Modelo / Sanatorio Español, 2006.

Sobre los conflictos entre los agricultores de Durango y los de Coahuila, *cfr.* Carlos Castañón Cuadros, "Una perspectiva hidráulica de la historia regional. Economía y revolución en el agua de La Laguna", en Jaime Muñoz Vargas (editor), *op. cit.*, pp. 11-28. La cita sobre el arribo de Juárez a Viesca proviene de las pp. 17 y 18.

Las declaraciones de Pedro Luis Martín Bringas se encuentran en notas publicadas en *El Siglo de Torreón* el 7 de julio de 2014 ("Vigilarán que voto de ELLA cuente") y el 8 de julio de 2014 ("Votan por el PRI con marca de ELLA"). Para más información sobre el movimiento separatista, el lector puede consultar el sitio web de ELLA: http://ella.org.mx/

La historia de *Tulitas* Wulff Jamieson es un resumen de los primeros capítulos de *Tulitas de Torreón. Reminiscencias de una vida en México*, México, Ayuntamiento de Torreón, 2013.

La primera cita textual ("A veces pienso…") de *Tulitas* Wulff Jamieson está en *op. cit.*, p. 17.

La segunda cita textual ("En una ocasión…") de *Tulitas* Wulff Jamieson está en *op. cit.*, p. 64.

La tercera cita textual ("El tren tenía…") de *Tulitas* Wulff Jamieson está en *op. cit.*, pp. 73 y 75.

La cuarta cita textual ("Papá cabalgaba…") de *Tulitas* Wulff Jamieson está en *op. cit.*, p. 117.

La quinta cita textual ("Aunque eran las siete de la mañana...") de *Tulitas* Wulff Jamieson está en *op. cit.*, p. 145.

La anécdota sobre el alumbrado público de Torreón es puesta en voz del ficticio ingeniero y detective Paco Reyes Ibáñez, protagonista de la única novela del escritor lagunero Francisco José Amparán, *Otras caras del paraíso*, México, Almadía, 2012.

La información acerca del cine y teatro Pathé proviene de conversaciones con Silvia Castro, Sergio Corona Páez e Ilhuicamina Rico Maciel.

El pasaje de Urquizo sobre los burdeles aparece en la novela *Fui soldado de levita, de esos de caballería*, *cfr.* Francisco Emilio de los Ríos, *Francisco L. Urquizo: Narrativa Selecta*, México, Instituto Coahuilense de Cultura, 2005, p. 70.

El libro de poemas del fotógrafo Jesús Flores es Sebastián Margot, *Chacal y susceptible*, México, La Fragua, 2008.

El libro del fotógrafo Héctor Moreno es *Clausurado*, México, Ayuntamiento de Torreón / Dirección Municipal de Cultura de Torreón, 2000.

Sobre el arribo de Foon-chuck, *cfr.* Manuel Terán Lira, *op. cit.*, p. 5.

Taxi (2)

Sobre la preponderancia masculina de la diáspora, *cfr.* Robert Chao Romero, *op. cit.*, pp. 12-29; Juan Puig, *op. cit.*, p. 93.; y Elmer Clarence Sandmeyer, *The Anti-Chinese Movement in California*, Estados Unidos de América, University of Illinois Press, 1991.

Sobre las edades de los chinos muertos en Torreón el 15 de mayo de 1911, *cfr.* Archivo Genaro Estrada, expediente 13-2-34, legajo I, *Informe de la Delegación China*.

Olvido de amor

Sobre el Galeón de Manila, *cfr.* artículo en Wikipedia y el anexo correspondiente a la corriente Kuroshio. Consulté también varios mapas, un globo terráqueo y artículos diversos publicados en National Geographic.

Sobre los primeros chinos que llegaron a México, *cfr.* Robert Chao Romero, *op. cit.*, pp. 12-29.

La versión de "La nave de China" que se cita puede encontrarse en José Emilio Pacheco, *op. cit.*, p. 114.

El pasaje sobre los orígenes míticos de China proviene de Patricia Buckley Ebrey, *The Cambridge Illustrated History of China*, Estados Unidos de América, Cambridge University Press, 1996, p. 10. La traducción es de Jorge Rangel.

El resumen de la historia de China y del arribo de la diáspora a California está basado fundamentalmente en los capítulos 1 ("China") y 2 ("California") de Juan Puig, *op. cit.*, pp. 27-132. Si bien consulté otras fuentes (Patricia Buckley Ebrey, *op. cit.*; Antonio Escohotado, *Historia de las drogas*, España, Alianza Editorial, 2004; así como diversos artículos electrónicos) lo que he hecho es, básicamente, una síntesis del texto de Puig.

Sobre la opinión de Marx acerca de las minas de California: Juan Puig, *op. cit.*, p. 93.

La historia de Pablo Chee proviene Robert Chao Romero, *op. cit.*, p. 1.

La historia de Lee Kwong Lun es contada asimismo por Robert Chao Romero, *op. cit.*, pp. 13-14.

El concepto de trasnacionalismo como un método de análisis de la diáspora china es desarrollado a lo largo de *The Chinese in Mexico. 1882-1940, cfr.* Robert Chao Romero, *op. cit.*, p. 3.

El pasaje de Severo Sarduy sobre las huellas de la diáspora china en Cuba aparece en la novela *De dónde son los cantantes, cfr.* Severo Sarduy, *Obras II. Tres novelas*, México: Fondo de Cultura Económica, 2011, pp. 33-60.

La primera cita textual de Juan Puig ("...torturadores, polígamos, enemigos del progreso...") proviene de *op. cit.*, p. 96.

La segunda cita textual de Juan Puig ("...ni siquiera había en su lengua, el cantonés...") proviene de *op. cit.*, p. 104.

La tercera cita textual de Juan Puig ("...una infinita multitud de paganos irremisibles...") proviene de *op. cit.*, p. 106.

Las cifras de migrantes expresadas por Robert Chao Romero están en *op. cit.*, p. 15.

El artículo del *Marin Journal* del 30 de Marzo de 1876 aparece en Elmer Clarence Sandmeyer, *op. cit.*, p. 25.

Sobre la masacre de Rock Springs, *cfr.* artículo de Wikipedia.

Descubrí la historia del suicidio masivo de chinos en Matachín, Panamá, a través de informantes orales en una visita que hice al país centroamericano en agosto de 2014. Posteriormente encontré dos fuentes documentales al respecto: "La tragedia de Matachín", de Rafael Montes Gómez, en panamaamerica.com.pa, http://www.panamaamerica.com.pa/content/la-tragedia-de-matach%C3%ADn; y "Matachín y el suicido de los inmigrantes chinos" de Alonso Roy: http://www.alonso-roy.com/hm/hm-02.html

Tsai Yüan de Nadie

Sobre las colonias de italianos en México, véase Juan Puig, *op. cit.*, p. 143.

El perfil de Matías Romero Avendaño está construido con información de Wikipedia; Juan Puig, *op. cit.*, pp. 139-150; e Ilhuicamina Rico Maciel, *op. cit.*, p. 30.

El artículo de Matías Romero es citado en Juan Puig, *op. cit.*, p. 140.

Sobre el Tratado Sinomexicano, *cfr.* Juan Puig, *op. cit.*, pp. 139-150.

Sobre la distribución geográfica de la población china en México entre 1895 y 1910, *cfr.* Robert Chao Romero, *op. cit.*, pp. 56-61.

Sobre los oficios de los chinos en México, *cfr.* Robert Chao Romero, "Employment and community", *op. cit.*, pp. 97-144.

El relato de los cinco cantoneses y los agentes de inmigración encubiertos se encuentra en Robert Chao Romero, *op. cit.*, pp. 30-31.

Sobre los matrimonios interraciales y su censura tanto en Estados Unidos como en Sonora, *cfr.* Robert Chao Romero, *op. cit.*, pp. 66-96.

Sobre la visión esquemática de la sinofobia diferenciada por clases sociales, *cfr.* Robert Chao Romero, *op. cit.*, capítulo 6, "Mexican Sinophobia and the Anti-chinese Campaigns", pp. 145-190; y Juan Puig, *op. cit.*, pp. 333-337.

La anécdota de los alumnos becados para estudiar en Bridgewater, Massachusetts, se encuentra en *Benemérita Escuela Normal de Coahuila. Alma de acero*, México, Gobierno del Estado de Coahuila, 2010, p. 20.

El artículo antichino publicado en el *Diario Oficial* de Coahuila en 1882 aparece consignado en Sergio Corona Páez, *Cronica de Torreón*, http://cronicadetorreon.blogspot.mx/2007/07/racismo-de-estado-finales-del-siglo-xix.html

El texto "Las medidas sanitarias en Honolulú" apareció en *El Cómico* el 10 de junio de 1900.

Acerca del Informe de la Comisión Romero, *cfr.* Robert Chao Romero, *op. cit.*, pp. 180-183.

El Programa del Partido Liberal Mexicano se encuentra en Wikisource: http://es.wikisource.org/wiki/Programa_del_Partido_Liberal_Mexicano

La carta antichina de José Díaz Zulueta, "La inmigración china para el fomento a la agricultura, perjudicará a México", aparece en *El Tiempo*, 10 de abril de 1911.

La respuesta de la representación china a la carta de José Díaz Zulueta, "En defensa de la Colonia China", se encuentra en *El Tiempo*, 21 de abril de 1911 y está firmada por Li Chung Ping, Li Yuck Ling, Moy Hah Sing, Chion Ah Wan, Tam Tip Hong y Chin See Yin.

La biografía de Wong Foon Check (Foon-chuck) se encuentra en Lucas Martínez Sánchez, *Monclova en la Revolución. Hechos y personajes. 1910–1920*, México: Colegio de Investigaciones Históricas del Centro de Coahuila, 2005, p. 63. Algunos de los aspectos de la vida del personaje me fueron narrados en forma oral por Bernardo Chuck, su bisnieto.

El perfil de Kang Youwei ha sido escrito a partir de diversos artículos de Wikipedia; y de Juan Puig, *op. cit.*, pp. 65-73 y 155-177.

Sobre el *leng t'che* se ha escrito en México una extraordinaria novela que incluye además la fotografía de un hombre al momento de ser eje-cutado con este método: Salvador Elizondo, *Farabeuf*, México, Fondo de Cultura Económica, 1965.

La entrevista a Kang Youwei publicada por el periódico *El Popular* de la Ciudad de México apareció el 10 de junio de 1907 y es citada por el Dr. Sergio Corona Páez en *Crónica de Torreón*, http://cronicadetorreon.blogs-pot.mx/2008/09/eminente-intelectual-chino-visita.html.

Sobre las relaciones entre Foon-chuck, Hop Lee y Kang Youwei, y sobre los uniformes de la escuela Yue Mae de Monclova, *cfr.* Evelyn Hu-DeHart, "Indispensable Enemy or Convenient Scapegoat? A Critical Examination of Sinophobia in Latin America and the Caribbean, 1870s to 1930s" en Chee-Beng Tan y Walton Look Lai (editores), *The Chinese in Latin America and the Caribbean*, Estados Unidos de América: Brill, 2010, pp. 65-102.

La referencia a las ocho millas de tranvías eléctricos construidas por Wah Yick aparece en "The Chinese Massacre...", de Leo. M. Dambour-ges; Roger Daniels, *op. cit.*, p. 236.

Sobre el banco chino y la prosperidad de los cantoneses en Torreón, *cfr.* Juan Puig, *op. cit.*, pp. 169-173.

El acta notarial de la Compañía Bancaria y de Tranvías Wah Yick, S. A., se encuentra entre los documentos en proceso de catalogación del Archivo Histórico de la Universidad Iberoamericana Campus Laguna.

El manifiesto publicado en *El Nuevo Mundo* es citado por Ilhuicamina Rico Maciel, *op. cit.*

Tanto la *SÚPLICA* de Woo Lam Po como la respuesta editorial del periódico en cuestión, así como el comentario de Sergio Corona Páez están en *Crónica de Torreón*, http://cronicadetorreon.blogspot.mx/2008/04/1907-destellos-de-tormenta.html.

Sobre el arribo a Torreón de Antonio de Pío Araujo y la publicación de *The Mexican Herald* en referencia a la escasez de vivienda, *cfr.* Ilhuicamina Rico, *op. cit.*, p. 41.

Sobre las huelgas de caldereros y maquinistas, la elevación de Torreón a la categoría de ciudad y la creación del Banco de La Laguna, *cfr.* Ilhuicamina Rico, *op. cit.*, p. 42.

Los eventos violentos de 1908, incluyendo el levantamiento de Viesca, son consignados por Ilhuicamina Rico, *op. cit.*, pp. 43 y 44.

Las desavenencias entre Foon-chuck y Huang Jih Chuck fueron consignadas por Leo M. Dambourges en Roger Daniels, *op. cit.*, p. 236.

Sobre la ubicación de los establecimientos de los chinos en Torreón, me he basado principalmente en entrevistas con historiadores locales. También en Juan Puig, *op. cit.*, p. 172 y Manuel Terán Lira, *op. cit.*, p. 22.

Sobre el nombre chino de Torreón, Tsai Yüan, *cfr.* Juan Puig, "Tsai Yüan, Coahuila", *Letras Libres*, Octubre 2002.

Sobre el paso fugaz de Porfirio Díaz por Torreón rumbo a la histórica entrevista con Taft, *cfr.* Ilhuicamina Rico Maciel, *op. cit.*, p. 45.

La historia de las celebraciones en Torreón por el Centenario de la Independencia es narrada por Juan Puig en forma sustancialmente distinta a la que aquí se consigna. Puig construyó su relato a partir de la *Historia de Torreón* de Eduardo Guerra, quien a su vez debe haberse basado en el programa original de actividades. Posteriores investigaciones en la prensa de la época determinan que el programa sufrió cambios a causa de las lluvias. Una versión pormenorizada está en Ilhuicamina Rico Maciel, "La Verdadera Historia del Centenario de la Independencia en Torreón", http://batallaseneldesierto-ilhuicamina.blogspot.mx/2010/10/la-verdadera-historia-del-centenario-de.html?q=Centenario+de+la+Independencia.

Peatón

La cita acerca de la ubicación real del Banco Chino proviene de Silvia Castro, "Rumbo al Centenario / Sobre la ubicación del Banco Chino", *El Siglo de Torreón*, 5 de diciembre de 2004, http://www.elsiglo-detorreon.com.mx/noticia/122784.rumbo-al-centenario-sobre-la-ubicacion-del-ba.html.

Numerosas bandas

El nombre de este capítulo y el epígrafe que lo acompaña provienen de Ernesto Lumbreras, *Numerosas bandas*, México, Mantis Editores, 2010.

El ensayo de William K. Meyers se encuentra en Friedrich Katz (compilador), *op. cit.*, pp. 113-148. La cita textual ("Desde 1884...") proviene de pp. 118-119.

El perfil biográfico de Calixto Contreras está construido con información de Wikipedia; algunas escenas sueltas de Paco Ignacio Taibo II, *Pancho Villa. Una biografía narrativa*, México, Planeta, 2006; y pasajes del ensayo de Meyers en Friedrich Katz, *op. cit.*, pp. 120-124.

El retrato de Jesús Agustín Castro está tomado de *Recuerdo que...* compilación de memorias de Francisco L. Urquizo antologada en Francisco Emilio de los Ríos, *op. cit.*, p. 162; "De Villa Guerrero, Coahuila a la Laguna", en *El Siglo de Torreón*, 8 de marzo de 2015; y otras fuentes electrónicas y orales.

Sobre los preparativos revolucionarios en La Laguna, *cfr.* Eduardo Guerra, *Historia de Torreón. Su origen y sus fundadores*, México, Secretaría de Cultura de Coahuila, 2012, pp. 179-202.

El relato del levantamiento del 20 de noviembre de 1910 en Gómez Palacio proviene de dos fuentes: Eduardo Guerra, *op. cit.*, pp. 202-208; e Ilhuicamina Rico Maciel, "El 20 de Noviembre de 1910 en Gómez Palacio", http://batallaseneldesierto-ilhuicamina.blogspot.mx/2011/11/el-20-de-noviembre-de-1910-en-gomez.html

La tradición popular que presenta a Jesús Agustín Castro protegiendo la retirada de su tropa el 21 de noviembre de 1910 me fue contada de manera oral por algunos torreonenses a los que entrevisté y aparece también en Eduardo Guerra, *op. cit.*, p. 207.

La bandolera decimonónica conocida como la *China* Apolinaria es retratada por Francisco L. Urquizo en *Charlas de sobremesa*, anecdotario antologado en Francisco Emilio de los Ríos, *op. cit.*, p. 204.

Sobre la aparcería en La Laguna *cfr.* William K. Meyers en Friederich Katz, *op. cit.*, pp. 123-124.

El retrato de Orestes Pereyra está tomado de *Recuerdo que...*, compilación de memorias de Francisco L. Urquizo antologada en Francisco Emilio de los Ríos, *op. cit.*, p. 162; Wikipedia; y fragmentos sueltos de Paco Ignacio Taibo II, *op. cit.*

El retrato de Enrique Adame Macías está construido a partir de relatos orales recopilados en La Laguna; y de Ilhuicamina Rico Maciel, "Dinamita: También un arma de la revolución mexicana", http://batallaseneldesierto-ilhuicamina.blogspot.mx/2012/04/dinamita-tambien-un-arma-de-la.html.

La cita textual de Francisco L. Urquizo sobre Sixto Ugalde aparece en Francisco Emilio de los Ríos, *op. cit.*, p. 163.

Para el retrato de Emilio Madero y la peculiar incorporación de San Pedro de las Colonias a la revolución, *cfr.* William K. Meyers en Friedrich Katz, *op. cit.*, pp. 131-142.

La descripción del clan de los Madero está tomada de José León Robles de la Torre, *Cinco coahuilenses, presidentes de México*, México, Consejo Editorial del gobierno del Estado de Coahuila, 2000, pp. 27-115.

La carta de Francisco Madero Hernández a su hijo, el revolucionario Francisco I. Madero González fue recopilada por José León Robles de la Torre, *op. cit.*, pp. 50-51.

La fotografía de Gustavo y Francisco I. Madero niños está en José León Robles de la Torre, *op. cit.*, p. 33.

La cita textual del cónsul británico de La Laguna se encuentra en William K. Meyers en Friedrich Katz, *op. cit.*, p. 130.

La cita textual de Francisco L. Urquizo se encuentra en Francisco Emilio de los Ríos, *op. cit.*, pp. 155-156.

El retrato de Luis Moya Regis está tomado de Wikipedia y de William K. Meyers en Friedrich Katz, *op. cit.*

El retrato de Pablo Lavín está construido a partir de William K. Meyers en Friedrich Katz, *op. cit.*; y de Roberto Martínez García, "Siglos de Historia" en *El Siglo de Torreón*, 29 de abril de 2012.

Elenco

La semblanza de Benjamín Argumedo es una síntesis de Jesús G. So-tomayor Garza, *Benjamín Argumedo: El Tigre de La Laguna*, México: edición del autor, 2010.

El anuncio del "antialcohólico específico" del doctor Lim apareció en *The Torreon Enterprise* el 17 de junio de 1911. La traducción es mía.

La semblanza biográfica de J. Walter Lim está basada en distintos frag-mentos de Juan Puig, *op. cit.*; en conversaciones con distintos habitantes de Torreón, particularmente la maestra Silvia Castro; y en dos documen-tos del expediente 13-2-34 del Archivo Histórico Genaro Estrada de la Secretaría de Relaciones Exteriores: la "Protesta que enérgicamente hace el Dr. J. W. Lim súbdito chino contra varios hechos asentados en el proceso que con motivo de la matanza de chinos habida en Torreón Coahuila, el día quince de mayo del corriente año, instruye el juez señor Macrino J. Martínez y su secretario Julio Avino" y la "Declaración del doctor J. W. Lim ante el abogado Antonio Ramos Pedrueza". Archivo Estrada, expediente 13-2-34, legajo II.

La semblanza biográfica de Emiliano Lojero se construyó con infor-mación de Wikipedia; Juan Manuel Torrea, *La asonada militar de 1913*, Mé-xico, Joloco, 1939 (se consultó electrónicamente); y Salvador Alvarado, *La reconstrucción de México. Un mensaje a los pueblos de América*, México, J. Ballesca y Cía., 1919, tomo 1, p. 18.

La semblanza biográfica de Federico Wulff está construida mediante pa-sajes de Juan Puig, *op. cit.*; Eduardo Guerra, *op. cit.*; Ilhuicamina Rico Maciel, *op. cit.*; Tulitas Wulff Jamieson, *op. cit.*; "Museo de la Casa del Cerro" (24 de julio de 2008) y "La Casa del Cerro, un viaje al pasado" (28 de marzo de 2005) en *El Siglo de Torreón*; así como el testimonio de Federico Wulff ante Ramos Pedrueza, Archivo Estrada, expediente 13-2-34, legajo II.

José María Grajeda aparece mencionado en Juan Puig, *op. cit.*, p. 196; y en el "Testimonio de Federico Wulff ante Ramos Pedrueza", doc. cit.

La biografía de H.H. Miller apareció en "Comparten archivos de imágenes de H. Miller", en *El Siglo de Torreón*, 19 de noviembre de 2010. La fotografía de caballeros y señoritas paseando por la alameda de To-rreón se imprimió en María Isabel Saldaña Villarreal y Francisco Durán y Martínez, *Recuerdos y sabores de la Comarca lagunera*, México, Secretaría de Cultura de Coahuila, 2014, p. 43. La fotografía del *guayín* cargado de cadáveres se publicó en Manuel Terán Lira, *op. cit.*, p. 27.

La semblanza biográfica de Francisco León de la Barra se construyó con información de Wikipedia; el expediente 13-2-34, legajo I, del Archivo Estrada; y diversos pasajes de Juan Puig, *op. cit.*

El retrato de George C. Carothers está basado en diversas fuentes electrónicas; fragmentos de Paco Ignacio Taibo II, *op. cit.*; pasajes de Tulitas Wulff Jamieson, *op. cit.*; Juan Puig, *op. cit.*; y el testimonio de George C. Carothers ante Ramos Pedrueza, Archivo Estrada, expediente 13-2-34, legajo II.

El retrato del doctor William Jamieson está basado en diversos pasajes de Tulitas Wulff Jamieson, *op. cit.*

El retrato de Herbert Ashley Cunard Cummins proviene de Juan Puig, *op. cit.*; y Timothy J. Henderson, *The Worm in the Wheat: Rosalie Evans and Agrarian Struggle in the Puebla-Tlaxcala Valley of Mexico, 1906–1927*, Estados Unidos de América, Duke University Press, 1998. La cita textual de Henderson proviene de las pp. 122-124. La traducción es mía.

La semblanza de Francisco L. Urquizo proviene de Francisco Emilio de los Ríos, *op. cit.*, pp. 13-92; la fotografía de la que se habla apareció en *Signos para la memoria. Coahuila: inventario artístico*, México: Centro de Estudios Sociales y Humanísticos, 1997.

La semblanza de Jesús Flores está basada en Juan Puig, *op. cit.*, pp. 183-184; "Torreon's Capture", crónica publicada en *The Torreon Enterprise*, 17 de junio de 1911; "La verdad sobre los asesinatos de chinos en Torreón. Relación de un testigo presencial", Archivo Estrada, expediente 13-2-34, legajo I, periódico *Diógenes*, 16 de julio de 1911; y "Testimonio de Herbert Ashley Cunard Cummins ante Ramos Pedrueza", Archivo Estrada, expediente 13-2-34, legajo II.

La semblanza sobre el peligro que corría la comunidad china torreonense aparece en Juan Puig, *op. cit.*, pp. 183-187.

La fotografía de las barricadas torreonenses custodiadas por civiles se publicó en Manuel Terán Lira, *op. cit.*, p. 13.

El retrato de *los Amarillos* proviene de Manuel Terán Lira, *op. cit.*; "Torreon's Capture", doc. cit.; "La verdad sobre los asesinatos...", doc. cit.; y diversos pasajes de Francisco L. Urquizo, *Tropa Vieja*, México: Populibros "La Prensa", 1992.

El texto del volante de Woo Lam Po traducido al español por Juan Puig está en *op. cit.*, p. 187.

La casa del dolor ajeno

La escena de Benjamín Argumedo atando su paliacate por debajo del mentón es ficticia.

La cita textual de Benjamín Argumedo proviene de Jesús G. Sotomayor Garza, *op. cit.*, p. 16.

La descripción del frente de batalla oriental está basada en Juan Puig, *op. cit.*, y, principalmente, "Torreon's Capture", doc. cit. También en William K. Meyers en Friedrich Katz, *op. cit.*

Los documentos oficiales de la Secretaría de la Defensa Nacional que establecen la jerarquía de Sixto Ugalde sobre Benjamín Argumedo están en Jesús G. Sotomayor Garza, *op. cit.*, pp. 17-20.

La actuación de Cummins durante la batalla proviene de su propio testimonio ante Ramos Pedrueza: Archivo Estrada, expediente 13-2-34, legajo II.

Las fotografías de la defensa federal en los cerros Calabazas y De la Cruz aparecen en Manuel Terán Lira, *op. cit.*, p. 15.

La cita textual del doctor William Jamieson aparece en Tulitas Wulff Jamieson, *op. cit.*, pp. 179-180.

La descripción de Lim proviene de "Declaración del doctor J. W. Lim...", doc. cit.

El punto de observación de George C. Carothers y la anécdota del gringo herido provienen del testimonio de George C. Carothers ante Ramos Pedrueza, Archivo Estrada, doc. cit.

La cita textual de Manuel Terán Lira está en *op. cit.*, p. 19.

Prácticamente todo el relato que se hace del frente occidental de la batalla proviene de Francisco L. Urquizo, *op. cit.*, pp. 136-160.

La cita textual ("Había temorcillo...") proviene de Francisco L. Urquizo, *op. cit.*, pp. 148-149.

El sabotaje de la planta de luz por parte de Enrique Adame Macías y las metralletas colocadas en el perímetro de la ciudad quedaron consignados en "Torreon's Capture", doc. cit.

El asalto revolucionario al Cerro de la Cruz en medio de la noche es descrito en Francisco L. Urquizo, *op. cit.*, pp. 151-152.

El relato de la muerte de Jesús Flores proviene de "Torreon's Capture", doc. cit.

La anécdota que hace mofa de los chinos de Torreón gritando "¡Viva Malelo!" aparece de manera constante en la tradición oral lagunera: tanto historiadores como taxistas, amas de casa y peatones la recuerdan. También es citada en decenas de artículos periodísticos publicados en el verano de 1911.

Los testimonios sobre el inicio de la matanza provienen de Juan Puig, *op. cit.*, pp. 187-191; y la "Declaración del doctor J. W. Lim", doc. cit.

El testimonio de María Antonia Martínez aparece en el *Extracto* que el juez militar Macrino J. Martínez dirigió a Emilio Madero el 18 de mayo de 1911. Archivo Estrada, expediente 13-2-34, legajo II.

La cita textual del doctor William Jamieson proviene de *Tulitas* Wulff Jamieson, *op. cit.*, pp. 180-181.

La afirmación de Sabino Flores sobre el origen de los distintos contingentes que arribaron a El Pajonal, así como el relato de la muerte de Francisco Almaraz, están en la declaración de J. W. Lim, doc. cit.

El cálculo de chinos asesinados entre el 13 y el 14 de mayo de 1911 en la zona de las huertas proviene de la *Lista de los súbditos chinos que fueron muertos por las fuerzas maderistas en los días 13, 14 y 15 de mayo de 1911 ascendiendo a la suma de trescientos tres personas, como sigue*, Archivo Estrada, expediente 13-2-34, legajo IV.

El relato ficticio de la ruptura del cerco por parte de los federales está en Francisco L. Urquizo, *op. cit.*, pp. 156-157.

El encuentro del recaudador Villanueva y el cónsul Carothers es narrado por este último en su testimonio ante Ramos Pedrueza, doc. cit.

El lugar exacto del Juzgado de Letras donde se encontraban las botellas adulteradas de coñac es descrito por Carothers en su testimonio ante Ramos Pedrueza, doc. cit.

"Antes de las seis comenzó a clarear": obtuve esta información en una página web de cálculo astronómico.

El retrato de José María Grajeda proviene del testimonio de Federico Wulff ante Ramos Pedrueza, doc. cit.

Las peripecias del doctor Lim son narradas en su "Declaración…", doc cit.

El relato sobre el coñac adulterado se aborda en Juan Puig, *op. cit.*, pp. 193-195; y en Marco Antonio Pérez Jiménez, *op. cit.*, capítulo 3.

La descripción del inicio de la matanza urbana proviene de Juan Puig, *op. cit.* La cita textual ("Al tiempo que saqueaban…") está en la p. 195.

El testimonio de Apolinar Hernández Sifuentes es consignado en Manuel Terán Lira, *op. cit.*, p. 22.

La cita textual de Francisco L. Urquizo proviene de Francisco Emilio de los Ríos, *op. cit.*, p. 159.

La cita textual ("Alguien descubrió…") está en Juan Puig, *op. cit.*, p. 196.

El relato del asalto a la casa de campo y la probable violación de la mujer de Ten Yen Tea aparecen consignados en la "Declaración del doctor J. W. Lim", doc. cit.

Los nombres de los implicados en la masacre, a quienes el año siguiente se les dictó auto de formal prisión, fueron consignados por Sergio Corona Páez en "99 años del genocidio", http://cronicadetorreon.blogspot. mx/2010/06/99-anos-del-genocidio.html

La tradición oral de que fueron los Lindquist quienes salvaron a Woo Lam Po es consignada por Manuel Terán Lira en *op. cit.*, p. 28.

Las opiniones de Ramos Pedrueza acerca de la matanza están en su *Informe*, Archivo Estrada, expediente 13-2-34, legajo ii.

La cita textual ("En alguno de esos establecimientos…") está en Juan Puig, *op. cit.*, p. 197.

La cita de William Jamieson ("Golpearon a los niños…") se encuentra en Tulitas Wulff Jamieson, *op. cit.*, p. 182.

La cita textual ("Así salieron también los escritorios…") está en Juan Puig, *op. cit.*, p. 199.

La descripción del descanso de Lim aparece en la "Declaración del doctor J. W. Lim", doc. cit.

La cita textual ("En todo el edificio…") está en Juan Puig, *op. cit.*, pp. 201-202.

La fotografía de Gustavo G. Fernández se encuentra en el Archivo Histórico de la Universidad Iberoamericana Campus Laguna.

La salida de Cummins de Gómez Palacio es relatada por él mismo en su testimonio ante Ramos Pedrueza, doc. cit.

El relato del intento de linchamiento de Lim, así como la cita textual al respecto, provienen de la "Declaración del doctor J. W. Lim", doc. cit.

La cita textual de Cummins ("…los cadáveres de nueve chinos…") se encuentra en su testimonio ante Ramos Pedrueza, doc. cit.

Los testimonios de Samuel Graham y Delfino Ríos son citados por Juan Puig, *op. cit.*, p. 207; las delaciones hechas por mujeres torreonenses en prejuicio de los chinos ocultos se narran en "Torreon's Capture", doc. cit.

El relato de Erico Notholt forma parte de su testimonio ante Ramos Pedrueza, Archivo Estrada, expediente 13-2-34, legajo II.

Las ejecuciones de chinos "rescatados" de El Pajonal son consignadas por el doctor Sergio Corona Páez y parten de la declaración judicial de una testigo presencial: Brígida Cumplián de García, *cfr.* Sergio Corona Páez, doc. cit.

El testimonio de Ten Yen Tea sobre la ejecución de sus acompañantes es mencionado en la "Declaración del doctor J. W. Lim", doc. cit.

La designación de Orduña como guardián de la madedería Arce es consignada por Juan Puig, *op. cit.*, p. 210. La responsabilidad de este personaje en los asesinatos se hace manifiesta por la orden de aprehensión que se le giró en 1912, *cfr.* Sergio Corona Páez, doc. cit.

El relato de la mexicana guapa y los chinos salvados por Eva Lindquist está en Tulitas Wulff Jamieson, *op. cit.*, p. 185.

La historia de los 70 cantoneses resguardados en un restaurant proviene del testimonio de George C. Carothers ante Ramos Pedrueza, doc. cit.

Quien consigna el primer comunicado de Emilio Madero tras la toma de Torreón es William K. Meyers en Friedrich Katz, *op. cit.*, p. 142.

La imagen de las máquinas de escribir arrojadas a un canal de irrigación aparece en Tulitas Wulff Jamieson, *op. cit.*, p. 187.

El periplo de Lim tras su intento de linchamiento es narrado en la "Declaración del doctor J. W. Lim", doc. cit.

El encuentro entre Madero y Carothers es narrado por este último en su testimonio a Ramos Pedrueza, doc. cit.

El testimonio de Dolores Ramírez es consignado por el doctor Sergio Corona Páez, doc. cit.

El desfile maderista y la excavación de la fosa común para los 205 chinos muertos en la ciudad son narrados por Cummins en su testimonio ante Ramos Pedrueza, doc. cit.; y Juan Puig, *op. cit.*, pp. 208-209.

La cita textual de Puig ("El administrador del cementerio...") se encuentra en *op. cit.*, p. 208.

El testimonio de Bernabé Miranda acerca de los entierros en la fosa común aparece en Manuel Terán Lira, *op. cit.*, p. 28.

La cita textual de Juan Puig ("Ahí los tuvieron tres días"...) proviene de *op. cit.*, p. 210.

El diálogo entre Arthur Basset y Erico Notholt es una transcripción literal de la declaración de este último ante Ramos Pedrueza, doc. cit.

El relato de la liberación de los once hortelanos detenidos en Gómez Palacio y el intento de Ramírez de inculparlos aparece en la "Declaración del doctor J. W. Lim", doc. cit.

La liberación de los presos de la maderería Arce aparece en Juan Puig, *op. cit.*, p. 210.

La cita textual de Lim ("Una vez que recorrí...") fue tomada de la "Declaración del doctor J. W. Lim", doc. cit.

La descripción que hace Carothers de Lim está en su testimonio ante Ramos Pedrueza, doc. cit.

El baile en la Lavandería de Vapor Oriental fue consignado por el doctor William Jamieson en la carta que escribió a su padre el 24 de mayo de 1911, *cfr. Tulitas* Wulff Jamieson, *op. cit.*, p. 184.

Un curso de monstruos

El reportaje "Fueron los federales" de Laura Castellanos apareció en *Aristegui Noticias* http://aristeguinoticias.com/1904/mexico/fueron-los-federales/

Después

Los tres fragmentos de "Después" referentes a la reclamación y el Protocolo de Indemnización de México frente a China son una síntesis de Juan Puig, *op. cit.*, pp. 245-331. Algunos aspectos del relato provienen no del cuerpo del texto de Puig, sino de sus notas.

La cita textual de Macrino J. Martínez proviene del *Extracto*, doc. cit.

La cita textual de Juan Puig ("El príncipe Ching...") está en *op. cit.*, p. 213.

La cita textual de *El Ahuizote* proviene de Carlos Castañón Cuadros, *Las dos Repúblicas. Una aproximación a la migración china hacia Torreón: 1924-1963*, México: Instituto Municipal de Documentación y Archivo Histórico "Eduardo Guerra", 2004, pp. 54-55.

Transcribo íntegra la "Entrevista con un Chin-chun-chan" firmada por Karkabel y publicada en la *Revista Multicolor* el 29 de junio de 1911:

Entrevista con un Chin-Chun-Chan

Deseando conocer la impresión que ha causado en el Celeste Imperio la matanza de Torreón, entrevisté ayer al chino que tiene la bondad de plancharme las camisas. Él se hallaba en Torreón.

Su nombre de pila es "Chin-chun-chan", que no traduzco por prudencia. Es miembro prominente de la colonia celeste de esta ciudad y, además, plancha de lustre. A algunos, una plancha les cuesta la vida. Pues a éste una plancha es lo que lo sostiene y alimenta.

Pero no divaguemos.

Una vez que se sentó "Chin-chun-chan" en el suelo (porque ellos no usan sillas), comenzó la entrevista:

—Dime, hijo de la gran China: ¿qué me dices respecto a los sucesos de Torreón?

—Malelilstas matalon tolos los chinos como latas... ¡Malelistas mu malos!

—Según esto, las "latas" que forradas en huevo nos dan ustedes en los restaurants, las matan con rifle! Bueno; pero ¿qué razón hubo para que los maderistas los atacaran?

—Nomás porque chinos tilaban balazos malelistas...

—¡Cualquier cosa! Y como las balas son alimenticias, pues antes debieran haber quedado agradecidos, ¿verdad? Y ¿cuántos maderistas mataron?

—Nomás lós. Pelo chinos glitaban: "¡Viva Malelo!" y malelistas mataban.

—Pero hombre, mi querido Chin-chun-chan, diatiro se ponen a tentar al diablo... Para qué les dispararon; ahí estuvo lo malo. Y tú, ¿cómo escapaste?

—Metilo común...

—¡No la amueles! Supongo que saliendo de ahí te pondrías lo menos una semana en jabón.

—Cambié lopa... ¡yo nunca baña!

—Bueno, entonces casi fue día de campo el que te pasaste en el escondite! Y ¿cómo mataban a tus pobres paisanos, chinito?

—Amalaban tlenza cabeza silla. Alastaban caballo. Lespués... ¡pún!

—¡Cuánto te has de haber acordado de tu país con la barbarie de mis paisanos! Porque allá los extranjeros tienen el pellejo en un hilo...

Y ¿qué opinas de los 60 milloncitos que quiere de indemnización tu Gobierno?

—¡Mu bueno… mu bueno!

—Pero óyeme, hijo de… Confucio. Mataron 300 y piden 60 millones. ¿Tú crees valer 200 000 pesos? Ya te habías vendido, o cuando menos "empeñado". ¿Pues cuánto vale una china en tu tierra?

—¡Las lan lalas!

—¡Pues fíjate! Allá dadas y aquí los cobran a 200 000 duros. ¡Ni que vinieran en aeroplano para que saliera tan caro el flete!

—Yo te doy 200 mil peso: yo te mato. ¿Quiele?

—No, mi querido chino. No es el mismo caso. Además, yo no uso trenza, ni siquiera coleta. Y ¿qué opinas del "boycotaje"?

—¿Boycotaje?… ¿Se come?

—No, hombre, hijo del cielo. Que si insisten en cobrar 60 millones y mandan su rasgadal de barco a asustarnos, nadie te volverá a mandar planchar ni lavar ropa, ni nadie volverá a comer ratas fritas en tu restaurant, ni habrá quien gaste un centavo partido por la mitad en nada que huela a chino… ¿Cómo te sientes?

—¡Oh, no! Mu malo… mu malo. Yo no quiele bocotaje… yo no quiele denización… yo quiele planchate camisa… ¡Viva Malelo!

El pobre Chin-chun-chan no frunció el ceño por falta de cejas; pero se comprende que si las ha tenido, lo frunce!

Parece que la idea de no planchar más le pareció una verdadera "plancha", y ante tal amenaza, no quiso hablar más de lo sucedido.

—¿De manera es, simpático hijo de la China, que no guardas rencor a México?

—¡Oh, no! Yo quiele Méquico. ¡Viva Malelo!

—Pues bien, hijo de Confucio. Yo te estimo. Y fuera del sacrificio de comer en un restaurant de los tuyos, pídeme lo que quieras.

Chin-chun-chan me pidió el importe de las camisas que me había planchado y se alejó silenciosamente.

El texto firmado por "V." apareció también en revista *Multicolor* el 29 de junio de 1911. Además, transcribo íntegro el romance "Chinierías" publicado en revista *Multicolor* el 29 de junio de 1911:

Chinerías

Dicen que el Celeste Imperio,
Indignado, sin razón,
Por trescientos celestiales
Que la plebe escabechó
Por meterse a valentones
En la toma de Torreón,
nos han mandado un crucero
Que ha de llamarse "El Telol"
Reciamando las coletas
Para saber cuántas son,
Mejor dicho, cuántos fueron
Los chinos que liquidó
La plebe, los maderistas
O su suerte, ¡¡qué se yó!!
Pero lo que hallo gracioso
En extremo y de ocasión,
Es que cobran por coleta
Cien mil pesos, sí señor;
Por cada diez celestiales
Nos exigen un millón.
Si pudiera realizar
La China su población
En un precio parecido
Y aún diez veces menor,
Sería, sin duda alguna,
Una muy rica nación.
Pero dicen que el mercado
De celestes anda hoy
Tan mal en el mundo entero,
Que hasta lo comparo yo
Con un mercado de suegras
Que se abrió en una ocasión
Y puso luego a la propia
De venta el que organizó

Esa singular empresa,
Mas no venía el comprador
Hasta que un pobre curioso
Visitó la exposición
Y el precio de la señora
A preguntar se atrevió.
"Es de usted, señor; recójala",
Tuvo por contestación;
Y el yerno cerró el negocio
Con el único postor.
Yo creo que si preguntamos
A cualquier parte el valor
De dos gruesas de chinitos,
Nos dan por contestación
La misma que dio ese yerno
De su suegra al comprador,
Pues los meten empacados
En barriles a Nueva York
Y sólo de contrabando,
Porque de otro modo no.
Los reciben nuestros primos
Y últimamente pasó
Que se pelearon quinientos
Por poca ventilación
O porque los aduaneros
De la hermosa Nueva York
Les jugaron esa broma
Dándoles una lección.
Y yo creo que cuando acabe
Con nosotros su misión,
Les reclamará a los yankees
El gran crucero "El Telol".
Pues más cruel que el degüello
El morir de inanición

Encerrados en toneles,	Que paguen en Nueva York,
Como dicen les pasó.	Y después al mismo precio
Esperamos con calma	Liquidaremos. ¿O no?

La cita textual de Juan Puig ("... una de las más caras prendas...") proviene de *op. cit.*, p. 276.

La semblanza biográfica de Pablo Herrera de Huerta proviene de una fuente curiosa: un artículo de Wikipedia originalmente en alemán pero que parece traducido del español por alguien que no conocía bien la lengua de destino. Timo Berger me ayudó a dilucidar su sentido.

La primera cita textual de Pablo Herrera de Huerta ("Fácil sería refutar...") proviene de las notas al capítulo "La matanza" de Juan Puig, *op. cit.*, p. 239-240.

La segunda cita textual de Pablo Herrera de Huerta ("...cuando terminen las investigaciones...") proviene de las notas al capítulo "La matanza" de Juan Puig, *op. cit.*, p. 240.

La semblanza biográfica de Antonio Ramos Pedrueza proviene de fuentes electrónicas fragmentarias.

La cita de Robert F. Buffington acerca de Antonio Ramos Pedrueza aparece en Robert F. Buffington, *Criminales y ciudadanos en el México moderno*, México: Siglo XXI Editores, 2001., pp. 179-180.

La cita textual de Antonio Ramos Pedrueza proviene de su *Informe*, doc. cit.

La anécdota del fonógrafo tocando "El pagaré" mientras asesinaban a Gustavo A. Madero aparece en Paco Ignacio Taibo II, *Temporada de zopilotes*, México, Planeta, 2009.

El encuentro en Chicago del doctor William Jamieson con uno de los cantoneses a los que había escoltado en Torreón se encuentra en *Tulitas* Wulff Jamieson, *op. cit.*, p. 185.

Lauro de la Garza aparece pintorescamente retratado en Paco Ignacio Taibo II, *Pancho Villa. Una biografía narrativa*.

La biografía de Foon-chuck se encuentra en Lucas Martínez Sánchez, *op. cit.*, p. 63. Algunos de los aspectos de la vida del personaje fueron complementados de manera oral por Bernardo Chuck, Silvia Castro e Ilhuicamina Rico Maciel.

La información sobre la liga de propietarios y ss. provienen de Ilhuicamina Rico Maciel, *op. cit.*

La venta de la consulta del doctor William Jamieson es relatada por *Tulitas* Wulff Jamieson, *op. cit.*, p. 186.

La cita textual de *Tulitas* Wulff Jamieson ("Evelyn regresó por unos días...") se encuentra en *op. cit.*, p. 220.

La historia de Federico Wulff después de la revolución es contada por *Tulitas* Wulff Jamieson, *op. cit.*, pp. 219-221.

La cita textual de *Tulitas* Wulff Jamieson ("El *chalet* Wulff...") se encuentra en *op. cit.*, p. 221.

Casi todo el pasaje sobre la circunstancia política china durante las primeras negociaciones de indemnización provienen del primer capítulo ("China") de Juan Puig, *op. cit.*, pp. 27-82.

El somero resumen que he hecho del antichinismo en Torreón posterior a la matanza proviene de Carlos Castañón Cuadros, *op. cit.*

Los dos fragmentos de notas periodísticas provenientes de *El Siglo de Torreón* y favorables a la sinofobia fueron recopilados por Sergio Corona Páez en "Racismo de Estado en Torreón: las pruebas" en *Crónica de Torreón*, 13 de septiembre de 2009, http://cronicadetorreon.blogspot.mx/2009/09/racismo-de-estado-en-torreon-las.html

El poema "Silencio" de Edgar Lee Masters está tomado de Marco Antonio Montes de Oca, *El surco y la brasa. Traductores mexicanos*, México, Fondo de Cultura Económica, 1974, pp. 82-84.

FUENTES

Bibliográficas

Acosta, Teófilo, y José María, Mendívil, *Directorio Profesional de Arte y Mercantil de la Laguna 1908-1909*, México, Universidad Iberoamericana, s/f.

Aguirre, Jacobo M., *Torreón*, México, 1902.

Alvarado, Salvador, *La reconstrucción de México. Un mensaje a los pueblos de América*, México, J. Ballesca y Cía., 1919.

Amparán, Francisco José, *Otras caras del paraíso*, México, Almadía, 2012.

Barragán Rodríguez, Juan, *Historia de Ejército y de la Revolución Constitucionalista, Primera Época*, México, Instituto Nacional de Estudios Históricos de las Revoluciones de México, 2013.

Beltrán Enríquez, Rosa Esther, *Coahuila: sociedad, economía, política y cultura*, México, UNAM, 2013.

Blanco, José Joaquín, *Crónica de la Poesía Mexicana*, México, Posada, 1987.

Buckley Ebrey, Patricia, *The Cambridge Illustrated History of China*, Estados Unidos de América, Cambridge University Press, 1996.

Buffington, Robert F., *Criminales y ciudadanos en el México moderno*, México, Siglo XXI Editores, 2001.

Castañón Cuadros, Carlos (compilador), *Extrañas latitudes: tres visiones extranjeras sobre La Laguna: 1879-1945*, México, Dirección Municipal de Cultura de Torreón, 2004.

———, *Las dos Repúblicas. Una aproximación a la migración china hacia Torreón: 1924-1963*, México, Instituto Municipal de Documentación y Archivo Histórico "Eduardo Guerra", 2004.

Corona Páez, Sergio Antonio, *El País de La Laguna. Impacto hispano-tlax-calteca en la forja de la Comarca Lagunera*, México, Parque España de la Laguna, S. A. de C. V. / Club Deportivo Hispano Lagunero, AC / Consejería de Trabajo de la Embajada de España en México / Grupo Peñoles / Grupo Soriana / Grupo Modelo / Sanatorio Español, 2006.

Daniels, Roger (editor), *Anti-Chinese Violence in North America*, Nueva York, Arno Press, 1978.

Darnton, Robert, *La gran matanza de gatos y otros episodios en la historia de la cultura francesa*, México, Fondo de Cultura Económica, 1987.

De Baca Jr., A. C., y Agustín Aguirre Hermosillo, *Directorio comercial e indus-trial de La Laguna 1905-1906, Torreón, Gómez Palacio, Lerdo, San Pedro, Viesca, Matamoros*, México, Instituto Coahuilense de Cultura, 2006.

De la Pedraja, René, *Wars of Latin America, 1899–1941*, Estados Unidos de América, McFarland, 2006.

De los Ríos, Francisco Emilio, *Francisco L. Urquizo: Narrativa Selecta*, Mé-xico, Instituto Coahuilense de Cultura, 2005.

De Mora, Juan Miguel, *El gatuperio: omisiones, mitos y mentiras de la historia oficial*, México, Siglo XXI, 1993.

Del Bosque Villarreal, Homero Héctor, *Aquel Torreón: anecdotario y relacio-nes de hechos y personas que destacaron en alguna forma desde 1913 a 1936*, México, Instituto Municipal de Documentación y Centro Histórico "Eduardo Guerra", 1983.

Elizondo, Salvador, *Farabeuf*, México, Fondo de Cultura Económica, 1965.

Escohotado, Antonio, *Historia de las drogas*, España, Alianza Editorial, 2004.

Fabela, Isidro, *Documentos históricos de la Revolución Mexicana: Revolución y régimen constitucionalista, IV: El Plan de Guadalupe*, México, Fondo de Cultura Económica, 2013.

Go, Ping-gam, *What Character Is That? An Easy-Access Dictionary of 5,000 Chinese Characters*, Estados Unidos de América, Simplex Publications.

Guerra, Eduardo, *Historia de Torreón. Su origen y sus fundadores*, México, Secretaría de Cultura de Coahuila, 2012.

Henderson, Timothy J., *The Worm in the Wheat: Rosalie Evans and Agra-rian Struggle in the Puebla-Tlaxcala Valley of Mexico, 1906–1927*, Estados Unidos de América, Duke University Press, 1998.

Iturriaga, José N., *Viajeros extranjeros en Coahuila. Siglos XVI al XX*, México, Secretaría de Cultura de Coahuila, 2012.

Jamieson, *Tulitas* Wulff, *Tulitas de Torreón. Reminiscencias de una vida en México*, México, Ayuntamiento de Torreón, 2013.

Katz, Friedrich, *La guerra secreta en México*, México, Ediciones Era, 1983.

———— (compilador), *Revuelta, rebelión y revolución. La lucha rural en México del siglo XVI al siglo XX*, dos tomos, México, Ediciones Era, 1990.

Lumbreras, Ernesto, *Numerosas bandas*, México, Mantis Editores, 2010.

Margot, Sebastián, *Chacal y susceptible*, México, La Fragua, 2008.

Madero, Francisco I., *El Plan de San Luis. 5 de octubre de 1910*, México, Centro de Estudios de Historia de México, 2010.

Martínez Sánchez, Lucas, *Monclova en la Revolución. Hechos y personajes. 1910-1920*, México, Colegio de Investigaciones Históricas del Centro de Coahuila, 2005.

Montes de Oca, Marco Antonio (compilador), *El surco y la brasa. Traductores mexicanos*, México, Fondo de Cultura Económica, 1974.

Moreno Mejía, Jesús Máximo, *La calle donde tú vives*, México, Sin Censura, 2013.

Moreno Robles, Héctor, *Clausurado*, México, Ayuntamiento de Torreón / Dirección Municipal de Cultura de Torreón, 2000.

Muñoz Vargas, Jaime (editor), *Panorama desde el cerro de las Noas. Siete ensayos de aproximación a la historia torreonense*, México, Comisión de Historia de Torreón, 2007.

Pacheco, José Emilio, *Antología del modernismo (1884-1921)*, México, UNAM / Ediciones Era, 1999.

Peña Delgado, Grace, *Making the Chinese Mexican: Global Migration, Localism, and Exclusion in the U.S.-Mexico Borderlands*, Estados Unidos de América, Stanford University Press, 2012.

Puig, Juan, *Entre el río Perla y el Nazas. La china decimonónica y sus braceros emigrantes, la colonia china en Torreón y la matanza de 1911*, México, Secretaría de Cultura de Coahuila, 2012.

Rico Maciel, Ilhuicamina, *Mi cuna, el ferrocarril. Efemérides de Torreón*, México, edición del autor, 2012.

Robles de la Torre, José León, *Cinco coahuilenses, presidentes de México*, México, Consejo Editorial del Estado de Coahuila, 2000.

Rodríguez, José Baltar, *Los chinos de Cuba. Apuntes etnográficos*, Cuba, Fundación Fernando Ortiz, 1997.

Romero, Robert Chao, *The Chinese in Mexico. 1882-1940*, Estados Unidos de América, The University of Arizona Press, 2010.

S/A, *Benemérita Escuela Normal de Coahuila. Alma de acero*, México, Gobierno del Estado de Coahuila / Instituto Coahuilense de Cultura, 2010.

S/A, *Signos para la memoria. Coahuila: inventario artístico*, México, Centro de Estudios Sociales y Humanísticos, 1997.

Sada, Daniel, *Registro de causantes*, México, Joaquín Mortíz, 1990.

Saldaña Villarreal, María Isabel y Durán y Martínez, Francisco, *Recuerdos y sabores de la Comarca lagunera*, México, Secretaría de Cultura de Coahuila, 2014.

Sandmeyer, Elmer Clarence, *The Anti-Chinese Movement in California*, Estados Unidos de América, University of Illinois Press, 1991.

Saviano, Roberto, *CeroCeroCero*, España, Anagrama, 2014.

Schell, William, *Integral Outsiders: The American Colony in Mexico City, 1876-1911*, Estados Unidos de América, Rowman & Littlefield, 2001.

Serrano Álvarez, Pablo (coordinador), *Historias de familia*, México, Instituto Nacional de Estudios Históricos de las Revoluciones de México / Secretaría de Educación Pública, 2012.

Sotomayor Garza, Jesús G., *Anales laguneros*, México, Editorial del Norte Mexicano, 1992.

Sotomayor Garza, Jesús G., *Benjamín Argumedo: El Tigre de La Laguna*, México, edición del autor, 2010.

Taibo II, Paco Ignacio, *Pancho Villa. Una biografía narrativa*, México, Planeta, 2006.

———, *Temporada de zopilotes*, México, Planeta, 2009.

Tan, Chee-Beng y Look Lai, Walton (editores), *The Chinese in Latin America and the Caribbean*, Estados Unidos de América, Brill, 2010.

Terán Lira, Manuel, *Francisco Villa en La Laguna*, México, Macondo, 2002.

Terán Lira, Manuel, *La matanza de chinos (Torreón 1911)*, México, Macondo, 1999.

Torrea, Juan Manuel, *La asonada militar de 1913*, México, Joloco, 1939.

Tovar y de Teresa, Rafael, *El último brindis de Don Porfirio*, México, Penguin Random House, 2012.

Turner, John Kenneth, *México bárbaro*, México, Universidad Veracruzana, 2011.

Urquizo, Francisco L., *Tropa Vieja*, México, Populibros "La Prensa", 1992.

Hemerográficas

"1 000 muertos y 600 heridos en Torreón", en *El Diario Nacional Independiente*, México, 22 de mayo de 1911.

"China demanda a México por 33'600,000.00 como indemnización. Un crucero de guerra viene a nuestras costas para hacer investigaciones. Han muerto 316 de sus connacionales y pide $100,000 por cada uno más 2'000,000 por daños", en *El Diario*, México, 10 de junio de 1911.

"China pedirá a México un millón de pesos en indemnización. El señor Lan Poo, banquero chino en Torreón, dice que sus paisanos fueron atacados por los rebeldes", en *El Diario*, México, 9 de junio de 1911.

"China reclama por la muerte de sus súbditos en Torreón. El encargado de negocios del Celeste Imperio solicita ayuda a la Embajada Americana para las investigaciones", en *El Diario*, 24 de mayo de 1922.

"Chinerías", en *Multicolor*, México, 29 de julio de 1911.

"Colonización e inmigación. Inmigración china a Yucatán", en *El Economista Mexicano*, México, 29 de julio de 1911.

"Cómo fue la matanza de chinos", en *El Tiempo*, México, 21 de junio de 1911.

"Consideraciones sobre la muerte de chinos en Torreón", en *Diario del Hogar*, México, 15 de junio de 1911.

"Detalles del ataque y toma de Torreón por las fuerzas de los revolucionarios", en *El Diario*, México, 30 de mayo de 1911.

"Eclipse y peste", en *El Cómico*, México, 3 de junio de 1900.

"Habla el coronel Macías", en *Diario del Hogar*, México, 9 de junio de 1911.

"Killed in Torreon Number Hundreds. Over 200 Chinese Slain by Rebels After the Federals Evacuated the Town", en *The New York Times*, Estados Unidos de América, 23 de mayo de 1911.

"La colonia china fue aniquilada en Torreón", en *El Heraldo Mexicano*, México, 23 de mayo de 1911.

"La colonia china fue aniquilada en Torreón", en *La Gaceta de Guadalajara*, México, 23 de mayo de 1911.

"La delegación de China hace investigaciones. Se cree que durante los sucesos de Torreón perecieron cerca de trescientos hijos del Celeste Imperio. El encargado de negocios de China envió una comisión a Torreón", en *El Diario*, México, 5 de junio de 1911.

"La matanza de chinos en Torreón", en *El Tiempo*, México, 23 de mayo de 1911.

"La matanza de chinos en Torreón: informe de dos comisionados", en *El Criterio de Durango*, México, 17 de septiembre de 1911.

"La matanza de chinos en la ciudad de Torreón", en *La Opinión*, México, 11 de junio de 1911.

"La peste en Manchuria", en *El Abogado Cristiano*, México, 10 de marzo de 1911.

"La reclamación de China", en *El criterio de Durango*, México, 24 de diciembre de 1911.

"La terrible matanza de chinos", en *El Imparcial*, México, 23 de mayo de 1911.

"La toma de Torreón", en *Diario del Hogar*, México, 22 de mayo de 1911.

"Las medidas sanitarias en Honolulu", en *El Cómico*, México, 10 de junio de 1900.

"Las reclamaciones de los extranjeros: opinión del Sr. R. García Granados", en *La Iberia*, México, 21 de junio de 1911.

"Lo que vale un chino", en *Multicolor*, México, 29 de junio de 1911.

"Los chinos en Torreón se habían naturalizado ciudadanos mexicanos. El informe rendido parece comprobarse la culpabilidad de los asiáticos", en *El Diario*, México, 13 de junio de 1911.

"Los chinos toman las armas", en *Diario del Hogar*, México, 24 de mayo de 1911.

"Los crímenes contemporáneos: Horrores de la libertad", en *El Mañana*, México, 02 de julio de 1911.

"Los sucesos de Torreón", en *Diario del Hogar*, México, 24 de mayo de 1911.

"Matanza de chinos en Torreón", en *La Opinión*, México, 19 de junio de 1911.

"Matanza de chinos", en *El Diario*, México, 30 de mayo de 1911.

"Matanza de chinos", en *La Iberia*, México, 24 de mayo de 1911.

"Profundas divisiones en el Partido Maderista", en *Siglo XX*, México, 23 de julio de 1911.

"Reclamación china. Demandas exageradas", en *El Diario*, México, 11 de junio de 1911.

"Reclamación por la muerte de chinos", en *El País. Diario católico*, México, 25 de mayo de 1911.

"Sigue la barbarie en Torreón", en *El Criterio de Durango*, 17 de septiembre de 1911.

"Torreon's Capture", en *The Torreon Enterprise*, México, 17 de junio de 1911.

Baesa, Marto, "La verdad sobre lo acaecido en Torreón", en *Diario del Hogar*, México, 16 de junio de 1911.

Díaz Zulueta, José, "La inmigración china para el fomento a la agricultura, perjudicará a México", en *El Tiempo*, México, 10 de abril de 1911.

Gedeón, "¡¡Peste!! ¡¡Peste!!", en *La Semana Ilustrada*, México, 10 de marzo de 1911.

Karkabel, "Entrevista con un Chin-chun-chan", en *Multicolor*, México, 29 de junio de 1911.

Li Chung Ping, Li Yuck Ling, Moy Hah Sing, Chion Ah Wan, Tam tip Hong, Chin See Yin, "En defensa de la Colonia China", en *El Tiempo*, México, 21 de abril de 1911.

Ponce Cortés, Alberto Armando, "El mercado regional económico y la migración extranjera. El caso chino en la comarca lagunera 1900–1930", en III Congreso Nacional: Estudios Regionales y la Multidisciplinariedad en la Historia, México, 2013.

Tip Hong, Chin See Yin, "En defensa de la Colonia China", en *El Tiempo*, México, 21 de abril de 1911.

Velázquez Morales, Catalina, "Xenofobia y racismo: los comités antichinos en Sonora y Baja California, 1924–1986", en *Meyibó*, núm. 1, enero–junio de 2010.

Tesis

Hatcher, Donald C., *The Impact of the Mexican Revolution on Foreign Investment in Chihuahua and Coahuila, 1910–1920*, University of Montana, 1975.

Pérez Jiménez, Marco Antonio, *Raza nación y revolución: La matanza de chinos en Torreón, Coahuila, mayo de 1911*, inédita.

Sosa Flores, Francisco, *Los chinos en México (1877 - 1937)*, Universidad Autónoma Metropolitana, Facultad de Filosofía y Letras, 1990.

Walker, Joshua Charles, *Immigrants at Home: Revolution, Nationalism, and Anti-Chinese Sentiment in Mexico, 1910–1935*, The Ohio State University, 2008.

Valdés, Carlos M., *Les Barbares, la Couronne, l'Eglise: les Indiens nomades du nord-est mexicain face à la société hispanique*, inédita.

Electrónicas

"Conmemoran la matanza de chinos ocurrida hace cien años en Torreón" en *El Sol de la Laguna*, 15 de mayo de 2011, http://www.oem.com.mx/noticiasdelsoldelalaguna/notas/n2078289.htm

"Interesante conferencia imparten en el Club del Libro" en *El Sol de Tampico*, 15 de mayo de 2014, http://www.oem.com.mx/elsoldetampico/notas/n3391745.htm

"La matanza de chinos ocurrida en Torreón el 15 de mayo de 1911" en *ChihuahuaMexico.com*, http://www.chihuahuamexico.com/index.php?option=com_content&task=view&id=3438&Itemid=40

"Presidentes municipales de Torreón (6o al 10)", http://www.estaciontorreon.galeon.com/productos655587.html

"Te han engañado como a un chino", http://yayalt.overblog.com/te-han-enganado-como-a-un-chino

"¿Una disculpa por la vergonzosa campaña antichina?" en *Nexos*, 5 de junio de 2013, http://redaccion.nexos.com.mx/?p=4915

Archivo Magón, Instituto Nacional de Antropología e Historia, http://archivomagon.net/

Instituto Nacional de Estudios Históricos de las Revoluciones de México, http://www.inehrm.gob.mx/

El Paso Herald vía *The Portal of Texas History*, 20 de diciembre de 1911, http://texashistory.unt.edu/ark:/67531/metapth137143/m1/1/zoom/

El Siglo de Torreón, http://www.elsiglodetorreon.com.mx/

ELLA, http://ella.org.mx/

Paper of Record, https://paperofrecord.hypernet.ca/default.asp

Periódico Zócalo, http://www.zocalo.com.mx

Wikipedia en alemán, http://de.wikipedia.org/wiki/Wikipedia:Hauptseite

Wikipedia en español, http://es.wikipedia.org/wiki/Wikipedia:Portada

Wikipedia en inglés, http://en.wikipedia.org/wiki/Main_Page

Barba, Guillermo, "Antal Fekete: se aproxima una catástrofe económica (entrevista exclusiva)" en *Inteligencia Financiera Global* (blog), 13 de abril de 2014, http://inteligenciafinancieraglobal.blogspot.mx/2014/04/antal-fekete-se-aproxima-una-catastrofe.html

Castañón Cuadros, Carlos, *Civitas* (blog), http://civitaslaguna.blogspot.mx

Castellanos, Laura, "Fueron los federales" en *Aristegui Noticias* http://aristeguinoticias.com/1904/mexico/fueron-los-federales/

Cerda, Adrián, "La matanza de chinos en Torreón" en *El Universal*, http://www.eluniversal.com.mx/estados/25929.html

Corona Páez, Sergio Antonio, *Crónica de Torreón* (blog), http://cronicadetorreon.blogspot.mx/

Gabriel el Justiciero, "La matanza de chinos en Torreón - Año de la revolución 1911..." en *Crónicas del Pantano* (blog), http://cronicasdelpantano.blogspot.mx/2011/05/la-matanza-de-chinos-en-torreon-ano-de.html

Herrera, Daniel, "Sangre y Polvo" en *Replicante*, octubre de 2010, http://revistareplicante.com/sangre-y-polvo/

Hu-DeHart, Evelyn, *Immigrants to a Developing Society: The Chinese in Northern Mexico, 1875-1932* en *Journal of Arizona History*, otoño 1980, http://parentseyes.arizona.edu/promise/hu-dehart.html

Llama Alatorre, Fernando, "Cual fue la verdadera historia de: LA MATANZA DE LOS CHINOS ocurrida de 13 al 15 de mayo de 1911 ...hace exactamente 93 años", http://www.internetual.com.mx/llama/articulos/La_matanza_de_los_chinos.html

Mendoza Aguilar, Gardenia, "El reto de ser chino en México", en *Contra el racismo en México* (blog), http://racismoenmexico.blogspot.mx/2007/11/el-reto-de-ser-chino-en-mxico.html

Montes Gómez, Rafael, "La tragedia de Matachín" en *Panamá América*, http://www.panamaamerica.com.pa/content/la-tragedia-de-matach%C3%ADn

Puig, Juan, "La matanza de chinos en Torreón" en *La Jornada*, 28 de junio de 2004, http://www.jornada.unam.mx/2004/06/28/008n1sec.html

Puig, Juan, "Tsai Yüan, Coahuila" en *Letras Libres*, octubre de 2002, http://www.letraslibres.com/revista/letrillas/tsai-yuean-coahuila

Rico Maciel, Ilhuicamina, *Batallas en el Desierto* (blog), http://batallaseneldesierto-ilhuicamina.blogspot.mx

Roy, Alonso, "Matachin y el suicidio de los Chinos", http://www.alonso-roy.com/hm/hm-02.html

Saldaña, María Isabel, "Recuerdos y Sabores de la Comarca Lagunera. V. De la influencia de la comunidad China" en *Milenio,* 14 de junio de 2014, http://www.milenio.com/firmas/maria_isabel_saldana/Recuerdos-Sabores-Comarca-Lagunera-China_18_317548246.html

Salmerón Sanguinés, Pedro, "¿Genocidio en México?" en *La Jornada*, 8 de octubre de 2013, http://www.jornada.unam.mx/2013/10/08/politica/019a2pol

Salmerón Sanguinés, Pedro, "Benjamín Argumedo y los colorados de La Laguna" en *Estudios de Historia Moderna y Contemporánea de México*, Universidad Autónoma de México / Instituto de Investigaciones Históricas, 2004, http://www.historicas.unam.mx/moderna/ehmc/ehmc28/334.html

Archivos

Archivo Histórico Genaro Estrada de la Secretaría de Relaciones Exteriores.

Archivo Municipal Eduardo Guerra de Torreón.

Archivo Papeles de Familia de la Universidad Iberoamericana de Torreón.

Hemeroteca Digital de El Siglo de Torreón.

Hemeroteca Nacional de México.

Instituto Estatal de Documentación (IED).

La casa del dolor ajeno de Julian Herbert
se terminó de imprimir en julio de 2022
en los talleres de
Litográfica Ingramex, S.A de C.V.,
Centeno 162-1, Granjas Esmeralda, Iztapalapa,
C.P. 09810, Ciudad de México, México.